KB077138

[개정판]

진화하는 학교 리더들

[개정판] 진화하는 학교 리더들

발 행 | 2024년 3월 7일
저 자 | 정경화
펴낸이 | 한건희
펴낸곳 | 주식회사 부크크
출판사등록 | 2014.07.15.(제2014-16호)
주 소 | 서울특별시 금천구 가산디지털1로 119 SK트윈타워 A동 305호
전 화 | 1670-8316
이메일 | info@bookk.co.kr

ISBN | 979-11-410-7507-1

www.bookk.co.kr

개정판

진화하는 학교 리더들

학교의 위기는 우리 사회의 위기다

정경화 지음

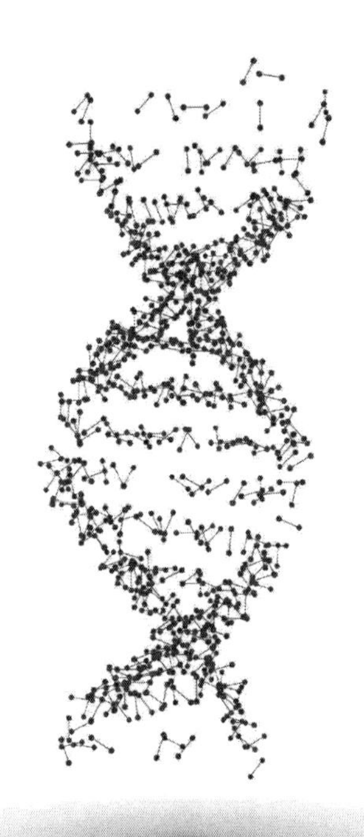

한 사회가 인간의 존엄성을 유지하고 공동체 문화를 전승, 발전시키는 힘은 오직 교육에 의하여서만 가능합니다. 그러므로 교육을 담당하는 학교의 위기는 곧 우리 사회의 위기입니다.

어제도, 오늘도 미래세대를 가르치기 위해 수고하시는 학교 선생님 여러분께 이 책을 바칩니다.

프롤로그

학교의 위기는 우리 사회의 위기다

대한민국 곳곳에서 선한 인재 육성을 위해 애쓰시는 초중고 학교 선생님들께 먼저 존경과 감사를 표합니다.

인격을 갖춘 사람으로 기르려는 교육의 시작은 태어나 말을 배우면서부터였습니다. 사람에 대한 교육은 사회화하는 훈련인데 예전엔 초등학교 들어가기 전까지 부모가 육아와 초기 인성교육을 담당했습니다. 요즘엔 부모의 육아를 돕기 위해 유아기부터 가정뿐만 아니라 외부 기관에서 돌봄과 유아교육이 시작되니 상대적으로 가정교육은 약해지고 공교육은 커지고 있습니다.

한 나라의 교육환경을 구성하는 요소는 인구, 산업구조, 국제정세, 사회문화 환경, 교육제도 등입니다. 우리나라는 2025년에 65세 이상 인구가 1/5이 넘는 초고령사회에 진입합니다. 이대로라면 50년 뒤에는 인구 3,600만 명의 절반이 65세 이상이라고 하니 지금의 초·중학생이 맞이할 미래가 가히 충격적입니다. 초저출생과 고령화로 인한 인구절벽은 의료비, 연금, 노인복지비 등 재정 파탄을 불러오고, 경제활동, 국방, 안보를 포함해 궁극적으로 국가소멸의 위기까지 거론되고 있습니다.

돌아보면, 1995년경에 학교급식과 유치원의 에듀케어(방과후 과정)가 들어오고 초등학교에 방과후학교가 생겨났습니다. 그동안 가정의 영역이었던 돌봄과 급식이 학교라는 공적 영역으로 이양되었습니다. 2013년부터는 전국에 초등돌봄교실이 확대되었습니다. 2024년부터는 저출생 해법의 하나로 돌봄과 방과후 교육활동이 합쳐진 '늘봄학교'를 초등 전체로 확대하여 운영하기 시작했습니다. 이제 초등학교의 주요 역할이 교육과 돌봄 체계로 확장되어 진화하고 있습니다.

지난 세월 동안 차별 반대와 평등 및 인권을 강조하는 교육사조가 득세하였지만, 스마트폰 과잉, 가상 세계 등 디지털 세계의 부작용으로 문해력 저하 등 공교육의 질은 낮아지고 사교육은 팽창하였습니다. 핵개인화로 가정교육의 부재와 스마트폰에 빠진 아동기의 정서 불안과 부실한 인성교육 등은 학교폭력의 만연, 청소년의 우울 증가 등 학교 교육의 위기를 불러왔습니다. 내 자녀 우선주의에 빠진 학부모의 지나친 관심과 민원과다, 교직에 대한 어두운 전망으로 교직 중도 이탈, 명예퇴직 교원들이 늘어나는 등 교사의 직업 만족도와 사기는 갈수록 낮아지고 있습니다.

성숙한 민주시민으로 성장하려면 충분한 인성교육과 사회화 과정 교육을 통해서만 가능합니다. 그런데 그 과정에서 학교의 교육적 기능과 역할은 과소 평가되고 아동학대처벌법과 학생인권조례 역작용으로 일부 교실은 붕괴하고 있습니다. 요즘 초중학교엔 아직 미성숙한 학생을 가르치는 교사의 깊은 사랑도 공동체 질서와 평화를 위한 엄정한 규율도 찾아보기 어렵습니다.

2023년 2월, 《진화하는 학교의 리더들》을 출간한 지 오래 지나지 않았는데 북극해의 빙산이 쪼개지듯 급격히 붕괴하는 학교의 모습, 현장 교원들의 소진과 교직 이탈의 심화, 인성이 파괴된 사회 현상을 목도하고는 몹시 괴로웠습니다.

2023년 7월, 서울과 지방 초등교사들의 잇따른 죽음을 계기로 그동안 속으로 눌러왔던 현직 교사들의 불만이 폭발하여 매주 집회가 열렸고, 교권 보호 관련 법령의 개정과 제도 등의 일부 변화가 있었습니다. 퇴직 후 몇몇 학교에 시간강사를 하거나 교육지원청의 학교폭력대책심의위원으로 만나본 학생들은 참으로 많이 달라져 있었습니다. 교장 재임 중엔 제대로 보거나 알지 못했던 당혹스럽고 힘든 현실이었습니다. 때론 심한 자괴감과 걱정도 하였습니다. '아, 지금 학교와 교실 상황이 정말 심각하구나!'

그런데 학교의 위기가 진짜 위험한 것은 장차 사회의 위기로 연결될 수 있기 때문입니다. 한 사회가 유지되고 발전될 수 있는 것은 바로 교육이 역할을 하기 때문인데 학교 교육이 위기에 처했다는 것은 우리의 미래 사회가 밝지 않다는 의미입니다.

선생님과 학생 관계를 떠올려보면 오늘날 교사에 대한 존경과 권위가 사라진 세상에서 그 어떤 교육이 효과를 낼지 모르겠습니다. 우리의 좋은 전통과 미덕이었던 스승과 제자라는 관계는 불과 몇십 년 사이에 다 사라지고 없습니다.

젊은 교사와 학부모일수록 '스승'이란 단어를 쓰지 않은 지 이미 오래되었습니다. 단지 직업인으로서 교사의 삶과 개인의 삶을 분리하여 영위하려고 합니다. 즉 학교에서 퇴근하면 교사라는 존재와 역할은 잊히고 싶은 것이겠지요.

우리 사회는 부모와 자식 간의 사랑과 효경(孝敬), 이웃 간의 예(禮)가 사라져 삭막한 사회가 되어가고 있습니다. 정치·경제적 양극화, 지방 공동체의 소멸, 경제 저성장, 기후 위기, 인구감소, AI로 상징되는 4차 산업혁명 가속화 시대에 살고 있습니다.

이처럼 어려운 상황은 학교 교육의 미래를 고민하게 합니다. 교육정책을 담당하는 관계자들과 학교 리더들도 바뀌고 있는 이러한 세태를 분명히 인식하고 적절히 대응하여 바람직한 방향으로 진화하기를 바랍니다. 정해진 미래에 지속적인 성장 기반을 확보하고 사회 대전환의 시기에 잘 적응하기 위해서는 학교 교육이 긍정적으로 진화하여야 하고 이를 견인할 교육제도와 정책, 학교 리더의 탄탄한 실행력이 필요합니다.

그런데 학교의 진화 개념은 중립적이어서 꼭 우리가 원하는 방향으로만 가진 않습니다. 또 사회문화 및 교육의 진화엔 수많은 이해관계가 얽혀있어 제대로 방향을 잡아 나아가려면 그 과정에 많은 노고와 비용이 수반됩니다. 따라서 풍부한 경험과 안목, 능력을 갖춘 학교 리더가 필요합니다.

여기서 학교 리더란 각급 학교의 교장, 교감, 수석, 부장교사, 교육(지원)청의 장학관, 장학사(교육연구사) 등으로서 학교 교육에 직·간접적으로 참여하고 영향력이 큰 사람을 일컫습니다.

학교 리더로서 성공하려면 인간의 본성과 발달에 대한 이해와 인간에 대한 연민, 과업에 대한 결정력과 실행력을 두루 갖춰야 하겠습니다. 이를 뒷받침하는 힘은 치열한 자기성찰과 연대 의식, 폭넓은 독서 등입니다.

학교 교육에서 인간의 본성을 고려한 교육의 본질을 추구하고, 어느 한쪽에 치우치지 않는 중용의 태도로 인성이 바른 인재를 길러야 하겠습니다. 학교 교육의 진화는 시간이 흐른다고 저절로 이루어지지 않으며, 훌륭한 리더들의 지혜와 실천적 열정, 노력이 있어야 가능합니다.

위기에 처한 우리 가정과 사회도 사랑과 효예(孝禮)에 기반한 실천적 인성교육이 뿌리내릴 때 정상화할 수 있다고 생각합니다.

한 나라의 미래는 공교육의 질에 있으며 학교 교육의 성패는 알맞은 교육정책과 이를 실행하는 학교 선생님들에게 달려있습니다. 우리 교사들이 교단을 떠나지 않고, 가르치는 일에서 보람과 자긍심을 갖도록 교육 전문직, 학교 교감, 교장으로 경험했던 것들을 함께 나누고자 부족하지만 한 권의 책으로 정리하였습니다.

이 책은 학교 리더로 성장하려는 분들을 위한 안내서이자 저자의 깊은 신념, 교직 경험을 바탕으로 쓴 타산지석의 경험담이기도 합니다. 지난날의 저 자신을 돌아보면서 재임 중 부족했던 부분도 꺼내어 학교 진화의 관점에서 생각하고 반성하는 마음으로 썼습니다.

아무쪼록 이 책이 각급 학교에서 성실히 근무하는 선생님들께 발전의 디딤돌이 되고, 학교 또는 교육청, 교육 연구와 연수기관에서 학교를 경영하거나 교육행정과 정책을 담당하고 계신 리더분들께 작으나마 도움이 되기를 바랍니다.

개정판을 내며

저자 정경화

목 차

제1장
책임 있는 학교 리더

책임 있는 학교 리더는 학교조직의 비전과 사명을 구성원과 공유하고 소통할 줄 압니다. 교육 시설과 환경을 최적화하고 예산과 재산을 효과적으로 관리하며, 공직자로서 책임과 청렴을 실천합니다. 임기를 마치고 떠날 때는 제대로 된 인계인수를 합니다.

비전과 사명, 소통

학생과 학부모, 교직원

어느 학교의 교감이나 교장으로 부임하라는 발령장을 받았을 때 무슨 생각이 제일 먼저 떠올랐습니까?

학교 리더로서 진정으로 성의를 다해 교육해야 할 대상은 미래세대인 학생입니다. 또한 교직원이 학생의 교육활동에 전념하여 지도하도록 제반 여건을 만드는 것도 리더의 역할입니다.

교장으로 재직하는 동안 학생이 학교에 와서 즐겁게 배우고, 자신의 미래의 인생을 설계할 수 있도록 인성과 역량을 길러주고자 노력하였습니다. 통학로에 꽃을 가꾸고 수목을 정비하는 일도, 교육 시설과 놀이 공간을 제대로 갖추고 좋은 프로그램을 만드는 것도 다 학생을 위해서였습니다. 그 일이 진정으로 학생의 배움에 도움이 되는지 교육적 가치가 있는지 늘 생각하였습니다.

간혹, '이 일을 하려면 교직원들이 반발할 텐데' 하며 주저할 때도 있었습니다. 그럴 땐 학생에게 꼭 필요한 일이라면 설득해서 추진하였습니다. 학교의 존재 이유가 학생을 미래 사회의 주역으로 길러내는 데 있음은 두말할 나위가 없겠지요.

요즘 학생들은 과거와 비교하면 많은 면에서 다릅니다. 세상을 살아가는 데 희망이 없다고 쉽게 좌절하는 학생이 있습니다. 어렸을 때부터 부모로부터 과잉보호를 받았고, 커다란 기대를 잔뜩 지고 가슴을 짓누르는 경쟁에 시달렸기 때문일까요? 쉽게 안주하고 도전하지 않으려고 합니다. 또 초고속 인터넷 속도에 길들어져 잘 참지 못하고 조급해하는 병(?)도 있습니다.

학생 중 일부는 쉬는 시간에 국어, 영어, 수학 등 학원 과제에 매달리기도 합니다. 학원 과제 등으로 지친 학생은 수업시간에도 엎드려 잡니다. 학교도서관에서 역사책, 과학 도서 등을 대출받아 읽는 학생도 있지만, 매우 적습니다. 국어사전을 옆에 두고 낱말 뜻을 찾아가며 읽는 학생은 거의 없습니다. 학생들은 도서관 가는 시간 빼놓고는 책을 읽지 않고 있습니다. 학교 교과서의 내용을 읽고도 50% 정도는 무엇을 말하고 있는지 내용 파악이 어렵다고 합니다. 점차 문해력이 떨어지는 '책맹'이 늘어나고 있습니다. 스마트폰 사용 의존도가 높아서 문자를 읽는 독서보다는 동영상에 익숙해진 뇌의 탓도 있습니다.

한편, 처음부터 공부하고는 인연이 없는 학생도 적지 않습니다. 어느 가정의 경우 생계에 급급하다 보니 공부는 뒷전입니다. 다문화 이주 배경 학생 중 한글을 제대로 공부하지 않은 채 입학하면 학습부진아가 됩니다. 교과서 문해력이 크게 부족합니다. 가정에서도 학생에게 영감을 주거나 도움을 줄 사람이 없습니다. 아이는 방치되어 그야말로 공부를 할 줄 모르게 됩니다. 책가방도 제대로 못 챙기며, 학습준비물을 어떻게 준비하는지도 잘 모르고 연필을 제대로 쥘 줄도 모릅니다. 공책에 쓴 것을 보면 정말이지 글자를 알아보기 어렵습니다. 제때 정리를 할 줄 몰라서 책상 위는 잡동사니로 수북합니다. 학교 리더는 학습 부진 학생들의 이런 실태를 우선 정확히 알아야 합니다. 그래야 도움을 줄 팀을 어떻게 구성하고 어떤 도움을 줄 수 있는지 계획할 수 있습니다.

요즘 학생들은 평소에 또래들과 재밌게 놀지 못하고, 주말에도 TV를 편하게 볼 수 없습니다. 늘 공부, 공부하라는 부모의 잔소리에 숨이 막힐 지경이라고 합니다. 아침에 밥 먹고 집을 나서면 수업 후 방과후학교를 하던가 학원을 거쳐 저녁에 학원 통학차를 타고 지친 몸으로 집에 옵니다. 저녁 먹고 제대로 쉬지 못한 고단한 몸을 의자에 앉히고 학원 과제를 하면서 힘들어합니다. 휴일엔 스마트폰이 유일한 희망인데 온라인 게임이나 도박, 인터넷 중독에 쉽게 빠집니다. 이로써 친구와 대면 관계 단절, 수면 부족, 집중력 저하를 가져와 정서적으로 불안정하고 학습에도 악영향을 끼치고 있습니다.

부모의 양육 기대가 인성보다는 우수한 성적이다 보니 실패 가능성 있는 도전은 하기 싫고 고통을 참으며 잘할 자신도 없습니다. 강박관념에 사로잡힌 아이들은 시험을 못 보면 사는 의미를 모른다고 불안해하고 심지어 자해하기도 합니다. '아, 내가 뭘 할 수 있단 말인가. 공부하는 기계인가?' 요즘 아이들에게 우울증이 많이 늘어났습니다. 학생들의 타는 듯한 속마음을 잘 읽어야 합니다.

교사의 수업을 방해하는 학생들이 늘어나고 있습니다. 주로 초·중학생들인데 일부는 학급 내에 팀을 이루어 조직적으로 교사의 수업을 방해합니다. 대개 교사로부터 생활지도 차원의 지적을 받거나 학교폭력 연루 등으로 정서적으로 불안정한 학생들이 보복적, 계획적 차원에서 저항하는 행동입니다. 이런 행동은 사춘기와 맞물려 학생인권조례, 아동학대 처벌 규정 및 인성교육의 부실 영향과도 어느 정도 연관이 있다고 봅니다.

요즘 학부모는 소비자 권리에 길들어진 세대라 그런지 자녀교육도 공적 서비스를 받을 권리가 있다고 생각하며 학교와 교사에게 많은 것을 요구하고 있습니다. 일부는 자기 자녀의 권리의식만 가득하여 다른 자녀나 교사의 권리를 무시하고 반복적인 부당한 요구와 간섭으로 교권을 침해하고 있습니다.

심각한 것은 아동학대 신고 후 무혐의나 무죄가 나도 보복성 추가 민원으로 교사가 교육청 조사 등으로 고통을 겪는다는 것입니다. 교사와 학부모는 학생 교육상 한 팀이 되어야 하는데 서로 점점 멀어지고 있습니다. 지금처럼 민원과 간섭이 많아지면 서로 불신만 늘어나서 결국엔 자녀교육에 실패할 수밖에 없습니다.

그런데 학교가 진정으로 관심을 보여야 할 학부모는 우리나라에 결혼 등으로 들어온 외국인입니다. 앞서 말한 대로 다문화가정의 부모들은 취약합니다. 언어가 잘 안되니 학교 및 자녀와 소통이 잘 안되고 자녀교육에 실패하고 있습니다. 기본적인 학업 준비, 학습요령, 지원 방법 등에서 모두 어려움을 겪고 있습니다. 지역마다 다문화가정의 '엄마'를 위한 기초 교육이 필요합니다. 지자체와 학교가 서로 협력해서 지원해야 합니다. 출생아 100명 중 약 6명이 다문화가정 출신입니다.

다문화 자녀들은 성장기 가정에서 언어습득을 제대로 하지 못해 학습에서 어휘, 글쓰기, 문제 이해력 등이 부족합니다. 서술형 문제 풀이가 상당히 취약합니다. 이들의 부모는 자녀의 교육에 어떤 도움을 받을 수 있는지도 잘 모릅니다. 그러므로 학교에서는 필요한 경우 다문화가정의 부모들에게 실질적인 도움을 줄 수 있도록 따로 프로그램을 마련하여 안내하고 연수하여야 합니다. 이들의 어려움을 그냥 방치하지 말고 최대한 도움을 받도록 도와주어야 합니다.

학부모들은 자기 자녀를 가정에서 어떻게 교육할까요? 정말 잘하는 학부모가 있는가 하면, 계속 간섭하거나 아이를 방치하는 학부모도 상당하다고 봅니다. 교사의 알림장이나 메시지를 제대로 해석하지 못해 신경질 내는 부모부터 시작해서 딸의 휴대전화를 교사가 압수했다고 학교로 찾아가 수업 중인 교사에게 폭언하며 물건을 던지는 괴짜 학부모도 있습니다.

이런 예들은 빙산의 일각이고 일부는 얼마나 학부모로서 자녀교육에 단견적이고 무지한지 답답하기만 합니다. 최근엔 자녀가 학교폭력 가해자로 조사를 받고 학폭심의위원회에 회부되면 보복으로 담당 교사를 아동학대로 신고하는 사례가 급격히 늘었습니다. 또, 어느 정도 선악을 구별할 만한 어린이들이 아파트 고층에서 장난으로(?) 돌을 던져 길 가던 노인이 맞아 숨지는 사례 등도 발생했습니다. 학교 리더는 학부모교육에 좀 더 관심을 가지고 학부모가 자녀교육의 책임자로서 함께 보조를 맞추어 갈 수 있도록 노력해야 하겠습니다.

교직원은 학교경영의 실행자이자 내부 고객입니다. 이들을 진정성 있게 잘 대해주어야 소기의 목표를 달성할 수 있고, 일터에서 작으나마 행복한(고통스럽지 않은) 시간을 보낼 수 있습니다.

교직원과 소통하는 방법으로 자주 강조했던 것이 정보의 실시간 공유였습니다. 일일 계획을 비롯하여 결재한 문서, 회의록 등 어지간한 것은 공개와 공유를 원칙으로 하여 누구나가 학교의 교육활동을 알 수 있도록 하였습니다.

또 하나 방법은 해마다 학년 담임이 정해지고 나면 교장과의 대화 시간을 두어서 학년, 교과, 비교과 등 그룹별로 일정을 잡아 차를 마시며 간담회 시간을 가지는 것입니다. 이야기 주제는 우리 학교 현실, 교장이 도와주길 바라는 일 등으로서 가볍게 다루면서도 상호 이해와 교류, 좋은 관계를 맺기 위한 대화였습니다.

최근 교직원 간 인간관계 흐름은 사적인 영역은 최소화하는 쪽으로 흐르는 것 같습니다. 즉 학교에 머무는 시간은 일하는 시간이요 퇴근 후 아무도 간섭하지 않는 시간만이 온전히 자기만의 삶의 시간이라고 여기고 행동하는 경향이 두드러졌습니다. 아무래도 대인관계에 어려움을 느끼거나 직무 만족 또는 자기효능감이 부족한 교직생활 때문이 아닐까 짐작해 봅니다.

정말 많은 변화가 생겼습니다. 과거엔 직장을 삶의 일부로 여겨서 만남에 공사(公私)가 섞여 있었다면, 요즘엔 공적인 교류 외엔 인간적 교류가 사실상 끊어졌다고 봐야 맞는 것 같습니다.

이런 흐름을 알기에 요즘엔 퇴근 후 약속은 거의 잡지 않게 됩니다. 필요시 가끔 교감, 교무부장, 행정실장 등 주요 보직자들과 학교경영이라든지 특정 업무에 대해 식사하며 협의하거나, 학기 말 즈음에 격려하는 자리 정도로 한정합니다.

소통은 꼭 말로만 이루어지는 것은 아니라고 봅니다. 소통을 위한 신뢰의 환경을 만드는 것이 중요합니다.

어느 학교 교장 발령을 받아 출근한 첫날, 교장실로 향했는데 간유리로 안을 볼 수 없는 복도 창문과 출입문에 '교무실을 경유하세요'라는 문구를 보았습니다. 며칠 후 간유리는 투명 유리창으로 교체하고 '경유하세요' 문구는 떼어버렸습니다. 교장실이 열려 있음을 알린 것이지요. 대개 교직원은 교무실의 교감과 협의한 후 옆의 내문을 통해 교장실로 들어가게 됩니다. 필자는 훗날 그 문의 가운데도 길쭉한 사각형으로 투명창을 내어서 교무실에서 들어오기 직전에 교장실 안쪽을 볼 수 있게 하였습니다. 저도 때로 교무실 쪽을 바라볼 수 있어서 서로 좋았던 것 같습니다.

교장실엔 예전부터 낮고 긴 직사각형 탁자가 있었는데 팔꿈치 아래 높이라 신문을 보거나 차 마시는 용도로는 적합하였지만, 토론이나 회의용으로는 불편하였습니다. 그래서 낮은 탁자 대신 책상 높이의 타원형 테이블을 새로 맞추어서 사용하였습니다. 당시 필자는 《용감한 항해》라는 책을 읽은 후라 벤폴드호의 함장인 마이클 에브라소프의 신뢰의 리더십을 기억하고 싶어서 유선형의 배처럼 직접 디자인하여 테이블을 제작하였습니다. 아마 지금도 그 테이블은 예전 학교 교장실에서 주요 간부의 회의용으로 잘 사용하고 있을 것입니다.

교장은 교직원과 동료 의식을 갖고 신뢰와 상식의 선에서 겸허하게 소통하면 좋을 듯합니다. 그런데 너무 사무적이어서 같이 근무한 지가 몇 년이 되었어도 자녀가 어떤 상황인지도 모르면 곤란하지 않을까요? 저 역시 앞선 교장이 그랬던 것처럼 해마다 교직원 자녀 중 대입 수험생이 있는지를 파악해서 작은 파이나 쿠키를 사서 건네며 부담 없이 격려해주곤 하였습니다.

소통에 관해서는 따로 부담스럽게 뭘 어떻게 해야 할까로 고민할 것이 없습니다. 교장실의 문턱을 낮추어서 교직원이라면 누구라도 편안하게 노크하고 들어와서 상담하고 의견을 나눌 수 있도록 평소에 분위기를 만드는 게 중요하다고 봅니다. 여름철 교장실 냉장고엔 항상 시원한 물이나 음료수가 들어 있어서 대화를 나눌 때 꺼내서 함께 마시면 됩니다. 추운 날이면 차를 끓여서 따뜻함을 함께 나누면 되지요. 그것이 소통의 시작입니다.

그런데 제겐 살 안되는 것이 있었습니다. 어느 부장교사가 회식을 마친 후 말하기를 “평소 회의나 식사 자리 등에서 가장 말을 많이 하는 분은 교장이시다.”라는 말을 듣고는 아득하였지요. 맞습니다. 이처럼 교장의 긴 이야기(잔소리)는 아무도 원하지 않으니 절제하여 간결하게 말하고, 겸허하게 듣는 습관이 효과적인 의사소통입니다. 상대를 설득할 때 외에는 소통에서 말은 그렇게 중요하지 않을 수 있습니다. 오히려 별다른 말이 없어도 상대를 존중하는 태도가 중요합니다.

업무상 소통할 땐 리더로서 명확한 지침을 주는 것도 필요합니다. 담당자에게 불분명한 메시지를 주는 것은 기대와 다른 결과를 가져올 수 있으니까요. 만일 조직 구성원의 이해관계가 걸려있는 문제라면 그들의 관심사를 반영한 설명을 해주어야 불필요하게 오해하지 않을 것입니다.

비전과 사명, 경영계획

정부 부처, 기업, 병원, 군대, 학교 등 공공의 이익을 추구하는 조직은 비전과 사명을 명확히 하여서 조직원들이 일사불란하게 나아갈 방향에 대해 공유하고 에너지를 집중하여야 성공할 수 있다는 것이 일반적인 경영이론입니다.

대개 학교의 비전은 학교경영계획서나 학교 교육과정에 실리도록 하고 있습니다. 그 까닭은 이 비전과 사명을 공유함으로써 교직원이 한 방향으로 일을 추진하기 위함이지요.

그런데 공립학교는 경영상 완전한 의사결정 독립체가 아니라서 인적, 물적 자원을 교장이 직접 확보하기 어렵습니다. 예산도 학교회계 규칙에 맞게 운영해야 하고 전략적으로 예산을 투입하기가 쉽지 않지요. 이러한 여건 속에서도 지속 가능한 발전을 추구하기 위해서는 학교의 비전과 사명이 분명하게 제시되어 전체 구성원이 그것을 인지하고 공유하도록 하여야 합니다.

비전은 학교가 처한 환경을 고려해 학생 개개인들이 성장해나갈 주요한 역량을 염두에 두고 달성할 최종의 상태를 말합니다. 교직원들과 워크숍을 열고 상향(bottom-up)식으로 비전과 사명을 정하는 게 바람직합니다. 기본적인 가이드를 제시한 후 교직원과 협의하여 간결하고 분명한 비전과 사명을 정하면 됩니다.

비전과 사명이 완성되었으면 이를 추진하는 핵심 가치를 도출해 내도록 합니다. 핵심 가치는 가치관 경영으로 가게 하는 경영상 실천적 요소이자 사후 평가의 준거가 되므로 결코 소홀히 다루어서는 안 됩니다. 핵심 가치가 없으면 비전과 사명은 자칫 구호에 그칠 공산이 큽니다.

교장으로 첫 학교의 비전은 '배움이 즐거운 교실, 내 꿈이 자라는 학교'로 하였습니다. 두 번째 학교에선 '훌륭한 인성과 역량을 지닌 미래인재 육성'을 제시하였습니다. 그런데 두 학교 모두 공통된 사명으로는 '모든 학생이 세상을 이해하고 자신의 재능과 꿈을 발견하여 행복한 삶을 살 수 있게 인성과 역량을 길러준다'로 하였지요. 이게 실제 교육의 목표와 연결되는 것입니다.

학교는 다른 조식과 비슷하게 핵심 구성원이 3~5년 주기로 끊임없이 순환함으로써 비전부터 사명, 핵심 가치가 오래가지 못하는 한계가 있습니다. 성향이 다른 교장이 바뀌면 크게 바뀔 수 있는 구조인 까닭입니다. 그런데도 이게 없으면 학교가 나아가야 할 방향과 집중해야 할 내용이 분명치 않으므로 교육목표, 인사업무, 교무 분장이나 예산 편성 등에 있어서 일관성을 유지하기가 어렵습니다. 그래서 비전과 사명은 교장 재임 중 학교 교육과정 수립, 운영 시에 일관되게 반영이 되도록 해야 합니다.

비전과 관련하여 자주 사용하는 용어가 있으니 전략이라는 용어입니다. 흔히 경영전략이란 용어로도 사용되므로 정리가 필요합니다. 《좋은 전략 나쁜 전략》을 쓴 리처드 루멜트는 전략이란 목표, 리더십, 비전, 기획과는 다른 의미라고 강조합니다. 전략은 구호가 아닌 실천적 방법을 내포하고 있어서 주어진 상황에서 결정적인 영향을 미치는 요소들을 찾아내고 거기에 대응하는 행동계획을 수립하는 것을 뜻합니다. 따라서 좋은 경영전략은 조직이 과제의 성격을 파악하고 해결책을 제시하며 이를 실행에 옮기기 위한 주요 행동들을 제시하는 거라고 봅니다.

재직 시 학교경영 전략상 주요 행동 원칙은 4가지였는데, 자율성, 단순화, 디지털화, 공간혁신이었습니다. 동시에 이 4가지는 경영상의 핵심 가치라고도 말할 수 있습니다.

자율성 : 교직원들이 교무 분장에 의한 과업을 자율적으로 책임감 있게 추진하도록 권한 위임을 실행한다.

단순화 : 과업 상 불필요한 일은 과감히 버리고, 단순화함으로써 집중하여 성과를 낸다.

디지털화 : 정보 및 자료의 공유와 저장, 검색, 재활용을 위하여 데이터 파일을 디지털시스템으로 구축한다.

공간혁신 : 학생, 교직원이 공부하고 일하기 좋은 공간, 휴식의 공간으로 재창조한다.

학교를 경영하는 리더는 늘 '학교란 무엇인가'를 생각하여야 합니다. 그리고 학생 교육은 어떻게 해야 할까도 생각해 보아야 합니다. 학교경영은 시대에 알맞은 교육철학이 있어야 하고 그 실행은 인간의 본성적 심리를 이해한 바탕에서 주어진 환경(공간, 여건 등)을 합리적으로 고려한 융합적 창조 활동입니다. 그렇다면 그 계획을 어떻게 세워나가는 게 좋을까요?

경영계획은 단순하고 분명하게 제시하는 것이 바람직합니다. 여러 가지 미사여구를 동원하여 현란한 구호로써 눈과 귀를 사로잡을 수는 있지만, 그 포장지를 벗겨냈을 때의 내용이 도전할 만하지 않거나 함께 행동으로 실천할 수 없다면 허망한 일입니다.

어떤 방법을 선택하더라도 일정한 시간이 필요합니다. 자신의 임기를 어떻게 사용할 것인지도 계획에 반영하여야 합니다. 계획엔 두 가지가 포함되어야 하는데, 조직의 비전과 사명을 담는 것과 이를 함께 추진해 나갈 핵심 인재들을 운용하는 것입니다. 비전과 사명이 단순히 액자에 걸기 위한 구호로 그치지 않고 실천해 가도록 하려면 그 가치에 동의하며 역량 있는 인재들을 초빙하거나 발굴, 육성하여 팀을 꾸려야 합니다. 그들에게 자율적 권한을 부여하고 잘 격려해야 합니다. 이제 학교 리더는 작고 급한 일에서 벗어나 더 장기적이고 본질적이며 중요한 학교 교육의 목표와 내용 및 방법에 시간과 에너지를 집중하면 됩니다.

학교장의 메신저와 경청

학교경영이든 그 무엇이든 일을 해나가려면 '메신저'가 필요합니다. 메신저(messenger)는 리더의 생각과 의도를 잘 이해하고 이를 조직에 전파하여 일을 성공적으로 마치는 데 중요한 역할을 하는 존재입니다. 학교장의 경영 방침과 관련하여 때로는 의견수렴 역할도 하게 됩니다.

메신저 역할을 하는 사람은 교장의 의사에 대해 중립적이거나 소신 있게 의견을 낼 수 있는 중량감을 가진다면 더 좋겠지요. 그래야 메시지가 왜곡되지 않고 온전한 영향을 끼칠 수 있습니다. 또 메신저는 교직원의 생각을 대변할 위치에도 있습니다. 실제로 교직원들은 교장, 교감 같은 상급자보다는 동료이면서 교장, 교감의 의도를 가장 잘 알고 있다고 여기는 교무부장 등에게 많은 것을 의논하거나 의견을 피력하여 반영되도록 합니다. 그래서 많은 학교에서 교무부장, 연구부장이 메신저 역할을 하고 있습니다.

교장은 학교 구성원 중에서 자신의 경영 방침이나 중요사항에 대해 깊이 있게 이해하고 전달할 수 있어야 하므로 신뢰할 만한 인물을 찾아 메신저 역할을 부여합니다. 그리고 메신저는 구성원의 의견을 리더에게 전달하는 역할도 맡도록 합니다. 이를 누구로 삼을 건가는 오로지 교장에게 달려있습니다. 그러므로 나중에 이야기하겠지만 사람을 알아보는 안목을 가져야 합니다.

메신저는 메시지를 전달하는 사람이기도 하지만, 최근엔 전달수단인 컴퓨터 프로그램(앱)을 뜻하기도 합니다. 직장 내외에서 모바일 메신저를 잘 사용한다면 구성원들의 의사를 빠르게 전파하고 공유하여 소통의 대로를 열 수 있습니다.

필자는 재임 시 매주 월요일에 학교 운영의 주요 사항을 검토하고 의사결정을 하기 위해 학교장 주재로 주요 간부들이 모여서 기획 회의를 하였습니다. 의사결정은 실행을 전제로 하였으며, 그

회의의 결과는 매일 안내되는 '일일 계획'에 반영하고 전체 교직원에게 전파하도록 하였습니다.

리더로서 시설 환경이나 교내 분위기를 살펴보기 위하여 정기적으로 교내 공간을 순시할 텐데 도중에 누구라도 교직원을 만나면 가볍게 대화하면서 무엇이 필요한지 묻길 바랍니다. 그런데 교직원 중에서 리더에게 필요한 바른말을 하는 교사는 별로 없습니다. 특히 교장이 어떤 의도를 갖고 진행 중인 사안에 대해서는 문제점이 있어도 입을 다무는 경우가 많습니다.

그러므로 교장은 교직원이 반대 소리를 내지 않았다고 해서 그들이 동의해준 것이라고 섣불리 예단하지 말아야 합니다. 오히려 어떤 문제가 있는지 먼저 질문을 함으로써 교직원들의 불만이나 대안을 듣는 기회로 삼아야 합니다. 대개 리더는 말을 많이 하게 되지만, 일부러라도 듣는 시간, 경청의 시간을 자주 가지길 바랍니다.

경청은 공감과 존중, 따스한 눈빛, 바른 자세 등이 동반됩니다. 경청은 그 사람에 대해 열린 마음이며 이 마음은 공기를 타고 전달됩니다. 그런데 교직원과 거리감 없이 가깝게 지내다 보면 경청을 실천하기가 생각만큼 쉽지 않습니다. 그래서 필요한 경청의 자세는 상대를 향한 연민과 사랑입니다. 경청의 효과는 이후 조직 경영에서 큰 힘을 발휘합니다.

교육환경과 예산관리

학생을 생각하는 환경 조성

경제적으로 어느 정도 삶의 질이 올라가면서 학교의 공간 활용에 대해 많은 관심이 생긴 것 같습니다. 원래 교정(校庭)이란 학교의 뜰, 정원이란 의미를 지니고 있는데 교육활동이 정원 가꾸기 원리와 비슷하다는 데서 착안한 용어라 합니다.

학교에서 잘 안 쓰이는 운동장 구역을 어떻게 정비하여 생동감 있게 만들 것인가를 고민한 결과, 놀이 활동이 가능한 맨발 걷기장으로 만들기로 하였습니다. 600여 제곱미터의 작은 규모지만 보도를 새로 설치하고 주변에 생태조경을 하기로 하였습니다. 틈틈이 스케치하면서 어떻게 만들어갈지 구상하였습니다. 이웃 학교의 맨발 걷기장도 가보고, 인터넷으로 다른 지역에서 활발하게 이루어지고 있는 소식과 사진 자료도 살펴보았습니다.

맨발 걷기장은 학생들이 교정에서 자연과 더불어 소요하면서 심신의 안정을 기하고, 친구들과 다정하게 걷기를 통해 건강을 증진하고 인성을 기르기 좋은 시설입니다. 여기에 조경이 뒷받침되면 더욱 좋겠지요. 다행히 교육지원청에서 시설환경 개선을 위해 필요한 예산을 지원하였습니다. 안전한 통학로를 만들면서 조경을 살려 주변부에 보도블록과 배수로, 현무암 판석 보도를 조성하였습니다. 그리고 고운 마사로 작은 운동장을 정리하였습니다. 보도와 운동장의 경계 일부 구간은 이듬해에 화단을 만들기 위해 흙더미로 쌓아서 작은 둔덕을 만들어 두었습니다.

이듬해 봄이 되자, 맨발 걷기장 한쪽 면에 10여 종의 야생화 군락을 만들어서 잔디와 함께 심었습니다. 그리고 아이들과 함께 4월 중순에 맨발 걷기를 시작하였습니다. 친구들과 사이좋게 걷기를 하면서 자연도 감상하는 일석이조의 효과를 기대하였지요. 그런데 맨발로 운동장 마사를 처음으로 접하는 아이들의 반응은 대부분 발바닥이 따갑다고 하였습니다. 아이들의 고운 발바닥은 처음엔 그럴 수 있다고 생각하여 마사 바닥을 황토로 모두 바꾸었습니다. 그제야 아이들은 매우 좋아하였습니다.

하지만 황토는 비가 오면 고운 황토가 일부 유실되거나 밀가루의 반죽처럼 질퍽거리는 단점도 있었습니다. 그래서 황토 바닥에 마사를 추가하여 적절한 질감의 바닥으로 만들었습니다. 그런 중에 비가 온 후에 보드라운 황토 바닥을 맨발로 재미나게 질퍽거리며 밟고 노는 아이들도 여전히 있었지요. 그 옆의 큰 마사 운동장은 그것대로 맨발로 걷기에 또 다른 매력이 있었습니다. 아이들은 이미 발바닥의 통증은 어느 정도 단련이 되어있었기에 두 군데서 즐겁게 맨발 걷기를 하였던 기억이 남아있습니다.

맨발 걷기는 '접지효과'라고 하여 체내의 양전하를 방출하고 음이온을 흡수함으로써 혈액을 맑게 만든다는 건강증진 운동입니다. 그래서 저부터 아침에 맨발 걷기 활동을 참여하였습니다. 일부 교직원도 참여하였고, 아이들과 함께 걷기도 하였습니다.

이와 함께 봄에 꽃이 피는 어린 조경수를 본관동 앞 화단에 심었습니다. 살구, 복숭아나무 한 그루씩과 매화나무 두 그루를 심었습니다. 모두 5~7년생 정도입니다. 꽃이 진 후엔 적절히 가지치기하여 내년을 기약하였습니다. 교직원과 학생들은 이전보다 자주 교정을 거닐며 오늘은 무슨 꽃이 피었는지 새로운 열매가 얼마나 자랐는지 관심을 보였고, 유치원과 저학년 담임교사들은 학생들과 함께 꽃나무의 변화를 반기며 즐거워했습니다. 직박구리와 멧비둘기가 찾아왔고, 여름철엔 매미가 땅속에서 올라와 모과나무 줄기에 허물을 벗어놓은 풍경을 볼 수 있었습니다.

가을에 들어서서 국화를 통학로 건물 옆쪽 자투리 공간에 심었고, 햇빛이 잘 드는 쪽의 보도를 따라 태양광 가로등을 설치하였습니다. 땅을 파고 전선을 매설하지 않고도 멋진 정원용 가로등이 만들어졌습니다. 밤엔 제법 환하게 가로등이 빛났습니다. 이는 학생들에게 신재생 에너지 활용의 산 교육장이 되기도 하였지요. 겨울엔 운동장 주변 여러 나무에 새집을 달아주어 다양한 새들이 찾아와서 쉬는 장소로 만들어주었습니다.

마지막 해에는 운동장 주변에 터널 모양의 하우스 프레임을 설치하고 큰 화분에 조롱박 모종을 심었습니다. 그 뒤편으로 대나무 열 그루를 심었습니다. 대나무는 뿌리를 잘 내렸는지 비 온 후 죽순을 내밀어 잘살고 있다고 알려주었지요. 화분의 조롱박도 넝쿨 줄기 끝마다 하얀 꽃잎을 연신 피우며 둥근 터널 프레임을 따라 예쁜 박들을 조롱조롱 매달았습니다. 6월 중순에 중앙현관 입구에 새로 수련(睡蓮)을 심은 화분을 두 개 가져다 놓았습니다. 넓은 땅이 없어도, 연못이 없어도 식물을 기를 수 있어서 생명 감수성을 기르고 자연의 지혜를 배울 수 있었습니다.

가을엔 건물 내 복도와 계단이 인접하는 벽면에 층별로 명화(名畫)를 걸었습니다. 반 고흐와 클로드 모네의 서양화 10여 점, 겸재, 단원 선생 등의 동양화 30여 점인데 유화 캔버스 형태와 액자 형태로 제작된 것이었지요. 학생들이 이러한 명화 작품을 감상하면서 정서적 안정감과 예술적 감성을 채우길 바랐습니다.

사람은 자연 속에서 태어나 자라기에 사는 곳의 자연환경은 매우 중요합니다. 교장으로 부임하면 먼저 학교의 구석구석을 여러 차례 둘러보면서 어디를 어떻게 자연에 가까운 환경으로 만들 수 있는지 파악해 둡니다. 무슨 나무를 더 심으면 좋을지 혹은 기존의 나무를 어떻게 관리하면 좋을지 구상을 해둡니다.

건물 바로 앞에 키 큰 교목을 심는 건 피해야 합니다. 과거엔 건물 앞 운동장 쪽이 남향이기도 하거니와 조경에 대한 인식이 부족하여 가까이에 목련, 느티나무 등 교목(喬木)을 심었는데 그것들이 40~50년이 지나면서 여러 가지로 골칫거리가 되었습니다. 실내로 햇볕이 들어오지 않는다든지 모기나 해충들이 번식하여 열린 창문을 통해 교실로 유입되기 때문입니다.

건물 바로 앞 화단에는 영산홍, 배롱나무, 장미 같은 키 작은 관목이나 화초류를 심고, 학교 울타리 경계 부근엔 교목을 심어서 외부로부터의 소음이나 먼지, 바람의 유입을 방지하길 권합니다. 그런 다음 학생들이 나무와 친해지도록 '숲사랑, 나무사랑' 같은 프로그램을 만들어서 사철 내내 나무의 성장과 변화를 관찰하고, 그 속에서 나무와 함께 자연 친화적인 삶을 영위하도록 하면 매우 좋을 것입니다.

예부터 조상들은 매화, 난, 국화, 대나무를 반듯한 심성을 기르는 사군자라며 주변에 가까이 두고 사랑하였습니다. 퇴계 선생도 평소에 매화를 사랑하여 도산서당 작은 마당에 매화를 길렀고 매화시를 많이 지었습니다. 돌아가실 때 주위에 하신 마지막 말씀도 매화분에 물을 주라고 할 정도로 매화를 사랑하셨지요.

자기 몸을 돌보듯 식물을 가꾸고 보살핀다면 학교폭력이 줄어들고 선한 인성을 기르는 데 많은 도움이 될 것입니다. 이렇게 학교에 다니는 동안에 자연과 늘 접하면 아이들의 인성이 놀랍도록 자연 친화적으로 변합니다. 자연을 가까이함으로써 생명을 존중하고, 사실과 합리성을 존중하여 원칙이라는 사고와 연결되어 자연을 닮은 인성을 지니게 된다고 생각합니다.

현장을 확인하는 시설 및 물품 관리

교장으로서 가장 큰 과제는 학교 교육과정을 알차게 구성하여 다양하고 의미 있는 학습 경험을 학생들에게 제공하는 것입니다. 물론 직접 교육하는 것은 교사들에게 맡기고 학생들이 좋은 시설과 환경에서 공부할 수 있도록 적절한 물리적, 심리적 여건을 조성하는 것이 실제로 할 일이라고 봅니다.

이처럼 교장이 교직원과 달리 주력할 분야는 시설 환경을 개선하고 유지보수하는 일입니다. 그 시설은 종류가 매우 많습니다. 소방, 전기, 체육, 급식, 화장실, 수도, 가스, 교실, 놀이기구, 화재경보시설, 배수, 조경 등이 있습니다.

이렇게 많은 걸 직접 다 하기가 어렵고 전문적 소양도 부족하다 보니 각각의 전문 용역업체와 계약하여 유지 보수와 점검을 맡기고 있습니다. 그래서 교장은 이런 시설 환경 분야에 대해 많은 관심을 기울여야 합니다. 다른 것보다 문제가 발생하면 학교 이미지도 좋지 않고, 직접적 피해가 발생하여 학생들과 교직원의 안전이나 교육활동에 피해를 주기 때문입니다.

교장으로 처음 부임한 2015년 봄에 주요 언론에서 초등학교 운동장의 우레탄 트랙 50% 이상에서 납(Pb)이 기준치를 초과 검출되어 문제라고 일제히 보도하였습니다. 당시 재직 학교도 해당이 되었는데 어쩔 수 없이 교육청에서 예산지원을 받아 우레탄 트랙을 모두 제거하고 마사로 재포장한 일이 있었습니다.

교장은 어떤 시설에 대한 표본 조사나 검사를 했다면 그 내용을 메모해 두고 추후 그 결과를 확인하여야 합니다. 아울러 통보된 그 결과치가 무엇을 의미하는지 제대로 해석하여야 합니다. 이후 어떤 조치를 해야 할지 담당 공무원과 의논하거나 교육청과 협의해서 잘 처리하여야 합니다. 평소에 교직원에게 결과통지서 등은 반드시 교장에게 보고하도록 함으로써 바로잡을 시기를 놓치는 일이 없도록 해야 합니다.

시설 일부를 보수하거나 교체할 땐 반드시 관련자들과 함께, 즉 행정실장 또는 담당 공무원과 현장을 가봐야 합니다. 그 현장에 현재의 문제가 드러나 있지만, 해결 답안도 숨어있습니다. 현재 어떤 상태인지, 교체나 수리가 되고 나면 어떻게 변화할지를 생각해 봐야 합니다. 그래야 시공의 방향을 제시할 수 있습니다.

대개 설비 시공은 교장이 주로 지시하고 행정실장이 시공업자에게 시행을 의뢰하고 감독하는 것이 일반적이지만, 관리자로서 시공 현장을 꼭 가보는 습관을 들여야 합니다.

어느 해 학교 숙직실 리모델링으로 가스관 재설치가 필요했는데 사전에 구체적인 설계나 협의 없이 시공을 맡겨놓아 원하지 않는 곳에 가스관로가 설치될 뻔한 사례가 있었습니다. 만일 관리자가 현장을 방문, 확인하지 않았더라면, 시공업자는 아마도 규정상 현재의 전선이나 콘센트 위치를 참고해 다른 방향으로 가스관로를 설치했을 가능성이 매우 컸습니다. 다행히 막 시공하기 직전에 현장에 가보았기에 우리가 원하는 방향으로 설치를 할 수 있었지요. 공사 현장은 반드시 관리책임자가 수시로 방문하여 진행 상황을 확인하여야 합니다. 그래서 사전에 잘못되는 시공을 방지해야 합니다.

오래된 학교일수록 겨울철만 되면 교실 내 싱크대 상수도관, 혹은 낡은 수도관의 동파 걱정이 있을 것입니다. 사전에 시설 담당 직원과 함께 학교 시설물을 점검하여 대비하는 것이 좋습니다. 보통 1월 중하순에 추위가 절정에 이릅니다. 교실의 싱크대는 쇠로 된 주름형 수도관이라 잘 얼기 때문에 사전에 동파방지책을 마련해둬야 합니다. 수도꼭지와 연결된 주름관과 파이프 부분에 보온 피복을 입히고, 벽 쪽을 스티로폼 소재로 단열 처리하면 어지간한 한파에도 문제없이 견딜 수 있습니다.

학교 건물의 외벽 페인트나 방수포, 실리콘 등 마감재는 세월이 흐르면 표면이 벗겨지거나 낡아서 누수 등 피해를 가져오므로 적기에 보수해야 합니다. 적기에 보수하지 않으면 낡아가는 정도가 빨라져서 옥상 바로 밑의 교실에 누수가 발생하고 더 큰 비용이 들거나 폐기 또는 철거해야 하는 수도 생깁니다.

언젠가 평소보다 상수도 요금이 1.5배 이상 나오기를 여러 달, 오래된 노후 상수도관이 어디선가 파손돼 물이 새고 있음을 직감하고 샅샅이 뒤져서 결국 원인을 찾았습니다. 건물 지하에 있는 50년 정도 된 낡은 수도관이 삭아 구멍이 나서 물이 계속 샜던 것이었습니다. 겉보기엔 누수 위치를 쉽게 알 수 없었지만, 책임감이 강한 시설 담당 직원의 끈질긴 노력 끝에 찾아냈습니다. 그 분의 노고를 크게 치하하였음은 물론이지요.

최근엔 정기적 재물조사 후 물품등록 및 관리가 전자화되고 있습니다. 과거엔 종이에 작성하여 물품에 직접 부착하였는데 이는 시간이 지나면 훼손되어 흔적도 없이 사라지기 때문입니다.

물품 관리상 어려운 점은 해당 물품이 항상 제자리에 있지 않다는 점입니다. 예를 들어 회의용 테이블은 이곳에서 저곳으로 이동되고 의자, 기자재 등도 여기저기로 재배치되곤 합니다. 움직이는 물품은 원래의 자리에 있지 아니하고 재배치되곤 하는데 이를 물품 관리 대장으로 제대로 이력 관리하지 않으면 나중에 그 물건이 어디에 있는지도 모르게 됩니다. 게다가 현실적으로 학교엔 일정한 관리 담당자가 없어서 전보, 승진 등으로 관리자가 바뀌면 그 물품이 과거에 언제, 왜 들어왔으며 어떻게 사용되었는지 잘 알지 못하는 게 다반사입니다.

사용기한이 지나거나 고장 나서 도저히 쓸 수 없어 새로운 비품을 구매했다면, 이전의 것은 폐기 절차를 거쳐 물품등록 대장에서 정리하여야 합니다. 그런데 그런 폐기 과정 없이 쓸만하다고 계속 과거 물품과 혼재하여 사용하다 보면 한참 시간이 지난 시점에서는 뭐가 뭔지 모르는 지경에 빠지기도 합니다.

해마다 새 학년도가 되면 학급수 변동과 함께 담임이 바뀌고 학급이 재배치됩니다. 새로운 특별실이 생기기도 하고, 없어지기도 합니다. 이런 상황에 적절하게 대응하려면 비품의 재배치가 중요합니다. 전자칠판, 컴퓨터, TV 모니터 등이 있던 실이 유휴 교실로 전환될 때는 어떻게 해야 할지 미리 생각해 두었다가 처리해야 합니다. 이렇게 유휴 교실의 비품은 잘 관리하다가 수요가 생기면 재배치함으로써 예산을 절감할 수 있습니다.

그 외에도 재직 학교의 오래된 창고가 차량 진출을 방해하거나 주차에 어려움이 발생했을 때, 학교운영위원회의 심의를 거쳐 교육청의 공유재산심의위원회에 멸실 신고를 하고 구청 등으로부터 창고멸실 및 폐기 비용을 보조받아서 정비한 적이 여러 번 있었습니다. 이처럼 불필요한 시설물은 제때 정리를 함으로써 학교 구성원의 생활을 편리하게 만들 수도 있습니다.

학교의 수목 관리를 할 때 큰 나무는 그냥 두면 문제가 커지므로 적어도 3년 주기로 가지치기 등 전정(剪定)을 하는 게 좋습니다. 그리고 평소에도 관목류는 가능한 범위 내에서 가지치기나 병충해 예방을 위한 약제 살포, 태풍이 지나간 후 보살피기 등을 통해 잘 가꾸어나가도록 합니다. 이렇게 하여 수십 년간 잘 큰 나무는 그 학교의 상징물이 되기도 하며 재산적, 경관적 가치를 높여 줍니다. 수목 관리는 사람으로 치면 유연성이 있는 어린 시기에 알맞게 조절하고 키워주는 것처럼, 나무들도 수형을 갖추기 시작할 때부터 지속적으로 불필요한 가지를 솎아내거나 제거하고 다듬어주어야 좋습니다.

학교 시설물과 나무는 한 번 위치를 잡게 되면 좀처럼 이전하기가 쉽지 않고 이전 비용도 만만치 않게 듭니다. 예를 들면, 2~3년 후에 철거 계획이 있는 구역 내에 어떤 시설물을 세운다면, 이는 향후 설치비용이 매몰 처리되므로 신중하게 장소를 선정해야 합니다. 새로이 묘목을 심을 때도 주의해야 합니다. 지금은 어린나무지만 다 성장했을 때 크기와 주변에 미치는 영향을 고려하여 적절한 공간에 심어야 합니다.

예산 확보와 편성, 집행하기

학교의 경영 목표를 실현하는 데 있어서 가용할 예산의 확보는 매우 중요한 일입니다.

최근에는 보편적 교육복지 명목으로 교육청이나 지자체 교육예산이 풍부하다 보니 무료로 시행되는 교육사업이 매우 다양해지고 많아졌습니다. 게다가 지자체 구청은 학교에 교육경비 보조금을 해마다 평균 수천만 원씩 지원하고 있습니다. 따라서 학교는 구청 등 지자체에서 지원하는 교육경비보조금을 적절히 신청할 계획을 8월 중에는 정해두어야 합니다. 그래야 내년 사업예산을 부족하지 않게 계획할 수 있습니다.

주의할 것은 예산은 조직의 규모에 따라 혹은 사업할 대상에 따라 최적의 유효성과 한계성이 존재하므로 과도한 예산 확보는 오히려 일에 내몰리는 독(毒)이 되므로 절제해야 합니다.

해마다 12월 초가 되면 교육청에서 내년도 학교 회계 운영 지침과 예산 편성에 대한 안내 공문이 옵니다. 이에 따라 학교는 내부 교직원, 학부모, 학생 등의 의견을 수렴해서 예산을 편성하여야 합니다.

학교는 건축물의 경과 연도, 학생 수, 학급 수 등을 고려한 기본운영비를 예상하면서 목표를 달성하기 위해 담당업무별로 세출 예산을 짜는데 해마다 거의 비슷합니다. 교직원은 예산의 과목이나 쓰이는 시기, 단가, 편성요령에 대한 전문적 식견이 부족해서 늘 하던 대로, 익숙한 모습 그대로 시간에 쫓겨 제출합니다. 그러니 해마다 예산 편성 요구서를 받아보면 거의 그대로입니다. 액수만 조금씩 넉넉하게 늘려서 제출한 것 외에는 그 사업을 어떻게 설계해야 교육적으로 효과가 있고 타당성 높게 집행할 수 있는지에 대한 고민은 제대로 하지 않고 내고 맙니다.

그러므로 교장은 예산요구서를 내라고 하기 전에 내년도 사업에 대한 청사진을 보여주어야 합니다. 교직원회의 등을 통해 전체적인 예산 규모를 정하고, 특색사업이나 중점교육사업 목록을 정하여야 합니다. 중요하고 가치 있는 것에 우선 투자하고 나머지를 예년의 것과 비슷하게 편성하면 무난합니다.

이때 목적사업비는 본예산과 달리 예산출처가 국고 지원비 등이므로 따로 편성하는 것이 유리합니다. 그래서 교육활동 프로그램 중 본예산에 포함할지 별도 목적사업비로 처리할지 미리 구분해서 계획, 편성하면 집행 시 한결 수월해집니다. 그렇게 하면 중복 예산 편성을 벗어나 효율적으로 운영할 수 있습니다. 예산 편성 시 주의를 기울여야 할 것은 원가통계비목에 대한 정확한 이해입니다. 예산 편성 내역이 교육운영비, 일반수용비, 운영수당, 학생복지비, 일반업무추진비 등과 부합하는지 제대로 살펴보고 적용해야 추후 집행과 결산 시 수월하고 문제가 없게 됩니다.

한 가지 꼭 편성하기를 바라는 것은 교감 및 부장교사가 업무를 추진할 때 불편함이 없도록 사업추진 업무추진비를 별도 사업별로 편성하는 것입니다. 그러면 이들이 일할 때 교장이나 타부서의 눈치를 보지 않고 사용할 수 있게 됩니다.

편성된 예산을 언제 어떻게 쓸지는 일차적으로 업무 소관 부장교사나 담당자가 판단하여 결정하도록 적절히 위임하고, 교장은 적합 여부만 판단하여 시행하면 됩니다.

예산은 집행 시기도 중요합니다. 예컨대 도서구입은 상반기와 하반기 초에 각각 집행하는 것이 좋습니다. 학기 초에 도서관운영위원회를 열어서 도서구입 목록을 정하는 등 신속히 처리하게 합니다. 권한을 받아 NEIS 업무포털에서 학교 회계 사업별 현황을 조회해서 살펴보면 그때까지의 집행현황을 확인할 수 있습니다.

교사들은 아이들을 가르치는 일은 잘하지만, 예산을 어떻게 써야 할지는 요령이 다소 부족합니다. 행정실과 협력하여 집행요령이나 유의점 등에 대해 미리 잘 안내해야 합니다. 학교마다 에듀파인 처리를 위해 행정지원사를 두고 있지만, 그들 일부는 해당 예산의 의미와 교육적 효과 등을 제대로 알지 못하기도 합니다. 그래서 자세히 메모하여 알려주어야 합니다.

그리고 사업이나 시설공사를 할 때는 예산이 있는지 확인하고 시작하여야 합니다. 견적을 받고 바로 지출 품의 후 계약하고 원인행위를 해두는 것이 예산 운용에 안전합니다. 특히 회계연도가 바뀌기 전인 2월에 한 공사는 때로 새 학년도인 3월에 완성되어서 회계 처리하게 되는데, 깜박하고 이전 회계연도에서 지출해야 함을 잊고 잘못 처리하는 예도 있으니 유의해야 합니다.

교장은 예산 집행 현황을 가끔 들여다보고 집행 방법상 아이디어를 떠올리고 담당자와 수시로 협의하여 본래의 목적에 적절하게 쓰이도록 노력하여야 합니다. 그중 하나의 방법이 추경을 통한 예산 정리작업입니다. 교육청에서 수시로 학교 기본운영비, 인건비 등 목적사업비로 교부되는 예산이 있는데 모두 성립 전 예산으로 편성됩니다. 수익자부담 예산, 집행 잔액을 다른 곳에 편성하는 일, 부족한 예산을 증액하거나 남는 예산을 감액하는 일도 추경을 통해 처리하면 됩니다.

청렴한 공직생활

공직자의 자세와 책임

고위 공직자 하면 떠오르는 단어가 '노블레스 오블리주'입니다. 사회적으로 명예롭고 존경받는 위치에 있는 자가 스스로 주인의식을 발동하여 책임 있게 처신하는 것을 이르는 말이죠.

정부, 학교, 병원 등 조직의 흥망성쇠는 최고 리더에게 달려있습니다. 그 조직이 실패하거나 잘못하면 리더는 남에게 떠넘기거나 변명하지 말고 책임을 질 줄 알아야 합니다.

과거 프랑스는 영국과 백년전쟁을 치르는 와중에 북부 도시 칼레시가 포위당하여 결국 항복에 이르게 되었습니다. 이때 칼레시를 대표하여 여섯 명이 책임자로 나서게 되었는데 모두 죽음을 면치 못할 것이 예상되었지요. 하지만 큰 어려움 속에서도 그들의 굳게 다문 입과 결연한 눈빛은 어떠한 두려움도 보이지 않았고 꼿꼿하였습니다. 후에 그 여섯 명의 용감한 시민들을 기리기 위해 로댕에 의해 조각된 작품 〈칼레의 시민〉이 세워지게 되었습니다. 그 여섯 명 중에 칼레시의 공무원을 대표한 장 데르가 있

었는데 공직자로서 책임감을 잘 드러내는 모습으로 기억하면 좋겠습니다.[01]

모든 공무원은 취임하면 소속 기관장 앞에서 다음과 같이 선서하게 됩니다. 이 선서는 퇴직할 때까지 유지되어야 합니다.

"나는 대한민국 공무원으로서 헌법과 법령을 준수하고, 국가를 수호하며, 국민에 대한 봉사자로서 임무를 성실히 수행할 것을 엄숙히 선서합니다."

조선의 경우, 유교의 성리학이 500년 왕국의 국가철학으로 면면히 이어져 왔는데 역설적으로 그것이 망국의 원인이 될 줄 누가 알았겠습니까? 왕국이 망한 것엔 분명한 원인이 있었습니다. 바로 지도자들의 책임지지 않는 무능과 위선 때문이었지요. 왕과 국정의 대소신료들은 세상이 어떻게 돌아가는지 각성하지 아니하고, 성리학에만 빠져 자신과 집단의 권력욕에 사로잡혀 백성의 혼을 나약하게 하였습니다. 나라를 걸어 잠근 채 세상의 변화를 무시하며 살다가 마침내 근대화에 성공한 일본에 나라를 빼앗겼습니다. 그들은 백성을 위해 신문물을 배우려고 하지 않았습니다. 그들 머릿속에 백성의 삶은 없었습니다. 오직 왕권 강화와 정치생명 연장, 훗날의 안락을 도모했기에 맞이한 뼈아픈 결과였습니다. 이 내용은 박종인이 쓴 《대한민국 징비록》에 나옵니다.

독립운동과 외세의 도움으로 일제로부터 해방 후 각고의 노력 끝에 자유민주주의 국가로 세계 10위권 대의 경제 강국으로 발돋움하고 있지만, 2010년대 이후로 나라의 정치, 경제, 사회, 문화, 교육, 법치 모든 영역에서 발전은 정체되거나 퇴보하고 있습니다.

이 역시 가장 큰 이유는 정치 지도자나 고위 공직자의 안일과 무책임, 분열과 부패 때문이 아닐까 싶습니다.

2022년 2월, 러시아의 군대가 우크라이나를 침공하였을 때, 전력상 약한 우크라이나의 최고 지도자인 대통령부터 '결사항전'을 외치며 국민과 함께 싸우는 모습은 참으로 오랜만에 보는 지도자의 애국적 용기, 책임 있는 모습이었습니다. 그러자 국민도 13만 명이나 민병대에 자원하여 입대하는 등 침략에 맞서 결연하게 싸우는 모습을 본 것은 감동적이었습니다.

교직원도 학교장의 리더십을 기대하고 의지하는 경향이 있습니다. 교장이 책임지고 자신들을 병풍처럼 보호해주고 있다는 생각이 들면 신뢰가 형성됩니다. 학생들을 가르치는 일을 하는데 외부의 부당한 요구나 압력, 과도한 민원에 대해 적극적으로 방어하고 헤쳐 나가려는 굳은 의지를 보이면 교사들은 교장을 신뢰하게 됩니다. 만일 교장이 '이런 걸 해봤자 알아주지도 않고 괜히 시끄러워진다.'라고 생각하고 모른 척하거나 뭉개면 교직원들은 신뢰가 생기지 않을뿐더러 함께 하려고 하지 않을 것입니다.

무릇 공직자의 제일 덕목은 사욕을 억제하는 일입니다. 다음으로 국민에 대한 바른 봉사심, 애국심 등이겠지요. 무너지는 조직이나 나라를 다시 세우려면 신뢰와 법치의 회복이 시급한데 공직자의 정직성과 성실성은 매우 중요합니다. 부여받은 직책을 정직, 성실하게 수행하여야 할 공무원이 법과 제도를 가볍게 여긴다든지 업무엔 태만하고 권력엔 아부하여 출세의 길을 도모한다면 국민이 바로 등을 돌리고 질책할 것입니다.

근자에 들어와 사회지도층이면 먼저 희생하고 국민을 위해 봉사하여야 하는데 일부는 그 권력을 자신과 가족, 측근의 이익을 추구하는 수단으로 삼았습니다. 파렴치한 언행을 적나라하게 들키고도 뻔뻔하게 자리를 지키고 있으면 국민은 분노합니다. 분노가 드높았던 까닭은 일부 정치인과 공직자는 잘못을 들키고도 반성하지 않고, 아니라고 거짓을 말하였기 때문입니다.

공직자의 위선과 윤리적 양심 일탈은 국민을 실망케 하고 좌절에 빠뜨립니다. 가장 심각한 병폐는 정치적으로 중립적이고 독립적이어야 할 대법원을 비롯한 사법부 공무원(법관 등)의 처세와 인사, 판결 등이 탈중립적, 정치적 예속의 길을 걷는 게 분명해지면서 드러났습니다. 양식 있는 판사는 부끄러운 나머지 사표를 냈지요. 어느 성향의 판사이냐에 따라 조직 내 승진이 좌우되고, 재판에선 유무죄가 갈리는 지경에 이르렀습니다. 게다가 신속한 사법 정의를 실현해야 하는데 1심 재판도 3년 이상 끌고, 자기가 맡은 재판을 책임 있게 마무리하지 않고 이동하거나 퇴직하는 일도 있습니다. 이를 보는 국민은 법원이나 법관에 대해 어떻게 생각하겠습니까?

과거 제2차 세계대전 후반부에 미국 루스벨트 대통령이 당시 육군참모총장 1차 임기가 끝나가던 조지 마셜과 영국 주둔군 사령관이었던 아이젠하워 중 누구를 유럽 주둔 연합군 최고사령관으로 선택할지 고민하고 있었을 때, 함께 점심을 마치고 난 마셜은 대통령에게 이렇게 말했습니다.

"이 문제와 관련하여 각하께서 고민하셔야 할 가장 중요한 요소는 저의 입장이나 의사가 아니라 국가의 이익입니다."[02]

마셜 장군의 말처럼 국익을 우선 생각하는 게 바로 공직자의 참다운 자세 아니겠습니까?

민주 공화정 체제에서는 입법, 행정, 사법부가 서로 건강한 긴장 관계를 형성하고 삼권분립 원칙에 따라 독립된 의사결정을 하여야 합니다. 그런데도 정권의 눈치를 보느라 일부 공직자는 공익을 무시하여 일을 그르치고도 국회나 언론에서 비판하면, 자기편 감싸기를 하는 행태를 보여왔습니다. 판사, 검사, 선관위원조차도 자기편을 위한 불공정 심판과 수사 안 하고 뭉개기, 직무태만으로 비난받았습니다.

국가조직에서 법을 수호하고 심판하는 공직자는 법과 양심에 따라 일을 엄정히 처리하여야 합니다. 스포츠 경기와 대학 입시, 선거 등 경쟁적인 상황에서 불공정 심판이 있다면 누구든 결과에 승복하지 않을 것이기 때문입니다.

공직은 그가 맡은 업무를 통하여 국민이나 수혜를 입는 대상자들에게 봉사하는 직업입니다. 자신이 하는 일로 인해 국민이 기분 좋게 행정서비스를 받았다는 느낌이 들게 할 때 그의 일은 비로소 공직에 부합하게 되는 것입니다.

교장이 되었다고 교장실에만 머물러서는 안 됩니다. 학교의 실상을 제대로 알려면 교실 속으로 들어가 수업 현장의 분위기를 느껴보시길 권합니다. 학생들의 생생한 현실의 모습을 보아야 합니다. 가끔 특별수업을 자청하여 학기에 몇 번 학생들과 대면하는 것이 좋습니다. 학생들의 바람을 듣고 교사들의 심정을 직접 몸으로 느껴보아야 살아있는 학교경영을 구상할 수 있습니다.

청렴한 공직생활

'반부패 청렴 공직자상' 확립을 한다며 1990년대 이후 계속하여 공직사회에 청렴 운동이 전개되고 있습니다. 그런데 국민이 평가하는 공직사회의 부패인식지수는 왜 별로 나아지지 않았을까요? 이는 금품수수라든지 부정 청탁의 문제 외에도 권한 남용, 편파 인사, 복지부동 등이 부패 요소에 포함되면서 바람직한 공직자상을 바라보는 국민의 눈높이가 높아져 있기 때문입니다.

청렴은 정직, 신뢰, 공정, 책임, 투명성 등의 덕목이 종합적으로 요구되는 전인격적인 인성이자 역량입니다. 공직자는 가정에서나 직장에서나 한결같이 청렴하여야 합니다. 특히 가르치는 교원은 더 그러해야 합니다. 입으로 가르치기 전에 몸으로 가르치는 직업이기 때문입니다. 약속을 함부로 어기고 거짓말을 밥 먹듯이 하는 자, 부모 찬스를 써서 남보다 유리한 조건에서 경쟁하는 자, 공공기관의 재물이나 법인카드를 사적 용도로 사용하는 자는 모두 청렴하지 않은 자들이고 모두 공무원 징계 대상자입니다.

교직원들의 청렴을 생활화하기 위해 전체 교직원 안내 메시지인 '일일계획'의 맨 윗줄에 청렴 덕목과 실천사항을 매주 번갈아가며 쓰고 그 내용을 짧게 게시하여 메신저로 보내도록 하였습니다. 짧게 스치는 문구지만 자주 보면서 거의 외우게 됩니다. 콩나물을 키울 때 콩나물시루에 바가지로 물을 주면 물은 계속 빠져나가는데도 콩나물은 잘 자란다는 학습 원리입니다.

학생에게 청렴 덕목을 생활화하기 위해 건물의 출입 현관문에 예쁜 그림과 함께 각각 정직의 문, 약속의 문 등으로 표시하였습니다. 학생 식당에도 실내 장식을 한 후, 기둥마다 청렴 덕목을 새겼습니다. 밥 먹느라 신경을 못 쓸 수도 있겠지만, 청렴한 생활은 일상에서 실천해야 한다는 메시지를 보내는 것입니다.

복도에도 인성과 역량을 기르기 위해 정직, 약속, 책임 같은 가치를 담은 표어를 공모해서 오며 가며 볼 수 있게 게시하였습니다. 학생들이 커서 어른이 될 때 지금보다 더 청렴한 사회를 만들기를 바라는 마음에서였습니다.

그런데 공과 사를 잘 구분하여 실천하는 일은 생각처럼 쉽지 않습니다. 예부터 이를 잘 지킨 사람은 청백리로 이름이 높았지요. 관내 오동나무를 베어서 거문고를 만드는 것은 어떨까요? 이순신 장군은 이에 대해 나라 소유의 나무라 함부로 벨 수 없다고 하여서 미운털이 박혔다가 훗날 앙갚음을 당한 적이 있었습니다. 퇴계 선생도 공직에 있는 아들이 물고기나 감 등을 보내오면, 답신한 편지글에서 부모에게 보내는 물품이라도 그것이 어디에서 났는지가 중요하다며 청렴을 강조하였습니다.

공을 앞세우고 사를 억제하는 것이 공직자의 청렴한 자세이건만 자신의 경우로 닥치면 다들 지키기 힘들어합니다. 그래서 고위 공직자의 인사청문회를 보면 위장전입, 세금 탈루 등이 단골로 드러납니다. 그런데 대부분 자신은 잘 몰랐거나 실수였으며 문제없다고 말합니다. 바로 '나는 그렇지 않을 거야'라든지 '나는 그들보다 훨씬 더 잘할 수 있어'라는 심리입니다. 심리학자들이 말하는 '평균 이상의 효과'입니다. 이는 모르텐 알베크가 쓴 《삶으로서의 일》 책에도 소개되어 있는데 직장인의 무려 90%가 자신은 적어도 평균은 갈 거라고 응답한 예가 있었습니다.

이 책에서 예상대로 응답자 자신들은 평균보다 낫다고 생각합니다. 극단적인 예로 교도소에 수감된 자들의 설문에서도 이러한 생각이 드러났습니다. 설문조사에서 범법 행위의 유죄 판결로 대가를 치르며 반성하고 있어야 할 그들조차도 일반인과 다를 바 없는 수준의 관대함과 솔직함, 정직성, 공정성을 지니고 있다고 응답했다니 조금은 놀라웠습니다.

부끄럽게도 과거엔 시청, 교육청 등 공공기관의 인사 담당자가 동문, 동향 출신에 근무성적을 후하게 주는 청렴하지 않은 관행이 있어서 공직자들은 자조 섞인 말로 줄을 잘 서야 한다고 하였습니다. 그로 인한 폐해는 매우 컸습니다. 청렴의 실천은 그 권한을 지닌 자의 공정한 의식에 관한 문제입니다.

학연과 지연을 넘어서 품성과 업적, 실력으로 공정하게 평가받는 공직사회를 만들어가야 하겠습니다. 훌륭한 공직자는 자신이 맡은 시기와 공간에 대해 남이 알아주든 말든 지난날보다 조금이라도 더 발전시킨 점을 보람으로 여기고 실천하는 사람입니다.

검소한 교장실 운영

교장실은 교장의 집무실이기도 하지만, 외부 손님들이 방문하면서 교장을 찾아 인사를 건네는 등 접객 장소이기도 하고 내부 교직원들이 수시로 교장과 의논하기 위해 찾는 장소입니다. 그러다 보니 자연히 교장실의 비품 구비와 장식 등에 신경을 써서 꾸미려는 분들이 많은 것 같습니다.

필요한 집기류가 있어야 하는 것은 맞지만 학교 예산으로 지나치게 개인의 취향을 반영한 실내 장식은 바람직하지 않습니다. 본인이 떠난 후엔 그것들을 다 어떻게 처리할 수 있을까요?

처음 교장으로 발령받아 부임한 곳의 교장실은 일반교실의 절반 크기였습니다. 학급수가 많고 특별실이 부족한 상태에서 교무실, 행정실과 함께 최소한의 크기로 운영하기 위한 것으로 이해하였습니다. 우선 실의 크기가 작으니 뭘 들여놓을 공간도 없었습니다. 업무용 책상과 회의용 긴 사각 테이블과 여러 개의 의자, 손 씻는 세면대가 전부였지요. 벽지도 그냥 있던 대로 사용하였고, 업무용 의자는 좀 오래돼서 임기를 마치고 나올 때 후임자를 위해 새것으로 교체한 바가 있습니다.

두 번째 교장으로 발령받아 간 곳은 일반 교실 크기와 같아서 예전과 비교하면 넓었습니다. 하지만 여러 식물 화분과 보조 책상 등이 있어서 공간을 많이 차지하였습니다. 그래서 소파 1개는 교무실로, 회의용 긴 사각 테이블은 회의실로, 응접용 작은 테이블은 2개 중 1개만 쓰고 나머지는 다른 곳으로 내보냈습니다. 화분도 큰 화분은 주로 중앙현관 쪽으로 내놓고 작은 것 몇 개만 교장실 입구 복도 쪽에 내놓았습니다. 바닥 면적이 많이 확보되어서 업무 공간이 훤해졌습니다.

교장실의 가구는 조금 낡았더라도 쓸만하다면 함부로 바꾸지 말고 그대로 오랫동안 사용하는 것이 바람직합니다. 사람들은 교장이 바뀌자마자 새것으로 바꾸는 것을 보고 싶어 하지 않습니다. 교직원들은 자기들의 책상과 의자도 오래되어 낡았는데, 자기들의 책상 등은 못 본 체 교장실 것만 바꾸었을 때 기분이 좋지 않을 것입니다. 이를 이해한다면 교장은 최대한 오랫동안 사무용 가구를 사용함이 바람직합니다.

오래 벼르다가 교장 마지막 해에 교장실의 창문 두 곳을 통유리창으로 변경하였습니다. 이어서 교무실도 두 곳을 통창으로 만들었습니다. 방충망 등으로 운동장 쪽 바깥 풍경을 보기가 힘들었는데 아주 만족스러웠습니다.

학교경영의 최고책임자인 교장의 보수는 경력상 다른 일반 직장과 비교했을 때 상당히 적은 편입니다. 실은 교사들도 일반 기업에 다니는 직장인과 비교했을 때 매우 적습니다. 그래서 이직하고 싶다는 젊은 교사들이 늘어났습니다. 그렇지만 같은 직장 내에서는 대개 교장의 급여가 제일 많습니다.

방학 때는 행정실 공무원이 주로 나오고 교사들은 연수, 연가 등으로 학교 근무자 외엔 거의 나오지 않습니다. 교감과 나누어서 학교 근무를 주로 할 텐데 저는 두 사람이 항상 비슷한 일수로 나누어서 출근하도록 조정하였습니다.

출근하여 근무하는 교사들과 점심 먹으러 나갔을 때 서너 명 정도라면 교장이 밥값을 내는 게 맘이 편하지 않을까 싶습니다. 요즘 세대들 끼리라면 보통의 경우 1/n로 나눠서 낼지도 모르겠습니다. 조촐하게 밥이라도 함께 먹으면서 가볍게 살아가는 이야기를 나누면 서로를 알아가는 좋은 방법일 수 있습니다. 한 직장에서 몇 년 동안 지내더라도 사는 이야기를 나눌 기회가 없는 교직원도 적지 않습니다. 경력이 적은 교직원은 어려운 상황을 극복한 경험도 적어 심리적으로 위축되어 있을 수 있습니다. 이럴 때 따뜻한 밥 한 끼를 나누며 그들의 노고에 대해 고맙게 여기고 격려할 수 있다면 좋은 일일 것입니다. 또 힘든 부분에 대해서는 공감해주고 위로해줄 수 있다면 참으로 좋겠습니다.

교장은 직장에서 화려하거나 겉멋이 아닌 검소한 모습으로 친근한 동료이자 좋은 선배가 되도록 모범을 보여야 하겠습니다. 평소에도 일찍 출근해서 불을 밝히고, 출근하는 교직원과 따뜻한 인사를 나누면 좋겠습니다.

중요한 인계인수

인계인수 계획

문경새재엔 옛날에 경상감사가 이임하고 부임할 적에 중간 지점에서 만나 인계인수했다는 이야기가 전해옵니다. 교귀정(交龜亭)이 그 자리의 주인공인데 이곳에서 관인을 인계인수했다고 합니다. 옛날에는 법률 시행과 행정 등이 모두 지방관의 소관이어서 관인과 중요 문서 등을 인계했을 겁니다. 아울러 그 지역의 민심과 현안 과제, 주의할 사항 등에 대해 알려주었겠지요.

공직은 흐르는 물과 같아서 시간이 지나 임기를 마치는 사람은 후임자에게 자신이 관리하였던 일을 인계합니다. 후임자는 전임자의 일을 파악하고 자신이 무엇에 주의하여 살펴서 일을 처리해 나갈지 가늠하게 됩니다.

무엇을 어떻게 인계하고 인수할 겁니까? 후임 교장이나 교감으로서는 장차 자신이 관리할 조직에 대해 이것저것 궁금한 것이 많기도 하거니와 어떤 어려움이 있고 무엇을 고민하며 잘 처리해 나가야 하는지에 대해 전임자의 제대로 된 인계가 필요합니다.

대개 교육계의 인사발령은 임기 시작하기 2~3주 전 즈음하여 발표됩니다. 그러므로 업무 수행을 위한 준비 기간이 약 3주간, 적어도 2주 정도의 시간이 있다고 볼 수 있지요. 인수를 위한 작업과 인계를 위한 작업이 병행하여 이루어지는 시기인 만큼 소홀히 여겨 시간을 낭비해서는 안 되겠습니다.

필자가 인계인수를 한 곳은 모두 전임자 교장실이었고 인사발령을 받고서는 학교장과 만남 약속을 잡고 직접 방문하여 이루어졌습니다. 첫 번째 학교의 교장은 교감과 함께 맞이하여 주었고 상당히 세부적으로 인계하여 주었습니다. 학교 교실 배치도를 중심으로 시설 현황과 기타 관련한 내용, 지역사회 분위기와 학운위 구성원 현황도 알려주었습니다. 개개인 교원의 성향이나 장단점 사항에 대해서도 대강이나마 알려주었습니다. 아마도 교감이 함께 학교를 떠나기에 누가 따로 알려줄 사람이 없으므로 상세히 인계하여 주었다고 생각하였습니다.

그런 후 학교 주요 보직자들을 불러서 인사를 나누었습니다. 마지막으로 학교시설을 둘러보는 것은 시간이 늦어 생략하였습니다. 정식 인계인수 서류는 4월에 행정실장이 작성하여 각각 인감을 찍고 교환한 것으로 마쳤습니다.

한 가지 아쉬웠던 점은 교장, 교감이 모두 바뀌는 이런 특이한 경우엔 교장, 교감으로부터만 학교 사정을 듣지 말고, 주요 보직교사로부터도 들었어야 했다는 점입니다. 교장, 교감에게서 들은 내용을 확인도 할 겸 교사 시각에서 새로 부임하는 교장에게 꼭 필요한 이야기를 할 수 있는 기회를 사전에 갖는 것은 부임에 앞서 경영 구상에 의미가 있다고 생각합니다. 필요시 학교의 사정을 잘 이해하고 있을 만한 중견 보직교사의 시선에서 앞으로 개선되어야 할 것이라든지 계속 유지되었으면 하는 바람도 함께 청취할 수 있으면 좋을 것 같습니다.

두 번째 교장으로 간 학교에서는 그간의 교장 경력이 있어서 그런지 비교적 가볍게 인사 나누며 말로 하였고, 학교 시설 공간을 한 바퀴 둘러보면서 마쳤습니다. 그리고 교감 선생님이 이동하지 않기에 든든해서 별다른 걱정을 하지 않았습니다.

무엇을 어떻게 인계할까

오늘날에는 전자적으로 모든 사무가 이루어지고 있기에 컴퓨터 하드디스크를 인계하는 게 중요해졌습니다.

인계자는 떠나기 한 달 전부터 사용하던 컴퓨터의 폴더와 각종 사진, 동영상, 문서 파일을 살펴보고 개인적인 것은 따로 분류하여 개인용 저장매체에 저장 후 삭제하고, 나머지 자료는 잘 정리하여 저장해둡니다. 어떤 분은 자신이 몇 년간 사용하였던 업무 관련 중요 문서 파일을 깨끗하게 지우고 가는 분도 있는데 그래서는 안 됩니다. 사안에 따라 업무 방해행위가 될 수도 있습니다. 지난 일에 대한 공무상 소중한 기록 자료이기에 함부로 삭제하지 말아야 합니다.

인계할 내용을 연도별 또는 종류별로 분류하여 폴더로 정리합니다. 학교의 제반 규정과 서식, 계약 문서, 조직도와 현황, 주요 보직교사 명단과 프로필, 학교의 주요 재산목록, 지역 유지 또는 정치인, 유관기관, 주요 시설사업별 업체 연락처 등을 챙깁니다. 그 외에도 사업이 진행 중이던 게 있으면 사업이 마무리하도록 하되 부득이할 때는 사업개요, 사업대표 연락처 등을 정리하여 인계할 준비를 마칩니다. 후임자 인사발령이 나면 바로 연락을 취하여 조기에 인계 절차를 밟아서 후임자가 충분한 시간을 두고 부임할 수 있도록 배려합니다.

인계 시에는 학교의 조직문화, 학생과 학부모의 교육 관심도, 바람 등 지역사회 분위기, 주의할 인물, 유능한 인물을 포함한 조직 내 분위기를 인계하며 학교의 취약점에 대해서도 알려주고 어떤 부분에 힘쓰면 좋을지도 생각을 나누면 좋겠습니다.

현재 예산 편성 내역과 계약 관계에 있는 것들에 대해 알려주고 장기과제나 단기 과제에 대해서도 인계해주면 좋습니다. 소속 교직원 중에서 인수 교장을 도와줄 유능한 인물도 소개해주고, 해오던 과업의 연속성을 당부할 수도 있습니다.

인계가 어느 정도 이루어졌다고 판단되면 인수한 교장에게 궁금한 것을 질문하도록 해서 인수하면서 확실하게 이해가 안 된 부분이 없도록 합니다. 시간적 여유가 있다면 학교를 한 바퀴 같이 돌면서 시설 현황에 관해 이야기를 나누면 더욱 좋겠지요.

이 절을 쓰면서 이순신 삼도수군통제사가 그 직위에서 해임되어 한양으로 압송되어 가기 전, 바다에 나가 있다가 한산도 진중으로 돌아와 원균 장군에게 인계했다는 내용이 떠올랐습니다. 그동안 갖추어두었던 화약 4,000근, 군량미 9,914석, 총통은 각 전선(戰船)에 실어놓은 것 외에 300자루였다는 내용의 문서를 인계하고 함거에 올랐다고 기록은 전하고 있습니다. 갑작스러운 파직과 압송의 상황에서도 문서와 물품을 제대로 인계한 것은 평소에 자신의 관리하에 있던 비품을 정확히 파악하고 있었기에 가능한 일이지요. 이 부분은 이순신 장군이 조직의 경영자로서 역량이 우수하였음을 알 수 있는 대목입니다.

지금은 그렇지 않을 걸로 믿지만, 일부 교장은 인계인수를 형식적으로 하는 경우가 있습니다. 후임자가 인사차 오면 사전에 인계 준비 없이 차나 마시고 몇 가지 주요한 이야기만 나누는 것으로 그칩니다. 이는 올바른 태도가 아닙니다. 철저한 인계인수는 단절 없는 조직 관리를 위해 매우 중요합니다.

후임자와 만날 날과 시간이 정해지면 인계 목록 등을 준비하여야 합니다. 행정실의 지방공무원은 표준화된 서식에 자신이 해왔던 업무에 대해 비교적 상세히 기록하여 인계하며, 관리하는 물품, PC 패스워드, 기타 로그인 관련 정보까지 인계인수합니다. 나아가 개인 연락처도 알려주고 추후 잘 모르는 부분이 있을 때 전화하면 도와주겠다고 하는데, 그 정도로 신경을 써야겠습니다.

교장이 인계인수할 때는 교감과 교무부장, 행정실장 등이 함께 배석하여 정확하게 인계인수되도록 하고, 혹 비밀을 요하는 부분이 있을 시에는 따로 자리하여 인계인수하면 됩니다.

군대나 회사의 경우 인수인계는 곧 그 조직의 사활에 영향을 끼치는 중대한 행위입니다. 따라서 철저하게 이루어집니다. 학교는 교장의 경우 조금 허술하게 이루어지거나 형식적인 경우가 많은데 그래서는 안 된다는 점을 재차 강조합니다. 또 인수자 시각에서 자료를 준비하여 인계하는 게 좋습니다. 인계인수는 후임자의 몫이라기보다는 임기가 다하여 자리를 물려주는 인계자가 주로 잘 계획을 세워서 후임자에게 인계하는 것이 바람직합니다.

인계 시점을 앞두고는 자신이 해왔던 학교경영 전반에 대해 돌아보기가 필요합니다. 각종 대장 관리, 회계관리, 교육과정 운영상 법정 장부 관리, 절차 등이 문제없이 이루어졌는지 점검하는 시간을 갖기를 바랍니다. 그래서 미비한 점은 보완해두고 떠나는 것이 후임자에 대한 배려라고 봅니다.

인수 후 계획

부임할 곳의 주요 사항에 대해 인수하면 이후부터는 업무에 착수하기 위한 제반 사항을 착실히 준비하여야 합니다.

인수 내용 외에도 우선 학교가 어떤 역사를 지니고 있으며 자랑스러운 부분과 혹은 아픈 과거가 있는지 두루 살펴봅니다. 학교 홈페이지를 통하거나 학교알리미 사이트, 검색 엔진을 통해서 기본적인 정보에 접근이 가능할 것입니다.

다음으로 인적 자원 현황을 면밀히 분석하여 향후 1년 이내에 큰 변화가 예상되는지를 파악합니다. 주요 보직교사의 이동 예상이나 인사초빙 건에 대해서도 가늠하여야 합니다.

부임 후 1개월 내 할 일과 3개월 내 할 일, 6개월 이후에 할 일을 개략적이나마 메모하여 두고, 부임 후 실무자와 협의하여 추진할 수 있도록 준비해둡니다.

최종적으로는 교직원과 학부모 등에 대한 부임 인사를 준비합니다. 이는 처음부터 기대와 신뢰를 쌓는 데 중요하므로 인수한 자료와 사전에 파악한 것을 토대로 큰 틀에서 경영의 그림을 보여주는 것에 비유할 수 있습니다.

이렇듯 인계인수를 통해 잘 준비함으로써 새 임지에서 안정적이고 무난한 첫 출발을 할 수 있게 될 것입니다.

여기서 주의할 점은 부임하자마자 기다렸다는 듯이 전임자의 정책을 확 바꾸거나 인적 쇄신은 자제하여야 합니다. 조급함을 버리고 적어도 3~6개월 정도는 전임자가 해놓았던 것을 잘 살펴보고 어떤 개선점이 있을지 알아보고, 주위의 말을 들어본 후에 천천히 시행해야 할 것입니다. 학교도 세월이 지나면 나름대로 전통과 상징성 이미지를 지니게 됩니다. 그런 것을 사람이 바뀌자마자 싹 무시하는 것은 그다지 바람직하지 않다고 봅니다.

학교 일을 하는 것은 결국 사람이 하는 것이므로 조직의 인적 구성에 대해 심도 있게 관찰하며 신뢰할 만한 사람이 누구인지 알아가야 하겠습니다. 그러면서 다음 학년도나 새 학기를 택해 자신의 경영 목표를 향해 변화의 시작을 기하는 게 바람직합니다. 여기서는 주로 교장의 인계인수를 언급했지만, 교감, 행정실장, 그 외 교육청의 교육전문직원 인사 업무도 다르지 않으니 정확하고 꼼꼼히 인계인수가 이루어지길 바랍니다.

제2장
지혜로운 학교 리더

학교를 지혜롭게 경영하려면 학교의 본질적 과업에 집중하여야 하며, 불필요한 일은 과감하게 버리는 등 오랜 관성에 젖은 문화를 시대 흐름에 맞게 바꿀 수 있어야 합니다. 삶과 일을 조화롭게 영위하며 좌절을 견뎌내야 내일의 희망을 기약할 수 있습니다.

학교의 본질적 과업

학교의 본질적 과업

어떤 현상이나 과업 등에 대해 '본질은 무엇이다.'라는 식으로 단순하게 표현하는 것은 구성원이나 상대방을 이해시키는 좋은 방법 중 한 가지라고 생각합니다.

학교의 본질적 과업은 인간다운 성품을 길러주고, 미래세대가 잘살 수 있도록 지식과 기술, 태도 등 역량을 길러주는 것입니다. 다시 말해 바른 인성을 기르는 것은 물론이요, 개인의 꿈과 자아실현을 돕기 위해 재능을 발굴하고 세상을 이해시킴으로써 공동체 속에서 개인이 자유롭고 행복한 삶을 영위토록 지식과 기술, 태도를 가르치는 겁니다. 이런 과업을 수행하는 것, 학업에 정진하여 성취도를 올리는 것이 바로 학교의 본질적 모습입니다.

학교의 본질인 교육을 제대로 하려면 어떻게 해야 할까요? 보통 '교육과정' 속에 그 내용과 방법이 담겨있습니다. 국가적 수준의 교육과정, 시도교육청 수준의 교육과정, 학교 수준의 교육과정이 그것입니다. 그 외 학교장의 교육철학을 담은 경영계획이나 교직원, 학부모, 학생 등 학교 구성원의 합의로 자율적으로 실천하는 학교의 특색 있는 교육과정이 실재합니다. 학교가 처한 여러 가지 물리적 환경, 교육 여건, 구성원의 욕구가 다르므로 학교마다 다양한 모습의 교육활동이 나타납니다. 이것이 학교 교육의 본질적 현상이고 추진해야 할 과제입니다. 그런데 점차 학부모의 경제활동 참여로 아동에 대한 급식, 돌봄, 방과후학교가 학교의 역할로 굳어졌습니다.

그런데 심각한 저출산 고령화로 인구 관련 위기가 심화되었습니다. 정부는 현실적 육아 문제, 저출생 대책과 연계하여 2024년 2학기부터 모든 초등학교에서 최대 아침 7시부터 저녁 8시까지 늘봄학교를 운영하게 되었습니다. 이를 학교장의 관리하에 둠으로써 학부모에게 믿음을 줄 수는 있겠지만 시간과 대상의 확대로 안전사고와 학교폭력의 관리 책임을 더 맡게 되었습니다. 교사의 업무가 되지 않게 하겠다고 하지만 조직, 강사관리, 다양한 교재와 프로그램 개발, 제공, 운영상 자료 및 현황 제출 등은 학교의 운영상 부담이 됩니다.

일부에서는 지자체나 교육지원청의 새로운 부서 늘봄센터에서 관리하면 좋겠다고 건의하였습니다만, 이제 좋든 싫든 초등학교의 본질적 과업에 '늘봄'이 들어왔습니다. 새로운 제도로 나아가기 위한 진화엔 앞으로도 많은 시행착오와 비용이 발생합니다. 이를 안정적으로 관리해 나가기 위해 학교 리더의 올바른 인식과 용기가 필요합니다. 힘들 수도 있겠지만, 나라의 존립이 달린 저출생 문제를 해결하려는 시각에서 출발한 것임을 인식하고 지혜를 발휘해야 합니다.

교육의 애로사항

학교는 본질적 교육을 위해서 어떤 노력을 해야 할까요? 우선 학교조직에 배치된 공무원과 교육공무직원들이 제 역할을 제대로 할 수 있도록 해야 합니다. 즉 연수, 배치 등을 통해 업무추진 역량을 확보하고 보수, 여건 등을 현실화하여 실질적인 학교 교육행정 사무원으로 즐겁게 일하도록 하여야 합니다.

학교 내 무기계약 직원은 교장에게 때때로 교육감과 맺은 단체협상의 조항 준수를 요구하고, 근무 시간 외에는 추가 보상이나 동의 없이 어떠한 일도 하려고 하지 않습니다. 근무 시간 중이라 하더라도 교사들이 바쁘거나 말거나 노사 단체협약에서 자신이 맡은 일이 아니라면 교장이나 교감이 부탁해야 겨우 할 정도로 스스로 도우며 협력하려고 하지 않는 예도 있습니다.

교장으로서 제일 거슬리는 말은 "그건 제가 할 일이 아닌데요?"라는 말입니다. 이들은 처음 채용단계부터 학교라는 교육기관에 기여하기 위해 양성된 인력이 아니라 생계를 위한 계약직 근로자로서 학교라는 기관에 취업한 사람들이란 한계가 있습니다. 교육활동에 대한 협력에 앞서 근무 여건, 열악한 보수 등을 타개하기 위해 노조 활동에 힘입어 자신들의 이익을 추구하는 성향이 큽니다. 때로 소속 기관장보다 노조의 영향력이 더 크다고 느낄 때도 있습니다.

그래서 눈에 보이지 않게 교원과 교육공무직원이 정서적으로 갈등하고 있는 현장이 학교입니다. 앞에서 말한 대로 사회의 요구사항을 모두 학교에서 받아들이는 과정에서 졸속으로 인력을 선발, 배치하느라 이렇게 되었지요. 교사들이 볼 땐 학생들 교육활동으로 정신없이 바쁜데 아는지 모르는지 그냥 의자에 앉아 모니터만 바라보고 있는 교육공무직원이 미울 테고, 교육공무직원은 또 다른 이유로 교사들에게 마음을 열지 않고 있습니다.

현재 학교는 교원과 행정실 공무원, 교육공무직원이 혼재하고 각종 강사, 계약직 직원 등이 근무하고 있습니다. 게다가 각기 추구하는 삶의 가치관과 직업관 등이 달라 사소한 곳에서도 갈등의 싹이 틉니다. 그래서 조직의 목표나 사명을 공유하고 이를 달성하기 위해선 학교 리더의 공정한 리더십 발휘가 요구됩니다.

이렇게 구조적으로 어려움이 있는 학교지만, 우리 사회는 어떤 일이 터지면 해결책으로 관련 법률을 제·개정하여 학생에게 교육하라고 하고, 필요한 계약직 교직원들을 선발·배치하고 관리자들과 교직원들에게 연수하라고 합니다. 교직원이 의무적으로 이수해야 할 연수과목과 시간도 해마다 계속 늘어나고 있습니다. 1인당 연간 이수하는 연수 시간이 수백 시간에 달합니다.

학교장의 비정규직 관리 대상은 각종 강사와 교육공무직원, 즉 스포츠강사, 영어회화강사, 다문화강사, 유치원 에듀케어강사, 교육복지사, 학교급식 담당 조리원, 교육실무사, 돌봄전담사, 방과후학교강사 등이 대표적입니다. 이들을 관리하는 데도 많은 법령이 작동되고 있고 인력과 재원이 들어갑니다. 그런데도 해마다 노사협약이 타결되지 않으면 학사일정이나 학생 교육을 담보로 파업하니 정말 학교가 이래도 되나 하는 회한에 젖게 됩니다.

학교의 역할은 점점 늘어나는데 책임감 있게 일하는 교직원은 점점 줄고 있습니다. 학교의 경영자인 교감, 교장은 교육과정을 어떻게 잘 운영하여 학생들의 학업 성취도를 올릴 수 있을까 고민하기에 앞서 업무 배분과 직원 관리 문제, 돌봄과 급식, 방과후 학교를 어떻게 운영해야 할까의 문제로 항상 머리가 아픕니다. 교직원의 갑작스러운 병가나 특별휴가 등으로 인한 교육 공백을 막기 위해선 즉각 대체인력을 배치해야 합니다.

학교가 시설증축이나 기타 풍수 재해 등으로 단전, 단수되어 도저히 정상 운영을 할 수 없어도 급식을 포함한 돌봄의 책임은 학교장에게 있습니다. 이웃 학교나 지역 돌봄 기관과 연계하든지 어쨌든 해결해야 하는 부담을 안고 있지요. 그 외에도 학교의 소규모화로 줄어드는 교원 수와 학교 과업에 대한 교육공무직들의 낮은 기여와 책임감 등으로 학교경영의 애로는 늘어만 가고 있습니다. 교육청은 이러한 학교의 현실적 애로를 이해하고 다방면으로 지원하려고 노력해야 하겠습니다.

자율성과 교권

단위 학교가 교육 본질의 과업에 집중하려면 학교 운영상의 자율성 확대와 교권 확립이 필요합니다.

자율성 부족을 인사와 예산의 측면에서 살펴보면 이렇습니다.

교원은 정기적으로 전보 인사를 하게 되는데 초빙교사제 및 유예제와 전입 요청제가 있습니다. 학교경영을 잘하려면 유능한 인재 확보가 필수입니다. 하지만 교원은 계속 순환 근무하다 보니 인재를 육성하거나 확보하는 게 어려운 일이 되었지요. 교장의 인사보강권 즉 초빙인원(유예인원 포함) 비율을 적정화해야 합니다. 과거에 혁신학교는 50%를 주었고 일반 학교는 고작 10%로 크게 차등을 주었습니다. 그 외에도 필요한 협력강사 등을 학교장이 임의로 채용하기 어려운 게 현실입니다.

또한, 예산 편성과 집행에 대한 자율성이 매우 적습니다. 학교 실정에 맞는 교육 본질에 집중하기 위해 예산을 증액하거나 감액하기가 쉽지 않습니다. 세세하게 어디다 써야 할지 다 정해 놓고 지원하므로 자율적인 예산 편성과 집행이 어렵습니다. 교육청에서는 목적형 예산을 최소화하고, 규모 있게 기본운영비로 교부하여 자율적으로 편성하여 쓸 수 있도록 하여야 하겠습니다.

학교의 본질적 과업을 수행하려면 교육기관에 힘을 실어주어야 합니다. 학생을 교육하거나 지도하는 데 있어서 상위 법령이나 교육청의 지침이 없더라도 학교의 자율적 판단하에 특정한 상황에 대응한 학사 운영, 교육과정 운영의 자율성을 발휘하도록 학교장에게 위임하는 범위를 넓혀가야 합니다.

2023년 7월, 서울 어느 초등교사의 죽음에서 촉발된 대규모 교사 집회는 교권 보호 관련 법률안 개정을 가져왔습니다.

그동안 교사들이 힘들었던 것은 생활지도 시 훈육, 교육활동 중에 일어날 수 있는 어떤 언행이 '아동학대'로 고소, 고발되거나 악성 민원으로 제기되는 것이었습니다. 그러다 보니 학교의 기능 중 본질적인 교육활동이 크게 위축되었고 동시에 교사의 권위도 떨어졌습니다. 이러니 무슨 교육이 되겠습니까? 다행히 2023년 12월, 아동학대처벌법 내용 중 정당한 교육활동과 생활지도는 아동학대에 해당하지 않는다는 개정안이 확정되었습니다.

교사의 권위 확립과 교육 본질 추구는 중단해서는 안 되며 완전히 정착될 때까지 계속 노력해야 합니다. 교사는 우선 교육활동 시 안전사고 민사소송 대비 손해보험 가입 등 적당한 대비를 해둬야 하고 쟁송 관련 법률 지식을 튼튼이 쌓아야 합니다. 그래서 자신의 교육활동과 관련한 분쟁이 발생했을 때 신속히 대처하고 변호사의 법적 대응 조력을 받을 수 있어야 합니다. 나아가 직장 내 혹은 학교간 연합 법률분쟁자문단을 조직하거나 교원단체 등에 가입하여 교육 관련 분쟁 발생 시 연대하여 적절한 지원을 받으면 좋겠습니다.

과거에 교사는 학부모나 학생과 분쟁에 휘말리면 병가를 내거나 휴직을 신청하는 등 쉽게 포기하거나 문제 자체를 회피했습니다. 그런 와중에 자존감을 잃고 마음의 병을 얻은 분들이 많아졌습니다. 이제 더는 그렇게 하지 말아야 합니다.

서울시의 학생인권조례 중에는 학생에 대한 상벌제를 사용할 때 인권을 침해하지 않도록 주의하여야 한다는 내용이 있습니다. 이 때문에 학교장과 학급 담임 교사는 부담을 갖게 됩니다. 그런데 판례도 있지만, 학급경영과 교육활동 시 칭찬과 벌은 아동학대나 인권에서 말하는 차별적 대상이 아닙니다. 오히려 교사의 교육적 판단에 의한 정당한 교육활동의 한 방법입니다. 칭찬과 벌이 교육수단으로서 제때 올바로 사용되어야 바른 인성교육과 생활지도가 가능하게 됩니다.

이제부터라도 학교의 공교육은 좀 엄격해질 필요가 있습니다. 가정에서도 '금쪽이'가 많아져 훈육상 고민입니다. 우선 학부모와 함께 학생들에게 인성교육 차원에서 지켜야 할 예절을 습관화시켜야 합니다. 또, 규칙을 위반하는 등 잘못을 저질렀을 때는 적절한 벌을 주어야 합니다. 벌은 신체적 고통이나 억압을 뜻하는 것이 아닙니다. 당사자의 잘못을 뉘우치게 공동체가 약속한 회개 행동입니다. 교육에서 이런 것이 제대로 작동할 때 '엄격하게 가르친다'라는 말이 성립합니다.

하지만 전통적 문화였던 의[義, 충효]와 예(禮)가 사라진 영향인지 세상의 가치는 많이 바뀌었습니다. 지금은 경제적 가치와 원리가 제1의 행동 기준이 되었습니다. 지금의 학부모는 교사를 자녀의 스승이라고 생각해 본 적이 거의 없을 겁니다. 그저 자신들이 낸 세금으로 월급 받고 교육 서비스를 제공하는 교육공무원이나 직업인 정도로 인식할 뿐입니다. 학부모의 인식이 이렇게 된 것은 의사소통 수단의 비동기화(非同期化), 비대면적인 시스템도 어느 정도 영향을 주었다고 봅니다.

학부모는 자녀를 자기 분신이라 여기므로 자녀가 손해를 입었다고 판단되면 대상이 누구냐에 관계없이 바로 비난하고 어떻게든 보상받으려는 심리가 발동합니다. 한 예로 어느 감독 교사가 수능 시험장에서 시험종료 직후 답안지 마킹하는 부정 행위를 단속하자 해당 학생의 학부모가 교사가 근무하는 학교에 찾아가 정문 앞에서 파면하겠다, 부정행위 사례를 수집한다며 팻말을 들어서 시위하는 게 보도되었습니다. 그런데 학부모는 학원 강사에 대해서는 전혀 다르게 대합니다. 자기 아이의 성적이 오르거나 입시에 성공한 것은 학교 교사의 덕분이라기보다는 학원 강사의 실력과 자녀의 노력 덕분인 것으로 인식합니다. 일부 학부모나 학생의 시선에서 볼 때, 지금의 학교는 그저 졸업장이 필요한 것이고 상급학교 입시는 사교육이 해결해준다는 생각으로 학교와 교사를 바라보는 경향도 있습니다.

이처럼 우리나라의 교사들은 학부모나 학생들로부터 존경받지 못하고 있습니다. 그것은 소비자중심, 학생중심 교육과 권리뿐인 학생인권조례, 대학입시 준비 등의 영향이 크다고 봅니다. 인성을 갖춘 인재를 기르는 학교 교육의 본질을 회복하려면 교권이 존중되는 본래의 상태로 돌아가야 합니다. 그러려면 가정이든 학교든 더 엄격하게 가르쳐야 하고, 교원의 교육활동에 대한 사회와 정부의 보호, 학교의 본질적 역할에 대한 올바른 인식이 필요합니다.

학생의 인권이 소중하지만, 교권도 매우 중요합니다. 지금은 미성숙한 학생의 권리[인권]가 교사의 가르칠 권리[교권]를 덮고 누르는 형국이어서 공교육은 무너지는 길로 들어섰습니다. 상처 난 교사들의 마음은 교직을 떠나고 있습니다. 교육의 원리상 학교에서 제대로 교육이 이루어지려면 교사는 교육활동의 온전한 권위를 인정받고 보호받아야 합니다.

관성적 학교 문화 바꾸기

불필요한 일

뇌는 해오던 방식대로 하는 것을 좋아합니다. 자꾸 새롭게 변화하는 것을 거부하고 익숙한 이전의 오랜 방식을 고집하지요. 왜 그럴까요? 뇌가 그렇게 만들었습니다. 뇌는 없던 것을 만들려면 새로운 신경회로를 만들어야 해서 피로를 느낍니다. 그래서 뇌는 늘 하던 것을 할 땐 정보의 입출력이 자동화되도록 하여 피로를 덜 느끼도록 한다는 걸 뇌과학이 알아냈습니다.

이처럼 뇌에서 하나의 정보는 처음에 한 번 통과되기가 어렵지만 어떻게 하든 통과시켜서 한 번 길을 만들어 놓으면, 그다음에는 이미 익숙해져 있기에 큰 거부감 없이 하던 것을 하는 쪽으로 수용합니다. 그러면 그 일에 대해서 관성이 생깁니다. 한번 형성된 관성을 깨뜨리려면 늘 하던 방향과 반대 방향으로 작용하는 힘, 즉 브레이크가 있어야 합니다. 이런 까닭에 자신이 오랫동안 쌓아 올린 정체성이라든지 옳다고 믿는 가치관, 신념 등은 잘못됐다는 걸 알아도 스스로 허물기가 대단히 어렵습니다.

시대가 변하면서 바뀐 업무도 있지만, 오래된 예전의 업무도 버리지 못하고 있는 게 현실입니다. 이것도 결국 뇌의 저항 때문입니다. 하지만 뇌의 전전두엽은 이성적 사고를 관장하기 때문에 깊은 곳의 감정적 뇌를 물리칠 수 있습니다. 필자는 학교에서 그동안 관성적으로 해왔던 불필요한 일을 찾아내 버릴 수 있을지를 궁리하는 데 시간과 에너지를 많이 썼습니다. 아이디어가 떠오르면 주요 멤버들과 모여 생각을 말하고 의견을 물어보면서 '다시 생각하기(think again)' 시간을 갖습니다. 관성을 이겨내고 새롭게 나아가려면 뇌와 싸워서 이겨야 합니다.

교장이 된 후 처음엔 무언가 의미 있는 일을 해야지 하며 괜한 압박감을 느꼈습니다. 나중에 깨달은 것은 교사나 학생들, 학부모들은 교장이 무엇을 하는지 별로 궁금해하지 않거니와 자신들의 일로 매우 바쁘게 지냄을 알게 되었습니다. 이런 강박관념은 한마디로 쓸데없는 걱정이었습니다.

필자는 경영에서 '불필요한 일을 버려라' 식의 책을 다수 읽은 터라 구청이나 교육청 등에서 목적사업비로 수천만 원이나 억대의 사업비를 지원받는 것을 내켜 하지 않았습니다. 즉 필요하지 않은 것은 거의 사양하였습니다. 따라서 당신이 일하고 있는 일터가 조용하기를 바란다면 일을 많이 하면서 스스로 바쁘게 살지 않으시길 바랍니다. 잘 생각해 보면 불필요한 일이었거나 심지어 버려야 했던 일이라는 것도 알 수 있을 것입니다.

어떤 업무를 급하게 처리하다 보면 실수하여 다시 해야 할 때가 생깁니다. 이때 큰 스트레스를 받기 때문에 평소 신중히 처리하는 습관을 들이는 것이 좋습니다.

업무를 추진하는 실무자들은 조직의 명예를 위하여 혹은 자기 자신의 자존심을 위하여 최선을 다합니다. 그런데 일부는 보고서라든지 홍보물, 혹은 전시장 꾸미기 같은 것을 대강해도 별문제가 없는데도 세세히 신경 쓰느라 몇 번씩 스스로 채찍하고, 뜻대로 잘 안될 때는 눈물을 흘리거나 스트레스를 받습니다. 왜 이렇게까지 시간과 에너지를 소모하며 살까요?

저는 평소에 일은 내용이 중요하고 외향적인 꾸밈은 별로라고 생각합니다. 프레젠테이션 자료를 멋지게 만들려면 보통 때의 서너 배 시간이 더 든다고 합니다. 굳이 그렇게 해야 할까 생각해보면 '그럴 필요가 없다'라는 결론에 이릅니다.

이미 이런 일을 잘 알고 있던 경영학의 대가 피터 드러커는 수십 년 전에 가르침에서 분명히 말했습니다.

"애초에 할 필요가 없는 일을 효율적으로 하는 것보다 쓸데없는 짓은 없다."

이보다 더 명쾌하게 불필요한 일을 하지 말라는 명언은 아마 없을 것입니다.

필자는 교직원들에게 기존의 관행 중 '버리기-단순화'하기를 권하였습니다. 그래야 선택한 일에 에너지를 집중할 수 있고 성과를 낼 수 있다고 자주 말하였지요. 우리가 꼭 해야 할 일은 학교 교육과정을 학생들과 제대로 이행하는 것입니다. 부장교사 등과 이야기를 나눌 기회가 있을 때도 일을 '잘하려고' 애쓰지 말고 '제대로' 하는 것이 좋다고 말하곤 했습니다.

우리가 쓸 수 있는 에너지와 시간은 제한적입니다. 그렇기에 중요하고 급한 것부터 해야 합니다. 그래서 일상에서 행복을 느끼려면 본질은 살리고 불필요한 일을 줄이거나 버려야 합니다.

수업 시간을 예로 살펴봅시다. 교사들이 수업 공개를 할 때 사전에 수업지도안을 보거나 실제로 교실에 가서 참관하다 보면 공통점을 발견하게 됩니다. 초등의 경우 1차시가 40분인데 그 시간에 주 활동 3가지를 하려고 합니다. 처음 5분 동기유발과 끝부분의 정리 등의 시간을 빼면 약 30분 정도 남는데 주 활동 3가지를 하려면 엄청나게 바쁘고 실수로도 삐끗하면 안 됩니다. 학생들에게도 예기치 못한 돌발변수가 없어야 가능합니다. 무엇보다 매시간을 이렇게 하는 것은 매우 힘듭니다.

실제는 늘 그렇듯이 목표를 달성하지 못하고 종소리가 울리고도 1~2분 더 지나서 겨우 마무리하고, 질의응답은 생략하고 마칩니다. 수업 교사의 얼굴은 긴장으로 상기되고 이마엔 작은 땀방울이 맺힙니다. 그런 선생님에게 쉬거나 화장실 다녀올 시간적 여유가 있을까요? 곧 다음 수업 종이 울릴 것입니다.

수업계획 시 주 활동을 2개만 하면 안 될까요? 아니면 2개는 확실히 하고 1개는 살짝 터치만 하는 식으로 수업량을 줄이면 어떨까요? 그래야 여유 있게 수업이 전개될 수 있습니다. 교과서에 있는 것도 모두 다 가르치려고 하면 힘듭니다. 어떤 건 시간이 날 때 읽도록 하고 중요한 개념 지도에 집중하는 게 낫습니다.

교육청은 일 욕심도 있고 하부조직을 관리하길 좋아해서 계속해서 조직과 사업이 팽창하는 경향을 띱니다. 교육청 사람들이 각자 예산을 확보하고 일정한 규모의 사업을 벌이기로 한다면 상당한 양의 업무가 학교로 유입됩니다. 그렇기에 교육청은 해마다 의식적으로 사업 양을 관리하면서 일을 줄여야 합니다.

요즘의 분명한 경영 트렌드는 '불필요한 일을 버려라'입니다. 명상록의 대가 마르쿠스 아우렐리우스도 "마음의 평화를 원하면 적게 일하고, 꼭 필요한 걸 하라"고 하였음을 기억하십시오.

수업의 공개와 의미

꽤 오래전에 EBS 다큐멘터리 프로그램 「선생님이 달라졌어요」를 유익하게 보았던 기억이 납니다. 아침에 학생들이 등교하면서부터 생활 모습과 수업이 모두 담겨있는데, 주요 내용은 수업을 잘하는 것도 학생들과 관계가 좋은 교사는 잘 되지만 관계 맺기가 실패하면 수업도 잘 안된다는 내용이었습니다.

여기서 관행과 무관치 않아 주목할 점은 최근까지도 수업은 교사의 민감한 영역이고 수업 장면 공개는 아무 때나 이루어지지 않는다는 것입니다. 학부모 대상 수업 공개나 동료 장학 시, 혹은 연구수업 등 계획된 일정 외에는 수업 시간에 함부로 수업 현장에 들어가기가 어렵다는 것입니다. 교감이나 교장도 지나가다가 예정에 없다면 잠깐이라도 들어가서 참관하기가 망설여집니다.

교사가 수업하는 행위는 공무를 수행하는 것이고 교사의 교수학습 전문성과 수준을 상징하는 것으로서 교사의 수업은 불필요한 외적 요인에 의해 방해받지 않아야 합니다.

그런데 수업 장면을 신성하게 여겨 밖에서 보이지 않게 커튼을 쳐서는 안 됩니다. 수업은 그 누구도 함부로 건들지 못하는 사적 소유물이 되어서는 안 됩니다. 수업을 공적 재화(지적 재산권 포함)로 다루어야 수업의 질이 올라가고 다양한 수업방식의 도입이 가능해집니다. 그저 부담없이 편하게 수업하면 됩니다.

그래서 북미나 유럽에서 '수업의 탈 사유화' 운동이 일어나는 것입니다. 미국의 경우 교장이 거의 아무 때나 교실을 방문하는 것을 쉽게 볼 수 있습니다. 우리의 경우 교장이 매일 교실을 돌면 교사들의 표정이 몹시 안 좋은 것을 단박에 알 수 있습니다.

필자는 재직 시 학교의 교육계획에 '수업의 탈 사유화' 문구를 꼭 넣어서 제시하였습니다. 수업은 교사의 사적인 행위가 아니고 공적인 행위이므로 부담 없이 동료들에게 공개하고 공유함이 바람직하다고 봅니다. 자기 수업을 동료에게 편하게 보여주고, 자신이 무엇을 잘하는지 혹은 못하는지 아는 것이 교사의 기본자세가 되어야 합니다. 요즘엔 동영상 카메라 기능이 장착된 스마트폰이 있어서 자기 수업을 녹화한 후에 볼 수 있어서 편합니다. 그래도 다른 사람의 눈으로도 봐야 타당성과 객관성을 확보할 수 있습니다. 필요할 때 교사의 수업공개는 마치 재판의 공개, 배우의 연기 공개처럼 장애가 없어야 할 것입니다. 교사의 성취감과 행복감은 학생들과 잘 교감한 수업을 마쳤을 때 스스로 느낄 수 있습니다. 수업공개의 의미는 교사의 자존감 그 자체입니다.

2015년부터 교단에 불기 시작한 스마트교실 혁명은 「거꾸로 교실」이었습니다. 주로 중등교사들이 시작하였는데 동영상으로 주제나 핵심 개념에 대해 온라인으로 시청하고 학교에선 토론이나 실습 등으로 공부하는 방식이었습니다. 디지털 세대인 학생들에겐 아주 흥미로운 수업방식이었고 호응이 컸습니다.

반면에 코로나19로 강제된, 급격히 확산한 디지털미디어 활용 수업에 적응하지 못한 교사들은 힘들어했고, 일부는 교단을 떠났습니다. 디지털 마인드로 무장한 신세대 학생들을 잘 가르치려면 미디어 활용 수업 기술이 필요합니다. 교육부는 2022년 12월에 개정 교육과정을 고시하면서 앞으로는 수업에서 AI 활용을 도입하겠노라고 천명하였습니다. 2023년부터 사물과 연결된 인공지능, 챗GPT 등 인공지능을 활용한 기술이 생활 속에 급속도로 스며들기 시작하고 있습니다. 아마도 제일 먼저 교육과 법률시장에 AI가 위력을 발휘할 걸로 예상됩니다.

스마트 업무혁신

필자는 지난날 여러 경영서적을 읽으면서 독자적으로 학교의 업무처리 관행을 개선해 보려고 노력하였는데, 이름하여 '스마트 업무혁신 3단계'입니다. 즉, 버리기-단순화-시스템화입니다.

1단계는 '버리기'입니다. 평가를 통해 오래돼서 낡고 가치가 없는 자료와 파일은 폐기합니다. 안 해도 될 일은 하지 말고 해야 할 일은 제대로 합니다. 관행적으로 해오던 업무나 행사는 비판적으로 '다시 생각하기'를 반복하여 현재도 계속할 가치가 있다면 하되, 그렇지 않다면 미련 없이 폐기합니다.

예컨대 두꺼운 종이로 만든 졸업앨범은 오랫동안 학교가 해왔던 사업입니다. 하지만 졸업앨범을 과거와 같은 방식으로 계속 만들어야 좋을까요? 전체 교직원과 다른 반의 얼굴은 꼭 필요한 건가요? 앨범 제작할 때의 번거로움과 비용을 생각해 보세요. 학급별로 미니 사진첩(포토북)을 만드는 것이 훨씬 의미 있고 소장하기에 좋을 수 있습니다. 아니면 평소 스마트폰으로 다양한 스틸 컷, 짧은 동영상 등을 저장해두었다가 편집하여 한편의 동영상 파일로 제작할 수도 있습니다. 적은 노력과 비용으로 훌륭하게 학급 단위의 추억 사진첩을 만들 수 있을 것입니다.

2단계는 '단순화'입니다. 어떤 사업을 하려면 현 상태 진단, 추진방침 설정, 실행 등의 전략적 과정을 실행하여야 하는데 단순하게 하자는 것입니다. 그러려면 기획자나 실행자 모두가 그 내용을 한 번에 알 수 있어야 합니다. 이때 구성원 모두는 정보의 공유가 필요합니다. 보고문서 등을 작성할 시에는 누구나 쉽게 이해할 수 있게 분명하고 간결한 문장과 정확한 용어를 사용하도록 합니다. 단순화의 개념은 어떤 사업을 구상할 때 본질적인 면을 중시하고 지엽적인 것은 무시하거나 버리는 것입니다.

예를 들어 학사계획에 현장 체험학습, 수련 활동, 교육 여행 등이 있을 수 있습니다. 그런데 이런 걸 모두 학교에서 주관하는 것은 여러모로 지금의 시대와 맞지 않을 수 있습니다. 과거와 달리 가정마다 자동차가 있고 KTX 등 광역철도교통망도 발달해 있습니다. 주5일제, 자율휴업일, 방학 등으로 여가도 적지 않습니다. 가족 단위, 또는 친구와의 가족 단위로 소규모로 자율적으로 체험학습을 할 수 있습니다. 이를 학교가 출석으로 인정해주고 있습니다. 굳이 학교에서 학생들을 데리고 버스를 임차해서 가는 것만이 현장 체험학습이라고 볼 수는 없습니다.

여기에서 현장학습의 인정 범위를 가정에까지 확대하고 단순화하여 운영하면 어떨까요? 부모와 자녀의 관계 등 가정의 교육적 기능을 보완할 좋은 장치인데 관행상 학교에서만 하는 걸로 인식하는 것은 경직된 자세로 보입니다. 필요하면 학교에서 학년 단위로 갈 수도 있겠지요. 다만 학교의 담당자는 생활지도, 안전 등 장거리 수송과 숙박에 대한 부담을 고려하여야 할 것이고, 좀 더 교육 본질과 기대 효과성 등을 생각해봐야 하겠습니다.

3단계는 이의 정착을 위한 '시스템화'입니다. 자신의 업무나 부서의 업무 생성 자료를 보존할 시 종이 문서로 하지 말고 파일로 정리하여 보관합니다. 나중에 검색해서 재사용하기도 좋고 후임자가 업무를 이해하는 데도 좋습니다. 아날로그 종이 문서에 서명하거나 직인 찍힌 것이 그대로 보존되어야 한다면 스캐닝하여 전자파일로 업무포털에 저장해두면 됩니다. 회의에서도 종이 인쇄물을 가급적 사용하지 말고 파일로 준비해서 전자칠판 화면에 띄워놓거나 태블릿에 저장하여 회의하는 모습은 어떨까요?

보통 학교에서 관리하는 방과후학교, 돌봄 운영일지, 강사일지, 방학중 교육활동일지 등 각종 장부 등은 아직도 종이로 된 서식지에 담당자가 월일을 써넣고 무엇을 했는지 간략히 적고 서명해서 철해둡니다. 이런 관리를 은행이나 동사무소 창구처럼 디지털 화면 터치 입력 등으로 시스템화하는 데 조금만 신경 쓴다면 '학교 사무관리 프로그램'을 만들어서 전산화할 수 있을 것입니다. 하루빨리 디지털로 사무를 관리하는 시스템화 작업이 이루어지면 학교는 한 걸음 더 진화하게 될 것입니다.

새로운 아이디어

그동안 교육청이나 학교에서 관행적으로 이어져 왔던 조직문화나 수업의 방식을 개선하고 4차 산업혁명 시대에 부응하는 교육 방법 혹은 아이디어는 어떤 것들이 있을지 살펴볼까요?

먼저, 출퇴근 시간에 대해 융통성 있는 운영이 필요하다고 봅니다. 코로나19 때 시차출퇴근제를 시행해본 결과 만족도가 높았습니다. 30분 시차를 두고 일찍 출근하면 30분 일찍 퇴근하도록 하였지요. 교통난도 해결하고 출퇴근의 시간과 피로도 줄이는 등 여러 면에서 좋았습니다. 이와 맞물려 수업과 연수, 회의도 필요시 원격과 대면이 혼합적으로 운영되는 것이 바람직합니다.

예를 들어 태풍, 폭설, 감염병 유행 시, 회의나 연수 시 원거리 이동의 불편이 예상될 때, 적절히 재택근무와 원격수업, 화상회의나 연수를 시행한다면 도움이 될 것입니다.

저출생 대책의 하나로도 고려해볼 필요가 있는 것이 유연 근무제라고 봅니다. 육아 대상자에겐 오전 일찍 근무하고 오후 일찍 퇴근하도록 선택할 수 있게 하고, 대면 업무가 없는 경우 가능하면 재택근무도 주 1회 정도 도입하면 좋을 것 같습니다.

자율학교라든지 대안학교의 경우, 시범적으로 학생들의 수업

운영 방법을 바꿔보면 어떨까요? 예컨대, 주당 교과 평균 시수를 25시간 내외로 하고 일반 교과 수업은 학교에서 하되, 창의적 체험활동은 오후나 주말에 지역의 기관 등을 활용하여 자율적으로 선택하여 이수토록 하는 걸 검토해보면 어떨까요?

즉 학교나 동네에서 방과후학교 프로그램과 청소년들이 평소에 하고 싶었던 체육, 음악, 예술 창작활동 등을 하도록 설계합니다. 이 중 특별활동은 체계화하여 수업시수로 인정함으로써 창의적이고 개별 맞춤인 선택적 체험활동이 되도록 합니다.

프로그램별로 지역의 극장, 영화관, 스포츠센터, 수영장, 축구장, 음악관, 박물관, 전시회장, 도서관, 농장, 식물원, 수목원 등을 학교 수업 협력기관으로 지정하여 운영해 보는 것이지요.

이게 실현되려면 학교와 지자체가 협력하여야 하고, 교육청은 이러한 교육활동에 필요한 인력양성과 운영비 등을 해당 학교에 목적사업비 형식으로 지원할 수 있어야 합니다. 경기도교육청에서 시범적으로 하는 '경기공유학교'의 모델도 이와 비슷합니다. 이런 것이 바로 혁신이라고 봅니다.

학교 공교육의 신뢰를 높이기 위해 사교육 의존 수요를 줄여야 할 텐데, 방과 후에 학습부진아를 가르쳐 부진아 제로를 추구하는 것도 필요합니다. 이처럼 기초학력을 공교육 시스템이 완전하게 보장해준다면 한 해 26조 원 정도의 사교육비는 대폭 줄어들 수 있을 것입니다.

초등은 기초적인 학습도구 사용법, 연필 쥐기, 글씨 쓰기 요령 지도가 필요합니다. 다만, 고학년이 되면 교실의 수업을 강의형

교수학습에만 의존하지 말고, 수업의 집중력과 효용성을 높이는 학습자 중심의 수업, 멀티미디어 활용 수업, AI 활용 수업을 활성화하는 등 방법의 진화를 모색하여야 하겠습니다. 개개인의 학습 능력에 맞추어 개별화 학습을 지향하는 게 가장 좋을 것입니다.

인성교육의 경우, 효, 예의 정신과 실천을 가르친다고 할 때, 시점을 과거로 돌아가지 말고 학생들이 쉽게 받아들일 수 있도록 현재화하여야 합니다. 그러려면 그 덕목의 가치를 현재 삶에 부합하게 콘텐츠를 만들어야 합니다. 때로는 AI의 도움을 받아서 가상현실이나 증강현실을 활용할 수도 있을 것입니다.

좋은 일이라고 해서 새롭게 어떤 일을 시작하더라도 작용이 있으면 반작용이 있는 게 세상의 이치입니다. 바로 규제의 문턱입니다. 이는 제프리 페퍼가 저서 《파워》에서 "혁신과 변화를 성취하려는 조직은 기술적 혹은 문제해결 능력 이상의 것을 갖추어야 한다. 혁신은 현상을 유지하려는 세력에 끊임없이 위협을 가하는 행위이며, (중략) 오늘날 실행에 옮기지 못하는, 즉 아이디어와 결정된 일을 실천하지 못하는 무능함이 조직 내에 만연해 있다."라고 말한 데서 실행의 어려움을 알 수 있습니다.[03]

교원 등을 대상으로 하는 대규모 집합 연수 기획도 고민이 필요합니다. 앞으로는 별다른 이유 없이 수백 명의 교원을 연수원의 대형 홀에 집합시켜 몇 시간 동안 연수를 운영하는 행위는 없어져야 할 것입니다.

특히 덥거나 추운 날 대규모 인원 연수는 기본값을 원격(비대면)으로 설정하면 좋습니다. 일회성이 아닌 여러 날의 연수일 경우 가능하면 온라인(원격)과 집합의 하이브리드 형태의 연수가 참여자의 피로도를 줄여줄 수 있을 것입니다.

한편, 요즘 교실 현장에서 수업 후 쉬는 시간은 그야말로 난장판입니다. 쉬는 시간에 아이들은 정신없이 놀고, 교사는 별다른 제지 없이 그냥 둡니다. 막상 제지하기도 어렵습니다. 쉬는 시간엔 놀고 싶은데 어떡하냐고 항변합니다. 하지만 교실은 학생들에게 수업하는 곳이라는 관념이 분명히 각인되어야 합니다.

쉬는 시간의 놀이 활동은 교실이 아닌 인근의 다른 장소에서 안전관리 요원의 상주하에 놀도록 공간을 마련해야 합니다. 학교마다 학생 수 감소로 얼마간의 유휴 교실이 생길 것입니다. 이 공간을 아이들이 쉬는 시간에 놀거나 쉬는 곳으로 만들면 좋겠습니다. 그러다가 수업 시간엔 다시 교실로 가서 학습활동에 참여한다는 의식을 학생들이 갖도록 하는 게 중요합니다.

교육청의 장학사(교육연구사) 등은 어떤 새로운 교육사업을 기획하거나 개선책을 만들 때 과거 자신이 했던 경험이나 본 것들에서 기본적인 아이디어를 가져와서 궁리하면서 세부 내용을 만들게 됩니다. 이때 성공적인 기획안을 만들려면 현장의 교원들을 상대로 표본 설문을 하거나 관련 연구회 등 전문적 식견을 지닌 조직 구성원과 심도 있는 협의를 거치는 과정이 필요합니다. 현장의 상황과 연결되어야만 실행에 문제가 적고 사전에 문제점을 발견하고 처리할 수 있기 때문입니다.

삶과 일의 조화 찾기

일과 행복

사람이 일을 갖게 되는 것은 여러 가지 이유가 있습니다. 인생을 어떻게 살 것인가 하는 인생관과 밀접한 연관도 있겠지만 생계를 유지하고 인간다운 최소한의 품위를 유지하려면 직업을 가져야 합니다. 일을 통해서 자신의 존재 가치를 세상에 드러낼 수도 있습니다. 일과 개인의 삶은 어떻게 조화를 이룰 수 있으며, 과연 일 속에서 의미 있는 행복을 찾을 수 있을까요?

워라밸 풍조가 있어서 그런지 사람들은 일과 개인의 삶은 분리 가능하다고 여기는 것 같습니다. 일은 생계의 수단이지 삶의 목적, 행복과는 직접 관련이 적다고 보는 것이지요. 그래서 직장에 머무르는 시간은 최대한 짧게 하고 빨리 벗어나고 싶어 합니다. 그래야 자기 개인적인 삶에 사용할 시간과 정신적 에너지를 확보할 수 있다고 믿습니다. 퇴근 후 미혼이라면 친구들과 즐겁게 보내거나 취미생활을 할 것이고, 결혼했다면 가사를 돌보거나 자녀 양육하기, 자기 계발 등에 시간을 쓰고 싶겠지요.

필자는 재직 중엔 그동안의 경험상 교원 같은 전문직의 경우

일과 개인의 삶은 쉽게 분리하기 어려우며, 일 속에서 개인의 삶이 의미가 있기에 직장 생활을 즐겁게 하라고 권했던 편입니다. 그런데 시간이 지나고 보니 직장의 일과 삶을 하나로 하다 보면 가정의 일이나 가족 구성원을 소홀히 할 수 있다는 문제점이 있었습니다. 지금은 필자도 직장인의 워라밸을 지지하는 편입니다.

시대의 변화로 교직원의 직장 생활을 규정한 복무규정은 개인의 삶을 풍부하게 하는 방향으로 계속 바뀌어왔습니다. 특별휴가 종류도 점차 늘어났고요. 이전엔 결혼, 장례 등에 따른 경조사 휴가가 있었는데 요즘엔 모성보호, 가족돌봄 휴가가 늘어났습니다. 임신과 관련한 정기검진이라든지 출산 후 일정한 기간 육아를 위한 육아시간이 허용되는 것이 대표적입니다. 이러한 제도는 지나친 일의 속박에서 벗어나 개인의 삶을 영위하는데 적지 않은 도움이 되고 있습니다. 그 외에도 수업에 지장이 없는 범위 내에서 조퇴나 병조퇴 등을 비교적 쉽게 허용하므로 요즘 교원은 비교적 복무상 큰 어려움 없이 교직 생활을 하고 있습니다.

교원들이 그다지 행복해 보이지 않는 것은 무슨 까닭일까요?

하나는 남과 비교하면서 자신의 행복지수를 측정하기 때문이 아닐까 싶습니다. 행복한 삶은 남과 비교해서는 찾을 수 없습니다. 항상 자신보다 나은 사람이 있기 마련입니다. 오히려 행복감은 이전의 나와 비교해보거나 혹은 성숙한 내면의 만족도를 분명히 느낄 수 있어야 가치가 있습니다.

또 하나는 자기가 진짜 뭘 원하는지 제대로 알지 못하기 때문이 아닐까 싶습니다. 정말 내가 원하는 걸 하고 있는지에 대해 자신이 없으면 왠지 불안합니다. 외부 기준에서 찾은 행복감이나 남과 비교한 행복지수는 상대적이기 때문에 우울해지고, 자신이 진짜 원하는 게 뭔지 모른다면 행복감도 느끼기 어렵습니다.

최근엔 교사들의 교직관이 많이 달라진 것 같습니다. 즉 출근해서 퇴근할 때까지만 교사로서 근무하고 그 외 시간은 온전한 개인으로서 자유를 누리며 편안한 마음으로 지내고 싶은 것입니다. 공직자로서의 품위 유지나 사명감에 얽매이고 싶지는 않은 것이죠. 퇴근 후엔 직장 내의 사람들과 어울리는 것보다 가족, 동호회, 사적 친구들과의 모임이 우선입니다. 퇴근 후 상사나 동료, 학부모 등으로부터 오는 전화도 받기 싫어합니다. 과거엔 일이 곧 삶의 가치와 연결되었는데 지금은 그렇지 않습니다.

그리고 학생들의 성장, 성취 등으로 기쁨과 보람을 느끼기도 하지만, 알 수 없는 불안과 피로감, 우울에 시달리기도 합니다. 그것은 상대적으로 낮은 처우, 학교에서 교사의 생활지도나 교육활동 중 어떤 언행으로 인해 학부모로부터 비난을 듣거나 해명을 요구받는 일, 나아가 아동학대로 신고받아 법적인 절차에 들어가는 비상사태 발생 등 불안감, 스트레스 때문입니다. 특히 젊은 교사들은 교직 경험이 적어서 이에 대처하기가 쉽지 않아 심리적으로 늘 우울감, 불만족감을 느낀다는 말에 안타까움이 큽니다.

일상에서 오래간만에 찾아온 행복도 오래가지 않습니다. 행복감은 잠깐이고 바로 그 수준에 적응되어 무료함을 느낍니다. 마치 무지개 찾기처럼 지속적인 행복은 없습니다. 마찬가지로 불행도 오래가진 않습니다. 아무리 힘든 일이 생겨도 그 시간이 지나가면 견딜만합니다. 뇌는 행복하든지 불행하든지 본래대로 돌아가려는 회복력이 있습니다. 쇼펜하우어가 말했듯이 인생에서 고통과 무료 사이의 적당한 균형을 맞추는 것이 필요할 것 같습니다.

직장에서 행복 찾기

앞에서 교사들의 직장 생활을 언급했지만, 처음의 발령 축하 기간이 끝나면 일과 개인의 삶이라는 측면에서 뭔가 부족한 것 같다고 말합니다. 즉 휴가 종류를 다양하게 늘려도 여전히 교사들은 일상을 불안해하거나 현실 불만이고, 학교를 벗어나 멀리 떠나고 싶다고 합니다. 일의 양을 많이 줄이고 꼭 필요한 것만 하자고 했지만, 여전히 일이 많다고 합니다. 교사들은 오로지 가르치는 일만 하고 싶고 그 외의 행정적 사무는 하고 싶지 않은 것 같습니다. 하지만 모든 공무원은 고유의 업무를 하면서 행정 사무도 해야 합니다. 법관이 재판만 하고 경찰이 순찰만 하지 않습니다. 보고서 작성 등 행정사무를 다 처리합니다.

요즘의 교사는 일에서 사명이라든지 희생이라든지 하는 말을 받아들이기 어려워합니다. 학교 일을 체계적이고 효과적으로 하기 위해 보직교사를 두었지만, 너도나도 보직교사는 하고 싶지 않다고 합니다. 승진에 따른 가산점이라든지 보직교사 수당이나 성과상여금제에서 유리한 것도 다 싫다고 합니다. 그게 힘듦을 알고 있기 때문이지요.

일부 교사는 학교라는 직장에서 성공하지 못할뿐더러 힘들어하고 있습니다. 어느 선생님의 이야기를 들어보면 악성 민원과 떨어진 교권 등 낮은 자존감 때문이 아니겠냐고 합니다. 학부모는 때론 거칠게 교사의 실수를 추궁하고 때론 모욕적인 표현도 서슴지 않는다고 합니다. 그럴 땐 수업, 생활지도 등 교육활동에 따르는 긍지와 보람보다는 실망감과 좌절감이 꽤 크겠지요.

자신은 책임감으로 성실하게 학생들을 지도하는데 일부 학부모나 학생이 오해하거나 작은 실수도 용납하지 못하고 교육청이나 경찰 등에 고발하는 예도 적지 않았습니다. 그로 인해 교권이 침해당한 것이 마음 아프고 사후 행정적, 법률적 대응도 신경이 쓰여 피곤하다고 합니다.

이러한 교사의 낮은 직무 만족과 자기효능감 부재는 교육력에 부정적 영향을 미칩니다. 인간은 그의 직업이 무엇이든지, 사회적 지위가 어떠하건 간에 인정받고 자존심을 지키려는 본성을 가진 존재입니다. 그러므로 선생님들이 가르치는 일에서 삶의 의미를 찾고 보람을 느끼게 하려면 학교의 위상 제고와 교사의 교권 확립이라는 제도적 장치가 늘 작동해야 합니다.

우리 사회의 교권이 많이 추락한 것은 학부모의 고학력, 경제력 외에도 교육제도와 정책 실패에 더해 일부 가벼운 직업관에서 오는 것 같습니다. 즉 일부 교육감과 시도의회는 교육의 본질과 원리를 망각하여 교권보다 먼저 학생 인권을 강화·옹호하는 조례를 만듦으로써 교권의 추락을 불러들였습니다. 그리고 교사도 스스로 교직을 단순히 직업의 하나로만 인식하여 교육자로서 품위와 책무를 가벼이 여겨 사회와 학부모로부터 신뢰와 존경을 잃은 게 아닌지 냉철하게 돌아봐야 하겠습니다.

어쨌든 지금 교사들은 과거의 교사들에 비해 훨씬 심리적으로 낮은 만족감과 효능감으로 어려움을 겪고 있습니다. 이럴 때 학교 리더는 교직 선배로서 후배들의 이런 어려움을 공감하고 위로하면서 힘든 현실을 함께 극복하려는 자세가 필요합니다.

교사들도 학부모의 민원과 일부 학생들의 무례함은 교직에 있는 동안 완전히 없어지기 어렵다는 현실을 인정하고 서로 연대하여 함께 적절히 대응하려는 자세를 갖추어야 할 것입니다. 지금 시대엔 어느 직업이나 어려움이 있기 마련입니다.

학교 리더들은 개별적 독립적으로 행동하되, 필요시 같은 교원으로서 연대하여 힘을 모아야 하겠습니다. 학교라는 직장에서 함께 생활하면서 쌓은 소중한 인연들을 모아서 서로 협력하는 씨줄과 날줄이 되어야 하겠습니다. 혼자서는 어떤 일도 하기 어렵습니다. 교사들이 수업이나 생활지도, 학부모 상담 등 교직 생활의 지혜로움을 나누면서 서로 도움을 주고받을 수 있어야 하겠습니다. 적극적으로 교사 커뮤니티를 개발하고 참여하는 자세가 필요하다고 봅니다. 자신이 부족한 부분을 채워 줄 수 있는 모임에 적극적으로 참여하는 기회를 만들어야 하겠습니다. 그래서 선생님들이 일터에서 소진되지 않고 행복을 느끼며 산다면 얼마나 좋은 일이겠습니까?

교실 밖의 햇살과 바람

가끔 선생님들과 이야기를 나눌 기회가 있으면, 쉬는 시간이나 오후 업무 중 잠깐이나마 교실을 벗어나 운동장 주변의 화단이나 수목 사이를 걸으며 머리를 식힐 것을 권합니다. 또 그러한 환경을 만들기 위해 건물 사이 곳곳에 다양한 꽃나무를 심었고 잔디밭, 야생화군락지와 작은 정원을 만들기도 하였습니다.

그런데 선생님들은 거의 교실 밖을 나오지 않습니다. 교사보다는 행정실이나 공무직 그룹들이 점심 식사 후 둘러보는 게 더 많은 실정입니다. 과연 교사들은 수업 후에 교실에서 어떻게 시간을 보내고 있을까 궁금하여 슬쩍 돌아다녀 보면 별로 하는 것 없이 책상의 컴퓨터 모니터를 보고 있는 정도입니다. 어떤 분은 헤드셋을 쓰고 원격연수를 듣는 것 같기도 합니다. 그제야 '아, 선생님들이 마음의 여유가 없구나! 단지 10분, 15분도 자리를 벗어날 줄 모르는구나!' 하고 안타깝게 생각하였습니다.

필자의 교사 시절을 되돌아봤습니다. 그랬더니 신기하게도 저도 당시엔 교내를 돌아다닌 적이 거의 없었습니다. 동료들과 대화할 때도 교실을 벗어나지 않았고 쉴 때도 거의 교실에 있었습니다. 교실이 주는 어떤 아늑함과 마력이 있는 것 같습니다. 실제로 교실 밖으로 나오려면 살짝 귀찮기도 합니다.

교사들을 자기 교실 밖으로 나가보게 합시다. 이웃 교실을 방문하게 하고 차나 커피를 나누며 교류하게 합시다. 그래야 교직생활의 더 큰 의미를 찾게 되고 더 넓은 세상이 있음을 알게 됩니다. 리더가 먼저 오후에 잠깐이라도 머리를 식히려 건물 밖으로 바람 쐬러 나가 보세요. 천장 없는 운동장이나 시원한 나무 아래에서 무거워진 머리나 몸의 피로가 빨리 풀리는 게 느껴질 것입니다. 교사들이 교정의 수목과 수크령, 억새풀 사이로 보이는 푸른 하늘, 여유롭게 떠가는 구름, 따사로운 햇볕을 쬐게 하면 어떨까요? 날마다 적당한 햇볕 쬐기는 건강에도 좋고 우울증 예방에도 좋다고 하지 않던가요?

코로나19로 약 3년간 마스크를 쓰고 사회적 거리두기를 한 후유증인지 제법 시간이 지났어도 생기가 부족하고 지쳐있는 것 같습니다. 교실에서 종일 혼자 지내는 교사들이 많아졌습니다. 유휴 교실이 있다면 휴게실 겸 학년연구실로 만들어서 자연스럽게 모일 수 있게 하면 어떨까 싶습니다. 혼자 외로이 지내지 않게 하고 동료들과 더 가깝게 지내며 서로 애환을 나누며 마음의 짐을 덜어낼 수 있도록 여건을 만들어주면 좋겠습니다.

한 달에 한 번 정도는 오후에 적은 인원으로 가까운 곳으로 현장 연수를 나가도록 하면 좋겠습니다. 식물원도 좋고, 박물관도 좋고 미술관도 좋겠지요. 때로 영화관이나 극장, 음악관도 좋겠죠. 인간은 사회적 동물임을 언제나 잊지 말아야 하겠습니다.

민들레 씨앗처럼

2016년부터 4차 산업혁명 바람이 불어서 에듀테크라고 하는 IT 기반 교육공학이 도입되고 있습니다. 교사들은 필요하면 노트북, 웹 카메라 등을 사용하면서 다양한 콘텐츠와 쌍방향 화상 수업으로 교과를 가르칠 수 있습니다. 전자칠판이 들어왔고 회의에서도 종이 문서를 대체하려는 움직임도 활발히 일고 있습니다.

코로나19 이후 원격수업과 원격회의가 활성화되었습니다. 필요시 재택근무도 확대되었습니다. 앞으론 AI가 사회문화의 대세일 것입니다. 이러한 디지털 문화의 급속한 확산에도 불구하고 그동안 아날로그 문화만 고수해서 변화를 재빨리 수용하지 못한 50대 후반 직장인들은 힘들어하는 것 같습니다. '이러다 디지맹(digi-盲)이 되는 것은 아닌가?' '이러한 변화에 적응하지 못하면 은퇴해야 하나?' 절박감마저 들지도 모르겠습니다.

학교 리더들도 교사들과 같이 디지털 방식으로 소통해야 하는데, SNS 사용, 문서 스캐닝, 동영상 작성 및 전송, 온라인 정보 링크 등 공유 기술을 충족해야 합니다. 회의도 전자칠판을 활용하면 여러 가지로 좋습니다. 만일 자신이 시대 흐름에 뒤처져서 부족함을 알았다면 시간을 들여서 배우면 됩니다. 귀찮다고 안 하면서 다른 사람에게 자꾸 의지하려 한다면 부끄러운 일이죠.

그 외에도 리더는 시간을 짜내서라도 여행, 독서, 문화예술 활동이나 등산, 스포츠활동 등을 열심히 하기를 권합니다. 특히 한 달에 책 몇 권은 꼭 읽기를 권합니다. 그래야 새로운 그 무엇을 발견해서 세상을 이해하고 도전하는 자신을 만들 수 있습니다.

최진석은 《최진석의 대한민국 읽기》의 머리말에서 다음과 같이 안창호 선생의 말씀을 인용하며 변화할 것을 주문하였습니다.

"우리 중에 인물이 없는 것은 인물이 되려고 마음을 먹고 힘쓰는 사람이 없는 까닭이다. 인물이 없다고 한탄하는 그 자신이 왜 인물이 될 공부를 아니 하는가?"

그러면서 이제 깨어있는 우리가 탁월한 시선의 높이로 도약해야 한다고 했습니다. 이를 '건너가기'로 명명한 그는 변화하여야 할 때 그 자리에서 맴돌지 말고 건너가라고 하였습니다. 그 방법으로 곰곰이 생각하기와 독서를 들었습니다. 그래야 곤이 대붕이 되는 것처럼 개인이든 나라든 날마다 새롭게 두터워지고 성장할 수 있다고 하였습니다.

그동안 우리나라가 이룩한 K-문화와 기술력의 우수성은 경제적으로 문화적으로 선진국으로 들어섰음을 느끼게 합니다. 그런데 우리의 인적 자원은 최근 저출생 고령화 등으로 급속히 고갈되고 있습니다. 또 자세히 내용을 들여다보면 노동 생산성은 OECD 회원국의 최하위권에 머물러 있습니다. 그동안 열심히는 해왔으나 창의적으로 생산성을 높이는 기술 축적과 경험의 노하우 축적, 교육, 노동, 연금 개혁 등에 소홀히 임함으로써 일의 효과성은 떨어지고, 성과 위주의 경쟁적 삶에 국민도 삶의 여유가 없어지는 등 행복감도 점차 순위가 밀리고 있음에 유의해야 하겠습니다.

학교 리더는 끈질긴 생명력으로 온갖 어려움을 견디고 준비한 씨앗을 흩날리는 민들레처럼 4차 산업혁명이라는 새로운 바람이 부는 언덕에서 그 지혜를 본받아 높이 날아오르길 바랍니다.

좌절을 견디고 희망 켜기

내일로 미루지 말라

우리는 살면서 해야 할 일을 제때 하지 않고 내일이 있다며 미루기를 밥 먹듯이 합니다. 그러다가 결국 낭패를 겪지만 그때뿐이죠. 마침내 차일피일 미루다가 짧은 인생은 끝나고 맙니다.

리더로서 가장 잘 들여야 할 습관은 미루지 않는 습관이라고 봅니다. 매일 일과를 살펴보고 기한 전까진 해놓고서야 퇴근하는 게 마음 편합니다. 퇴근 시간이 다 되어서 퇴근하는 것이 아니라 오늘 할 일을 다 마치었기에 퇴근한다는 자세가 바람직합니다.

학교의 일 년은 하는 일이 매해 거의 비슷합니다. 학교 교육과정 업무도 마찬가지입니다. 3월에 할 일, 12월에 할 일이 있습니다. 농사짓는 것처럼 그달에 해야 할 일이 있게 마련이죠. 그러므로 반복되는 업무는 따로 학사력에 표시하거나 매뉴얼을 간단하게 만들어서 관리자와 담당자가 공유하고 처리하도록 합니다. 담당자는 하는 일의 초기부터 팀원과 업무 매뉴얼을 공유하고 관리한다면 어렵지 않게 그 일을 잘 마무리할 수 있을 겁니다.

어떤 필요한 시설 구조물을 새로 설치하거나 나무를 심고 가꾸는 일은 끝나면 기분도 좋고 보람도 큰데, 기존 시설물의 유지·보수관리는 해도 별로 표도 나지 않고 빛도 나지 않습니다. 그렇다고 이를 게을리하면 안전사고가 나고 비용이 많이 들므로 신경써서 미리미리 손을 써서 해결해야 합니다.

특히 안전 관련하여 오래된 건물이라면 눈으로 확인하는 것은 물론이고, 가능하면 만일의 사태까지 염두에 두고 미리 보강공사 등을 해두는 것이 좋습니다. 예산이 부족하면 구청이나 교육지원청에 위험 관련 보고를 하고 시급성을 강조하여 특별예산으로 교부를 받아 손보도록 노력해야 합니다.

댄 히스가 지은 《업스트림》이란 책에 재난에 대비한 미국의 사례가 소개되어 있습니다. 멕시코만과 접한 루이지애나주의 뉴올리언스 도시가 허리케인의 피해에 대비하기 위해 관계자들을 모아서 한 훈련은 실제 2005년 카트리나가 강타했을 때 수만 명의 목숨을 구했다고 합니다. 훈련의 핵심 내용은 호수 제방이 무너지면 대규모 지역이 침수되기에, 피난 행렬의 이동을 순조롭게 하려고 고속도로의 역방향 통행을 연습한 것이었습니다. 이처럼 최악의 상황을 대비하여 나중으로 미루지 않고 훈련을 통해 대비하는 것은 매우 필요한 일입니다.

업무를 할 때 나중으로 미루지 않기 위해서는 평소 업무와 관련하여 점검표(체크리스트)를 만들어 시행하면 좋습니다. 흔히 매뉴얼은 읽고 내용에 맞게 대응하는 것이지만, 점검표는 본인이 완료해야 할 목록이 완성되었는지를 하나씩 점검하는 것이어서 훨씬 더 분명하게 처리할 수 있습니다.

필자가 매일 출근 후에 하는 일이 한 가지 있었습니다. 교장실 주변의 화분에 물을 주는 것입니다. 교장실은 물론이고, 교무실이나 복도의 화분도 물을 줬는지 자주 살핀 후 필요하면 물을 주는 것입니다. 그 식물이 형제라고 생각하며 내 몸을 돌보듯이 물을 주고 시든 잎을 따 주었지요. 그 식물의 목숨은 물주는 사람에게 달려있습니다. 하루도 미룰 수 없는 일이 되었지요.

우리 삶에서 시간은 가장 중요한 재화입니다. 당신의 급여는 당신의 시간을 소비한 대가로 지급됩니다. 중요하지 않은 일에 시간을 낭비하면서 지금 해야 할 일을 시간이 없다고 내일로 미루지 마십시오. 내일을 미리 당겨와 오늘을 낭비하지 마십시오. 오늘 할 일은 오늘로 마치는 것이 가장 좋습니다.

상처받지 않은 삶은 없다

어느 시인이 말했던 것처럼 흔들리지 않고 피는 꽃이 어디 있겠습니까? 비바람에 가지나 줄기가 꺾이기도 하며 상처를 입습니다. 그래도 최선을 다해 생명의 물을 끝까지 길어 올리고 햇빛을 받아서 마침내 꽃을 피워냅니다. 꽃을 피워야만 열매를 맺고 그 식물은 다음 세대를 기약할 수 있지요. 아름드리 느티나무도 까마득한 키의 은행나무도 어렸을 때는 연약하기 짝이 없었을 것입니다. 모두 상처와 고난을 견디어 내고 지금에 이른 것입니다.

우리는 어떤 일에서 고난의 과정을 꿋꿋이 견디어 내고 목표에 도달하였을 때 커다란 성취감과 보람을 느낍니다. 이 세상에 쉬운 길은 없습니다. 두려움과 경험 부족은 동기부여와 도전 의지를 약하게 하지만, 이에 굴하지 않고 꾸준히 노력하고 단련하는 자에게 주어지는 보상은 값집니다.

스포츠 경기, 특히 올림픽이나 월드컵 무대에서 우승하거나 메달을 따면 감격에 겨워 기쁨의 눈물을 흘리는 모습을 볼 수 있습니다. 기쁜데 왜 눈물을 흘릴까요? 아마도 과거에 실패하거나 좌절한 경험이 있었지만, 남몰래 열심히 노력한 결과 얻어낸 값진 결과이기에 감격스러워서 그런 게 아니겠습니까?.

실패의 원인을 제대로 깨닫기 위해서는 실패를 기념해야 한다는 사람도 있습니다. 원했던 일이 뜻대로 되지 않았다고 주저앉거나 낙담한다면 다음에 성공하기 어렵습니다. 실패했다면 일단 현실을 받아들이고 자신이 할 수 있는 일이 무엇인지 재빨리 파악해서 할 수 있는 일을 하면서 다시 일어서야 합니다.

누구나 인생에서 자랑스럽거나 성공한 기억만 있는 게 아닐 것입니다. 실수한 일, 실패한 일, 부끄러운 일 등으로 괴로워했던 과거가 있을 것입니다. 이를 겸허히 받아들이면서 스스로 위로할 줄 알아야 하겠습니다. 누구든 살아오는 동안 상처받지 않은 삶은 없습니다.

교사들이 힘들어하는 것이 있다면 교육과 관련하여 재량껏 할 수 있는 일이 별로 없다는 것입니다. 가르치는 일도 예전처럼 교사에게 권위가 있을 때와 무척 다릅니다. 가르치다 보면 어쩌다

화를 내기도 하고 훈육 과정에서 듣기 싫은 소리도 해야 하는데, 이 과정에서 학생은 참지 못하고 교사의 지도에 인권조례 상의 권리를 내세우며 거칠게 저항하고 학부모는 작은 일도 아동학대죄로 고소하는 일이 가끔 발생하고 있습니다. 자연히 교육활동이 위축되거나 교육적으로 바로 잡을 일도 그냥 참고 지내려고 하니 정서적 고갈과 성취감 박탈, 비인간화 등 소진(번-아웃)이 생깁니다. 이런 게 누적되어 이제 학교는 교사의 열정이나 헌신을 기대하기 어려운 구조가 되어 버렸습니다.

학교를 경영하는 교장이나 교감의 위치에서 좌절이 있다면 학부모가 자녀와 관련하여 작은 일로 항의성 전화를 하거나 교육청 등에 해결하기 어려운 민원을 제기하는 것입니다. 교사들도 새로운 업무나 주요 보직을 서로 맡지 않으려 한다는 점입니다.

필자의 경우 좌절을 이겨내는 방법은 두 가지 정도입니다. 하나는 무한한 우주의 시공간과 현재의 내 삶을 대비시킴으로써 지금 겪고 있는 일의 하찮음을 자신에게 인식시키는 것입니다. 즉 현생 인류인 호모 사피엔스 종의 삶이 20만 년 전부터 시작되어 오늘에 이르렀고, 그 장구한 시간 동안 인류는 생존 자체를 확보하기 위해서 매우 힘든 시기를 보냈는데 지금 내가 겪는 어려움은 그들에 비하면 아무것도 아닌 거라고 말입니다.

또 다른 한 가지는 두려움과 실망을 이겨내고 최선의 결정을 하도록 마음을 가다듬는 일입니다. 힘든 순간에 고통스러워도 최선의 결정을 내리고 그 나머지에 대해서는 후회하지 않는 태도입니다. 자신이 가보지 않은 길보다 선택한 길에 대해서 집중합니다. 내가 선택한 길에 대해서는 오롯이 감수하겠다는 자신에 대한 믿음이 있어야 합니다. 내 통제권 밖의 일에 대해서는 스토아 철학의 관찰자 시각으로 바라보며 반면교사로 삼을 뿐입니다. 그리고 '내가 모든 것을 다 잘할 수는 없지 않겠느냐' 하면서 마음을 차분히 가라앉힙니다.

사노라면 언젠가는

코로나 시국 2년째를 맞는 2021년 1월 초였습니다. 첫 주말인 토요일 오후에 보건교사가 전화했습니다. 돌봄교실에 다니는 1학년 아동 1명이 코로나19 확진자로 판명되었다며 긴급히 보고하였습니다. 전화를 받은 순간, 복잡한 실뭉치가 머리를 치듯이 어질하면서도 실제상황이라 무척 당황스러웠습니다. 겨우 진정하고 나서 현재 어떤 상황인지 자세히 내용을 파악하였습니다. 일단 일요일까지 관련 아동들의 검사 결과를 주시하고 월요일에 주요 간부들과 대책 회의를 연 후에 학부모에게 알림 메시지를 어떻게 낼지 처리하기로 하였습니다.

그런데 굳이 회의까지 열어서 상황에 따른 대책을 홈페이지에 잘 정리해서 알릴 필요까지는 없고, 그냥 '문자 알리미'로 본교의 코로나 발생 관련 사실만 학부모에게 빨리 전파하면 되었습니다. 나머지는 역학 조사관이 밀접 접촉자와 검사 대상자, 자가격리 대상자를 확인해주므로 거기에 따르면 되었는데 최초 경험이다 보니 자세히 조치하려고 준비하느라 시간이 제법 지나갔습니다.

사실 중요한 것은 신속하고 정확한 알림이었지요. 학부모들은 그걸 원하였는데 그렇게 하지 못하여 이후 항의성 전화와 민원이 교육청 등에 들어갔던 것입니다.

이 일이 마무리되고 나서 한 가지 위안이 되는 것은 이 일로 마음의 상처를 입지는 않았다는 것입니다. 그냥 우리가 감당할 일이라고 생각하며 견디었습니다. 학교폭력 발생 건과 마찬가지로 '학교에 어떤 문제가 발생하면 해결하는 게 나의 일'이라고 생각하며 스스로 마음을 다독였습니다.

코로나19로 사회적 거리두기와 모임 억제로 많은 기업과 자영업자들은 경영에 어려움을 겪었습니다. 가장 큰 걱정은 공동체의 문화가 소멸해가고 있는 것 아닌가 하는 것이었습니다. 재직교에선 그동안 학교 내의 교직원 간 친목을 도모했던 친목회마저 폐지하였습니다. 공동체 구성원으로서 타인과의 교류를 통한 유대가 점점 엷어지는 현상에 대한 막연한 불안이 생겼습니다.

공동체가 약해지고 개인화되어 가고 있는 현상은 뚜렷합니다. 모두 컴퓨터 화면이나 개인 스마트폰 등으로 업무를 보거나 식품, 생필품 등을 구매하고 가정이나 직장으로 물품을 받습니다. 시장에 가서 물건을 고르고 흥정하고 인간적인 대화를 하면서 구매하는 행위는 많이 사라져가고 있습니다. 오히려 AI가 등장하면서 인간은 점차 인간과 사귀는 게 아니라 기계와 사귀고 있는 것 아닌가 하는 생각이 들 정도입니다. 경험을 통해 귀한 지식과 정보를 많이 갖고 있던 앞선 세대나 선배에게 묻지 않고 인터넷이나 AI에게 물어서 결정하는 게 일반화된 시대가 되었습니다. 자연히 세대 간의 대화는 단절되고 앞선 세대의 가치나 바람은 다음 세대와 연결되기 어려워졌습니다. 문자 메시지, 채팅 등 비동기화(非同期化)된 대화나 원격회의 등 비체화(非體化)된 소통이 주를 이루기 시작하였습니다. 자연히 인간적 소통은 말라갔습니다.

점차 집안에서 혹은 교실이나 사무실에 혼자씩 고립되어 있고, 이웃 교실의 동료들과 대면하여 이야기를 나누는 걸 어색해하였습니다. 출근하여도 종일 혼자서 교실이나 사무실에만 있다가 퇴근하는 일이 다반사였습니다. 필자도 코로나19 동안 교장실에서 하루의 긴 시간을 늘 혼자 보냈습니다. 가끔 회의 등으로 사람들을 만났지만, 끝나면 교장실은 조용했습니다. 창밖의 풍경과 컴퓨터 모니터 외엔 눈을 둘 데도 없었지요.

살다 보면 어떤 작은 일로도 상처를 입고 괴로워합니다. 문제가 생기면 사람들은 분노하거나 절망합니다. 그러나 분노한다고 해서 문제가 해결되지는 않습니다. 일찍이 스토아 철학자였던 에픽테토스는 "사람을 망치는 건 문제 그 자체가 아니라, 문제에 대한 그의 판단이다."라고 말하였습니다. 자신에게 불행한 일이 생겼어도 그것을 자기가 어떻게 받아들이느냐에 따라 문제가 아닌 것이 될 수 있습니다. 예컨대 '화'는 남 때문에 생긴 게 아니라 내가 스스로 낸 것에 불과하고, 현재 내가 불행하다는 것도 지금 내가 그러하다고 느끼는 것일 뿐입니다.

학교 리더로서 좌절을 경험할 때마다 '이것은 신이 내게 준 성장의 기회다.'라든가 '이 또한 지나가리라.'라고 생각할 수 있다면 정말 좋겠습니다.

날마다 흐리고 비가 오는 건 아닙니다. 맑게 갠 하늘과 따뜻한 날이 더 많습니다. 하는 일이 내 뜻대로 돌아가지 않는다고 한탄하지 말고 내일은 좋아지리라는 희망을 품고 살 일입니다. 노래 가사처럼 사노라면 언젠가는 해 뜰 날, 좋은 날이 온다고 믿고 사십시오.

봄과 가을에 기온이 변하는 시기의 이른 아침과 저녁의 노을은 신선한 감흥을 불러일으키고, 파란 하늘의 하얀 구름도 피로를 씻어줍니다. 특히 이른 새벽에 광해(光害)가 없는 하늘에 반짝이는 뭇별들은 우리가 혼자가 아니라는 위안을 주기에 충분하지요. 자주 지구의 창(窓)인 하늘을 바라보기를 권합니다.

밤에 일이 잘 안 풀리고 답답할 때는 바깥으로 나가 불빛이 거의 없는 동남쪽, 아니면 남서쪽 하늘을 바라보세요. 어쩌면 그곳에 당신을 위로해 줄 멋진 별이나 달, 행성이 찬란하게 빛나고 있을지도 모르겠습니다. 혹시 구름이 끼어서 그 별들이 보이지 않는다고 실망하진 마시기 바랍니다. 다만, 지금으로선 볼 수 없을 뿐입니다. 존재하지 않는 것과 존재하는데 보이지 않는 것은 엄연히 다른 것입니다.

구름에 가려졌지만, 마음속의 별빛을 찾아낸다면 내일의 희망을 볼 수 있을 겁니다. 그걸로 당신이 위로받고, 더 이상 괴로워하지 않고 별처럼 빛나는 인생을 살겠노라고 다짐할 수 있으면 참 좋겠습니다.

제3장

용기 있는 학교 리더

학교 교육이 희망을 품으려면 리더가 책임질 일은 피하지 않으며 심사숙고 후 결정을 내리며, 불굴의 용기와 절제의 리더십을 발휘하여야 합니다. 구성원들의 다양한 생각을 존중하고 새로운 세대를 포용하여야 합니다. 조직 구성원 간 갈등을 예방하고 해결하는 좋은 리더가 되시길 바랍니다.

용기를 발휘하고 사과하기

리더의 진정한 용기

교장이 되면 학교 운영의 세부 사항에 대한 의사결정 권한뿐만 아니라 경영상 상당한 재량권이 생깁니다. 재량권의 범위라고 하는 것은 애매하기도 하고 제한적이기도 하지만 법령에서 요구한 수준 내에 있어야 합니다. 학교 리더로서 때로 마땅히 쓴소리 내야 할 경우에도 그냥 넘어갔던 경우도 있었을 텐데 어떻게 처신하는 게 좋을까요?

우선 용기란 무엇이고 언제 용기를 발휘하여야 할까요? 용기란 두려움이 없는 게 아니라 두렵더라도 옳은 일을 하는 것입니다. 윗사람이 법령을 위반하는 등 불의를 저지를 때 용기를 내야 합니다. 그동안 좋은 정책이었는데, 새 권력이 편견에 사로잡혀 부당하게 간섭하여 이를 폐지하려 하거나 바꾸려 할 때도 용기를 내어야 합니다.

자신이 보좌하고 있는 상사가 법령을 위반하여 부당한 일을 하려고 할 때는 알아듣게끔 직언하여야 합니다. 직언할 때 주의할 점은 상사의 자존심을 깎아내리거나 공격적인 언어로 감정을 상하지 않도록 하는 점입니다. 사실에 기초하여 법령의 어떤 부분을 위반하는지 분명히 인식시키는 게 중요합니다. 그렇게 해서 상사가 뜻을 철회하고 이전으로 돌아간다면 매우 다행스러운 일이 될 것입니다. 그렇지 아니하고 오히려 문제없다는 식으로 계속 추진할 때는 최소한 문서상의 결재선에서 빠져야 합니다. 예컨대 서울시 교육감이 2018년에 전교조 해직교사 5명의 특채 과정에서 직권남용 및 국가공무원법 위반 혐의로 2021년 공수처 수사 대상에 올랐고 이후 기소되었는데, 당시 핵심 참모 중 국장과 과장이 반대 의견을 제시하고 결재선에서 빠졌던 일을 기억하면 됩니다.

학교장이 잘못된 의사결정을 내릴 때, 혹은 이성적으로 판단하지 않고 감정적으로 처리하려 할 때, 교장을 보좌하는 교감 등은 재고를 요청하여야 합니다. 교장은 교감이 판단을 제대로 했든 아니했든 보좌 역할을 하는 교감이 다시 한번 생각하기를 권했다면 신중하게 재고하는 것이 좋을 것입니다. 이를 위해 평소에 교장은 교감이 사실대로 직언할 수 있도록 편한 관계를 만들고 그러한 분위기를 만들어야 합니다. 그리고 자신이 뭔가 잘못하고 있다면 바른대로 말해달라고 분명히 말해 두어야 합니다.

교감이나 교장은 상급·감독기관인 교육청이나 교육지원청의 인사들과 불편한 관계를 만들지 않으려고 합니다. 그러다 보니 학교경영이나 성과 평가 등에서 공정하지 못한 처우를 받아도 할 말을 하지 못하고 가슴 속에 담고 속앓이하는 경우가 더러 있습니다. 교감도 때로 교장의 부당한 지시나 처사에 억울하지만 참으면서 지내는 동안 마음에 병이 생겨 육신의 병으로까지 발전하는 경우가 더러 있었습니다. 이제는 그러지 말아야 합니다. 최근엔 이러한 어려운 사정을 고려하여 교육지원청에서 인사위원회를 거쳐 비정기 전보 내신을 통해 다른 근무지로 옮기는 기회를 주고 있어 바람직하다고 봅니다.

시도교육청 산하에 교육지원청이 있고 교육지원청은 교육행정 운영상 편의를 위해 지구별로 자율장학협의회를 두고 있습니다. 필요한 경우 간사 학교장을 중심으로 지구 내 교장들이 모여서 협의회를 열고 의견교환 및 협력 등을 약속하기도 하지요. 학교 운영상 "이웃 학교는 이렇게 하는데 우리 학교는 왜 이렇습니까?" 하는 일이 생기기 때문에 지구별 학교장 협의회에서 학교 간에 어느 정도 기준을 정하고 조율하는 겁니다. 여기서 좋은 정보를 공유하기도 하고 나쁜 소식도 들으면서 교장들은 서로 협력하는 관계를 형성합니다.

그런데 이 협의회나 교육(지원)청 초중등과장, 장학사들과 간담회에서 필요한 경우 용기 있게 말을 해서 바람직한 어떤 행동을 유도해야 할 때가 있는데 아는 처지에 차마 말을 꺼내기가 쉽지 않습니다. 하지만 해야 할 말은 하는 게 용기입니다. 그래야 발전이 있게 되는 것이니 예의를 갖추되 문제 제기와 함께 아이디어 차원의 해결책도 공론화하는 것이 좋을 것입니다.

교장으로서 또 용기를 내야 하는 부분은 소속 교직원에 대한 엄정한 평정과 감독입니다. 예컨대 교감과 행정실장에 대한 근무

평정 시 만점을 주는 관행을 재고해야 합니다. 그런데 교감과 행정실장이 평가실무자로서 평정서류를 가져오니 교장은 난감합니다. 평정의 공정성과 비밀성을 유지하려면 평가자가 비공개로 직접 NEIS에 입력하는 방안을 고민해야 합니다. 근무성적 평정은 공적인 업무이자 평가권자의 주요 권한입니다. 또, 전보 시기가 되면 냉정하게 살펴서 학교의 이익을 위한 쪽으로 결단을 내려야 합니다. 내보내야 할 교직원에게 개인 사정이 안타깝다고 해서 들어준다면 조직은 점차 망가지는 길로 가게 될 것입니다.

또한, 리더는 평소 갑옷으로 보호하였던 자신의 취약한 부분을 솔직히 인정하고 개선하려고 노력해야 합니다. 정직하게 자신의 가치관을 드러낼 수 있을 때 소속 교직원이나 동료들로부터 협력적 아이디어나 신뢰를 얻을 수 있습니다.

아니라고 말할 용기

어느 학교 교감으로 근무할 때입니다. 학급수가 많아서 교감이 2명이나 배치되었는데, 파트너 교감은 동문 선배이자 나이도 한참 많았습니다. 교무 분장은 필자가 생활지도와 장학을 맡았고 그분은 인사, 교무학사 업무를 맡았습니다. 형식적으로 그렇게 나누었지만 공교롭게도 힘든 일은 모두 저에게 넘어왔습니다. 선배 교감은 필자가 젊고 전문직 출신이니 일도 잘할 거라며 대부분의 일을 처리하기를 원했고, 교장도 업무 영역에 있어 분명하게 선을 그어주지 않았습니다. 그렇게 시간이 지나다 보니 많은 일을 감당해야 하는 스트레스와 과로에 시달렸습니다. 사무 처리의 불균형으로 종일 업무에 파묻혀 지내거나 힘든 민원을 처리하는데 진을 빼야만 했습니다.

점점 쌓여가는 스트레스로 도저히 참기 힘들어서 교육청 인사 담당을 찾아가 다른 근무지로 비정기 내신 처리해 달라고 하소연했는데, 당시의 담당자는 그렇게 하면 소문이 나고 장차 필자의 경력에 안 좋을 거라고 말하면서 참고 견디라고 했습니다. 당시엔 교감으로서 경험도 부족했고 슬기롭게 풀어나가도록 조언해 줄 만한 멘토도 없었기에 힘든 시기를 참고 보내야만 했습니다.

시간이 지나서 이 지점을 다시 돌아보면 교감 2명인데 선후배 사이라면 '둘이 알아서 잘 처리하겠지'라고 생각하지 않고 업무 영역을 명확히 구분해서 각자 책임 있게 일하도록 할 것입니다. 그리고 한쪽 교감의 힘든 부분을 빨리 알아차리고 적절한 대책을 세워서 힘들지 않도록 하는 게 중요하다고 봅니다.

또 다른 학교에서의 교장은 다소 권위적이었습니다. 그런데 매주 정한 요일 아침 일찍 회의한다며 교감과 수석교사를 교장실로 불러들였습니다. 집이 좀 멀어서 힘들었지만, 대개는 늦지 않게 참석하였습니다. 하지만 의미 있는 회의는 별로 없고 당신의 신변잡기식 이야기를 늘어놓거나, 본인의 일상적 이야기를 장황히 말하다가 한 시간이 훌쩍 지나서야 끝났습니다.

정말 시간이 아까웠습니다. 그러고 나면 아침에 해야 할 중요한 일들이 줄줄이 밀려있기 일쑤였지요. 이를 반면교사로 삼아 필자가 교장이 된 후에는 교감은 아침에 만나 인사만 가볍게 나누고 바로 자기 업무에 들어가도록 하였습니다.

또 다른 예인데, 어느 학교에서는 교장이 갓 초빙해온 부장교사에게 근무성적을 최고로 주려다 보니 기존의 우수한 부장교사에 대한 평정 문제로 교감과 갈등이 생긴 일이 있었습니다. 학교마다 가끔 이런 일이 생깁니다. 자칫하면 서로 인간관계가 멀어질 수도 있겠지만, 교감으로서 교장을 잘 보좌하려면 아닌 것은 원칙, 법령, 행동강령 등을 이유로 정중하면서도 분명하게 말씀드려야 합니다. 중요한 것은 자신이 생각한 문제해결책도 함께 제시하여서 교장이 수용할 여지를 넓혀야 합니다.

그 외에도 자신이 마감 시간이 얼마 남지 않은 시간을 다투며 프로젝트를 마무리하고 있는 과정 중에 동료 직원이 다른 일로 도움을 달라고 하였을 때, 혹은 오랜만에 특별히 시간을 만들어서 가족과 중요한 행사를 준비하고 있는데 갑자기 상사가 회식 일정을 잡아서 참석하라고 했을 때는 요령 있게 거절할 수 있는 용기가 필요할 것입니다. 이런 것은 평소에 자신의 가치관이 무엇인지에 따라 달라질 수도 있겠습니다.

서랍 속에 잠자는 레드카드

국민은 교원들이 다른 직업군에 비해 상대적으로 높은 도덕심과 모범적인 언행을 보여줄 것을 기대합니다. 교원이 자녀 또는 미래세대의 심성을 올바르게 길러주길 기대하기 때문입니다. 그러므로 교원은 국민의 기대에 부응하여 공직자로서 부정·부패하지 않아야 합니다. 정부 고위 공직자의 인사청문회를 보면 스스로 자리에 적합하지 않은 후보들이 국민의 분노에도 사퇴하지 않고 버티다가 임명되는 사례를 너무 자주 봐왔습니다.

어느 학교 초임 교감 시절이었습니다. 아직 공무원 행동강령이 시행되기 전이었습니다. 그 학교에서 어느 교실 근처 화장실에서 봉지에 싸인 빈 술병이 나왔습니다. 근무 중에 음주는 공무원의 심각한 복무규정 위반이었습니다. 나중에 그가 누군지 알게 된 필자는 이 일을 어떻게 처리해야 할지 고심하였습니다. 그분은 평소 주변에 자신의 근무성적 평정을 최고로 주지 않는다고 교감, 교장을 비난하고 다녔습니다. 이를 아는 교사들은 그를 피하였고 어떻게 대처해야 할지 잘 몰랐습니다. 아마 교장도 알고 있었으리라 짐작합니다.

결국, 필자는 참지 못하고 교육청에 복무 감사를 요청하기에 이르렀습니다. 교장께 이 일을 사전에 승낙받지 않은 건 제 불찰이었습니다. 교장은 그런 제게 몹시 화를 내면서 자체로 해결방안을 찾고, 학교의 명예 등을 위해 경거망동하지 말라고 하였습니다. 할 수 없이 교육청에 전화해서 학교에서 해결할 테니 그만두라고 감사 요청을 철회한 적이 있었습니다.

지금 시점에서 본다면 그를 국가공무원복무규정 위반으로 마땅히 징계하여야 했는데 당시 교직 사회 분위기에 온정주의가 있었고, 학교의 명예가 달린 일이라 덮고 넘어갔던 것이었습니다.

소속 공무원이 업무를 소홀히 하거나 규정을 어기면 감독 지위에 있는 관리자는 주의, 경고를 비롯해 필요한 조치를 해야 합니다. 계속 맡은바 업무를 제대로 못 할 때는 과감히 교체도 고려해야 합니다. 다만, 이런 일은 해당 개인에겐 커다란 화(禍)이므로 떠벌리지 말고 조용히 처리하는 게 좋습니다. 인간적으로 미안한 생각이 들겠지만, 조직이 사는 길은 엄정한 신상필벌의 집행입니다. 소속 교직원을 징계하거나 전보 내신을 하는 등 결단성 있게 처리하여야 할 사람은 바로 최고 리더뿐입니다. 교장은 필요시 서랍 속에 잠자고 있는 '신상필벌' 카드를 꺼내 사용하여야 합니다. 물론 사전에 잘 협의한 후 처리하여야 합니다.

우리는 경찰, 검찰이나 법관들이 비리를 저지른 때에는 엄정하게 직위 해제 후 수사하길 요구합니다. 이때 작은 실수라며 대수롭지 않다고 해명하고 시간을 끄는 등 사건 처리를 뭉개는 것을 보면 비난합니다. 그런데도 학교장이 관리 감독하는 교직원이 잘못한 것을 눈감아 준다면 이율배반이 됩니다.

소속 직원이 공을 세웠거나 잘못했을 때는 그에 합당한 조치를 하는 게 리더로서 마땅히 해야 할 일입니다. 공적인 일로 문제를 일으킨 자를 사사로이 용서하는 것은 곤란합니다. 잘한 부분에 대해서는 칭찬을 아끼지 말며 부패나 부정은 과감하게 처리하여야 합니다. 시류나 사정에 영합하지 않고 무엇이 중한지를 확실하게 정하고 흔들리지 않고 나아가는 것이 리더의 참된 용기입니다. 다만, 소속 직원의 잘못으로 적절한 조치를 할 때, 당사자가 느낄 여러 가지 감정을 고려하여 인간적으로 수치심을 느끼지 않도록 처리되도록 신경 쓰는 게 바람직하겠습니다.

리더의 사과와 책임지기

리더로서 하기 싫은 일 중의 하나가 자기 책임하에 있는 일이 잘못되어 폐를 끼쳤을 때 죄송하다며 사과하는 일입니다. 인간은 때로 실수하고 실패하는 존재입니다. 잘못했다면 사과하고 합당한 책임을 지는 게 리더로서 할 일입니다.

그 실패나 실수가 어쩔 수 없이 불가피하게 발생한 것이라면 진정성을 담은 사과로 수습될 수도 있겠죠. 그렇지 않고 업무 담당자의 안이함이나 리더의 심각한 판단 착오, 회유나 부정의 힘에 굴복한 비겁한 태도에서 비롯되었다면 물의와 관리 책임을 지고 자리에서 물러나야 할지도 모르겠습니다.

과거에는 그런 잘못이나 실수가 없었을까요? 왕조 시대에도 백성에게 엄청난 재앙이 많이 발생하였습니다. 각종 전염병, 이민족의 침입, 탐관오리의 학정, 부패한 왕실 권력, 대규모 사화(士禍), 가뭄과 흉년 등 몸서리칠만한 일이 꽤 많았습니다. 그렇다고 해도 백성의 삶을 책임지는 위치에 있었던 왕과 국정을 맡은 대소 신료들은 제대로 사과하지 않았습니다.

시대가 바뀌어 국민이 주인인 요즘은 어떠할까요? 리더라면 책임은 자신이 지고, 공은 부하에게 돌리는 것이 리더십의 모범입니다. 일부 지도자들은 그 반대로 하는 현상을 종종 보게 되어 참으로 씁쓸합니다. 정책 실패로 인해 국민의 분노가 들끓어도 변명으로 일관하고, 마치 자기 자신은 그 일과 관련이 없는 것처럼 하급자의 실책으로 무마하고 자리를 보전하는 장관이나 책임자들 모습을 적지 않게 보아 왔습니다.

지금은 정보가 실시간으로 뉴스나 개개인의 스마트폰으로 들어오기 때문에 국민이 취득하는 정보량이 과거보다 폭발적으로 늘어났습니다. 질적으로도 정보의 접근이라든지 사실 검증이 수월하여 일이 일어난 실제 원인과 배경에 대해 거의 누구나가 알게 되는 시대에 살고 있습니다.

이런 상황에서 사건 사고, 정책의 실패를 초래한 집단이나 기관의 장이 대국민 사과를 하려면 어떻게 해야 하겠습니까? 어물쩍 사과해서는 안 될 것입니다. 아무리 보도를 통제해도 이미 사실에 가까운 정보에 접근했던 정보원은 엄청난 전파력을 자랑하는 SNS를 통해 지인들이나 주요 언론 담당자에게 다 퍼뜨렸고, 일파만파로 결국 하루 만에 다 알게 되는 시대에 살고 있습니다.

상황을 파악하고 사과하려면 신속히 하여야 하고, 진심을 담아 사과하여야 합니다.

"이런 일이 생겨서 참으로 안타깝고 죄송합니다. ○○○으로서 막중한 책임감을 통감합니다. 재발 방지대책을 세워서 다시는 이런 일이 생기지 않도록 노력하겠습니다."

이런 말을 하기가 무척 힘들겠지만, 일이 발생한 원인을 객관적으로 밝히고, 나아가 사고 수습에 도움이 될 것이라면 자리에서 물러나는 등 자신의 거취까지 밝혀야 할 것입니다.

다른 사람의 입장이 되어서 그의 마음을 느낄 줄 아는 능력이 공감 능력입니다. 어려운 일을 당했을 때 상대방의 마음을 이해하는 바탕에서 생각할 줄 아는 힘입니다. 공감 능력이 있는 자만이 진심 어린 사과를 할 수 있습니다.

《네이비씰 승리의 기술》 저자인 조코 윌링크 소령은 미 해군 지휘관으로서 2006년 이라크전에 파병되어서 큰 공훈을 거둔 리더입니다. 그 전투에서 그는 대규모 합동 반군 소탕 작전의 지휘관이었는데 그만 실수로 아군끼리 총격전을 벌여 자신의 분대원이 몰살당할 뻔한 위기에 처한 상황이 벌어졌습니다. 이후 진상조사단이 파견되었고 작전을 복기하는 보고서 작성 과정에서 소속 분대장과 대원들이 의사소통과 보고에서 무수한 실수를 저지른 걸 알게 되었습니다. 그는 조사관과 부하들 앞에서 분명하게 말하였습니다.

"비난받아야 할 사람은 바로 접니다. 제가 지휘관이므로 모든 작전과 전투 중 벌어지는 모든 사건에 책임이 있습니다. 저 말고 비난받아야 할 사람은 없습니다. 앞으로 절대 이런 일이 일어나지 않도록 하겠습니다."[04]

그는 위와 같이 사과하며 재발하지 않도록 하겠다는 약속을 하였습니다. 이처럼 책임지는 리더는 자기의 과오를 인정합니다. 평소에 그가 성공하는 리더십으로 내세우는 덕목은 엄정한 규율, 겸손, 주인의식 등 세 가지였습니다.

우리는 이처럼 리더의 사과와 신속한 대책, 그리고 직접 수습을 챙기는 장면에서 감명받습니다. 왜 그가 리더이고 평소에 존경할 만한지 행동으로 보여주고 있기 때문입니다. 사과한다고 해서 스스로가 못난이가 되는 것은 아닙니다. 오히려 국민을 존중하고 사랑해서 깊이 사과한다는데 누가 그 얼굴에 침을 뱉을 수 있겠습니까?

우리는 일이 잘못되어 상대에게 피해를 주었을 때, 혹은 말이나 행동이 잘못된 게 명백할 때는 피하지 말고 바로 사과하는 게 중요함을 잘 알고 있습니다. 사과를 바르게 하려면 흔히 4원칙이 있는데 다음과 같습니다.

1. 자신이 잘못했음을 깨끗이 빠르게 인정할 것
2. 무엇이 미안한지 구체적으로 표현할 것
3. 조건부 사과를 하지 말 것 (잘 기억나지 않지만, 이게 맞는지는 모르겠지만 등의 수식어 사용 금지)
4. 앞으로 같은 일이 재발하지 않도록 약속할 것

조직 내에서 지위가 높은 사람은 사과하기를 꺼립니다. 그로 인해 위신이 깎이거나 상대로부터 비난과 공격을 받기 때문이겠죠. 하지만, 진정성 있게 사과하고 책임지는 자세를 보이면 좋은 점이 몇 가지 있습니다. 우선 상대의 화난 마음을 가라앉혀서 사태를 조기에 진화할 수 있습니다. 성실한 사람으로 인식되어 이전보다 더 신뢰할 수 있습니다. 이를 계기로 새로운 시스템을 도입하거나 대안을 개발함으로써 발전하는 계기가 될 수 있습니다.

언제부터인가 우리 사회는 법치국가답게(?) 법대로만 하자고 하며 도덕적 양심과 윤리는 '나 몰라라' 하는 공직자들이 많아졌습니다. 국민을 섬기는 공직자라면 법적 책임 이전에 도덕적 책임을 먼저 지는 것이 국민에 대한 도리입니다. 그렇게 하는 것이 공무원으로서 '국민에 대해 봉사한다'라는 참된 의미 아닐까요?

심사숙고 후 결정하기

사라진 교내 청소년단체

필자는 젊은 교사 시절부터 청소년단체 지도자로 등록하여 오랫동안 활동한 경력이 있습니다. 한국과학우주청소년단 지도자로 약 10년 넘게 참여하였는데, 큰 보람을 느꼈기에 학교를 옮겨서도 스스로 창단하여 지도교사로 봉사하였습니다.

교장 재임 중인 2017년에는 그동안 지도자로 봉사해온 것을 인연으로 우주소년단 서울지부 사무처장 겸직을 하고 있었습니다. 그런데 특정 성향 단체 등 교내 청소년단체 운영 반대론자들이 약속이나 한 듯 "학교에서 운영하는 청소년단체는 부유한 자녀들이 주로 입단하고 각종 대회나 행사 등을 통해 스펙을 쌓고 대학입시에서 유리한 특혜를 받는다. 지도교사도 정규 교육과정에서 학생들을 가르치는 데 정성을 쏟기보다는 청소년단체 운영 유공 가산점을 받아 승진하는 데만 목을 맨다."라며 학교에서 수십 년간 운영해왔던 청소년단체를 신랄하게 비판하였습니다.

하지만 대부분 지도교사는 청소년의 꿈과 인성, 미래를 위한 사명감으로 수업일에는 창체 동아리 활동 시간에, 방과 후나 주말, 방학 중에는 별도 시간을 내어 봉사하였고 요건을 갖춰 승진 규정상 가산점을 받았습니다. 특정노조는 예전부터 교내 청소년단체가 학생들 간 위화감을 조장한다며 비판하였습니다. 이러한 폐지 운동에 공감하는 같은 성향의 교육감은 관련 정책으로 화답하였습니다. 즉 학교 현장에서 불필요한 업무를 대폭 축소, 폐지하여 교사들의 애로를 덜어준다는 교육청의 시책이 발표되었지요. 이후 교원 업무 경감 추진을 위한 교사 현장조사단이 업무 폐지 1순위로 꼽은 것이 학교에서의 청소년단체 운영이었습니다.

그 후 일사천리로 단위 학교에서의 청소년단체 운영 폐지 운동이 전국적으로 퍼졌습니다. 건국 후 수십 년간 우리나라의 청소년을 육성하였고 청소년의 인성과 심신의 단련, 다양한 진로 개척에 긍정적 영향을 끼친 공적은 무시된 채 교무 분장에서 교사에게 청소년단체 업무를 맡기지 말라는 교육청 지시 공문까지 내려왔습니다.

불행하게도 2018년부터는 교사의 업무 경감 차원과 내적으로는 학생 간의 위화감 해소 등 평등한 교육 시책을 명분으로 시도교육청 교육감과 교사노조 단체들에 의해 각급 학교에서 청소년단체가 대거 사라지는 비운을 맞았습니다.

청소년단체를 학교에서 제외해야 한다는 필요성이 대두되었다면, 교육청 내에 이 문제를 다루기 위한 회의체를 두고 일선 지도교사와 학부모, 폐지를 주장하는 교원, 청소년단체 육성 관계자들이 참여하는 '청소년단체 운영 폐지 여부 공청회'를 개최하여서 이 부분을 공개적으로 다루었어야 했습니다.

학부모들과 학교의 학생들은 이 단체의 수혜자입니다. 그들의 의견을 제대로 듣지도 않고 이토록 중요한 의사결정을 공개적인 토론회 없이 졸속으로 처리한 것은 매우 유감입니다. 더구나 청소년단체가 존립의 길을 모색하도록 유예 기간도 주지 않고 전격적으로 학교 교원의 청소년단체 업무를 공문으로 강제 중지시킨 것은 과하기도 하거니와 한쪽으로 치우친 행정 폭거였습니다.

이 일을 다른 시각에서 바라보면, 우리나라 청소년단체는 교직 사회의 변화를 읽지 못하여 연차적 계획하에 사회의 지도자 육성 등 운영의 하부시스템을 혁신하거나 진화시키지 못한 채 학교의 교원들에게만 의존하는 등 학교 교원의 사명과 봉사에만 기대어 안이하게 운영해온 것은 분명히 문제가 있었습니다. 이 업무가 교원의 부담이 된 것도 일부 사실입니다. 하지만 큰 틀에서 교육을 위한 정책의 일환이었기에 여태껏 존속해왔던 것입니다.

교원의 업무부담이 있다 하더라도 일률적으로 폐지를 압박할 것이 아니라 학교나 당사자의 자율적 선택에 맡기면 될 일이었습니다. 당시에도 당사자의 동의 없이 강제로 청소년단체 업무를 지정할 수는 없었습니다. 가산점을 폐지하는 것도 별로 문제가 아니었습니다. 각 청소년단체가 대응할 시간을 주지 않고 학교 바깥으로 내몰아서 절멸의 위기에 빠뜨린 것은 현명하지 못했고, 우리나라 청소년단체 역사상 커다란 아픔으로 남을 것입니다. 무엇이든 허물기는 쉽지만, 다시 세우기는 몇 배 더 어렵습니다.

30년 전에도 학원이 있었고 대도시 아이들은 방과 후에 학원을 다녔습니다. 그래도 학교 내에 청소년단체가 있어서 아이들이 흥미와 적성을 어느 정도 살리고 미래 삶의 개척정신을 길러 줄 수 있었습니다. 주말이나 방학 중엔 친구와 함께 참여하는 시즌 캠프나 다양한 체험활동을 경험하였습니다. 이 과정에서 많은 사람을 만나고 다른 풍경과 공간을 여행하면서 인간적인 성숙을 할 수 있었지요.

교내 청소년단체가 사라진 후 아이들은 청소년기에 다양하게 경험해야 할 것을 경험하지 못한 '경험부족 쭉정이'로 자라게 되었습니다. 게다가 코로나19로 3년간 인적 교류가 차단되면서 심각한 외톨이가 되었습니다. 형제도 없고, 친척도 없고, 속 마음을 나눌 어른이 없는 우리 아이들이 가장 큰 피해자가 되었습니다. 최근 5년 동안 청소년들의 우울증이 50%나 증가했다고 합니다.

그동안 학교마다 특성 있는 청소년단체 활동을 통해 청소년들은 씩씩한 기상을 기르고 공동체 의식, 질서와 시민으로서 규범 등을 배우고 우리나라의 미풍양속을 계승하려는 선한 마음을 길러왔는데 참으로 안타깝습니다.

그렇다면 지역사회에 있는 청소년수련관이나 청소년문화의집 운영이 활성화되어야 하는데 필자가 보기엔 여러모로 쉽지 않을 전망입니다. 개별적으로 희망하는 청소년이 주말이나 방학에 해당 프로그램에 신청해야 하는데, 평상시 함께 참여하는 또래나 이끌어주는 지도자가 없는데 활성화될 리가 없습니다. 심사숙고하여 결정하는 것이 얼마나 중요한지 알게 해주는 대사건이었습니다.

결정력과 실행력

때로 리더는 정보가 부족한 불확실한 상황에 직면하여서도 바른 결정을 내릴 용기가 있어야 합니다. 교장의 역할은 수많은 학교 일에 대해 최종적으로 결정하는 것입니다. 물론 작은 일들은 나누어서 교감이나 부장교사, 행정실장에게 위임하고 있지만 큰 방향과 원칙 등에 있어서 교장의 결심과 그에 따른 결정은 배의 항로를 정하는 만큼 중요합니다.

내일 초강력 태풍이 서해안을 거쳐 수도권으로 북상한다는 기상청 특보가 발령되었습니다. 만일 시도교육청의 높은 간부라서 결정권자라면 어떤 결정을 내릴 수 있을까요? 언제 학교의 휴업 조치를 단행할 것입니까? 학교장에게 선택할 수 있는 재량을 줄 것인가요? 아니면 교육청 소속 모든 학교는 똑같이 처리되도록 할 것인가요? 이 경우, 학교장에게도 비상 재해나 급박한 사정이 있을 시 임시휴업을 결정할 권한이 있습니다.

결정은 오롯이 자유의지에 의하여 축적된 경험과 판단력으로 이루어집니다. 가보지 않은 길이지만 무를 자르듯이 결정해야 하며 후회하지 말아야 합니다. 그럴듯한 핑계를 대며 이리저리 결정을 미루는 것은 리더가 할 일이 아닙니다.

결정 후엔 실행이 뒤따라야 합니다. 결정 후 실행이 없는 것은 단지 무능일 뿐입니다. 그리고 결정에 따른 변화를 두려워하지 말아야 합니다. 때로 실패할 수도 있음을 받아들이고 대비하여야 합니다. 실행 결과 혹시 잘못된 결정임이 드러나면 궤변으로 위기를 모면하려 하지 말고 즉시 사과하고 변경할 수 있어야 합니다. 조직의 발전은 중요한 고비마다 리더의 용기 있는 결정과 실행에 달려있습니다.

절제의 미덕

학교는 학생들을 교육하는 교육기관이고 공적 조직입니다. 학교조직 내에 교장 자신부터 동문이라든지 다른 사적 동호회를 만들어서 공조직의 기강을 스스로 무너뜨리지 않도록 절제하여야 합니다.

가끔 법원, 검찰 인사가 있을 때 특정 성향 모임 출신들이 모두 요직을 차지했다든지, 검찰 인사가 친정부 성향의 자기 식구 감싸기나 보복성 인사로 흘렀다는 보도를 접하면 참으로 개탄스럽습니다. 그런 꼴은 정말 보기 싫었습니다. 이들은 정치 중립적이고 독립적이어야 할 사법, 행정부 공직자이기 때문입니다. 입법, 사법, 행정부의 건강한 견제와 균형이 유지되도록 노력해야 합니다. 그런데 정권은 같은 편이 많다고 하여 안정적으로 가지 않습니다. 오히려 같은 부류만 모이면 자정 능력이 떨어져 더 빨리 부패하거나 취약해질 수 있습니다.

절제와 관련하여 앞에서 교장의 재량권을 언급한 바 있는데, 그 재량행위에 대해서는 사심 없이 공적으로 대답할 수 있는지 자문한 후 시행하는 게 바람직합니다. 만일 공적으로 대답하는 게 궁색하다면 하고 싶더라도 하지 말아야 합니다. 이게 절제의 요령이고 최고 리더가 지녀야 할 중요한 자질입니다.

고대인들은 생활에서 절제의 미덕을 이야기해 왔습니다. 절제는 자기통제 기술입니다. 고대 그리스인들은 시민의 품성으로서 절제와 중용을 삶 속에서 실천하려고 애썼다고 합니다. 오늘날 부족함이 없이 풍부한 시대에 살면서도 불안하고 불만족한 현대인들은 더 많은 것을 바라고, 여유 없이 자기 자신을 채찍질하며 자꾸 스펙을 쌓으려고 자기 계발에 시간을 바칩니다. 이러한 완벽주의를 향한 긴장을 늦추고 중용의 마음으로 자기를 단련하여야 합니다.

《절제의 기술》을 쓴 덴마크의 스토아 철학자 스벤 브링크만은 행복이란 인생에서 불필요한 것을 덜어내는데 달렸다고 말하였습니다. 즉 절제하라는 것인데 절제엔 의지력과 자제력이 포함되어 있고, 일을 수행할 때 유혹에 빠지거나 낙담하지 않는 것도 포함됩니다.

평소에 정신이 육체를 지배하는 훈련, 자기 자신을 통제하기 위한 훈련은 힘들지만, 이를 이겨냄으로써 몸과 마음은 강하게 성장합니다. 리더로서 타인에게 관대하고 자신에겐 높은 기준을 갖는 엄격한 자세가 필요합니다.

교장으로서 학교 내 최고의 지위에 올라서 그간 갈고 닦은 교육철학을 경영에 담아 실현하고 싶은 당신의 심정을 이해합니다. 다만, 실행에 앞서 너무 많은 것을 담지 않으시길 바랍니다. 어쩌면 교직원들이 법령에 따라 해야 할 일을 잘할 수 있도록 여건을 개선하고 지원하는 것이 더 바람직할 수도 있습니다.

일의 결과가 뜻대로 안 되었다고 화내거나 포기하지 말고, 오히려 자신의 역량이 부족한 게 아니었는지, 혹은 설계가 비합리적이어서 그랬는지 냉정히 돌아봐야 합니다. 발명왕 에디슨이 전구의 필라멘트 개발에 수천 번 실패했어도 좌절하거나 화내지 않고 끝까지 도전하여 마침내 성공할 수 있었던 까닭은 '아, 이렇게 하면 안 되는구나'라며 그렇게 된 결과를 겸허히 받아들였기 때문입니다.

지난날 교장 재임 시 부끄러웠던 장면이 떠올라 당부드립니다. 소속 직원이 당신의 지시를 제대로 이행하지 않았다고, 혹은 그렇게 하면 안 되고 이렇게 해야 한다고 앉혀놓고 길게 지도하지 않기를 바랍니다. 꼭 잔소리해야 하겠거든 사전에 깊이 생각한 후 사실에 중점을 두어 짧게 하길 바랍니다. 또한 화를 누르고 절제의 언어를 써야 합니다. 그리고 그 일이 지나가면 잊어버리길 바랍니다. 자꾸 지난 일에 대해 미련을 두고 인간적으로 미워하지 말아야 합니다. 상대의 입장이나 처지를 이해하거나 용서해야 마음의 평온을 유지할 수 있습니다.

행과 불행은 동전의 앞뒤와 같으니 찾아온 복은 다 누리지 말고 아끼려는 석복(惜福)의 자세를 가지십시오. 매사 여백을 두고 질리지 않도록 절제의 마음을 기르면 평온함이 오래갑니다.

자신이 다른 학교 교장보다 훌륭하다는 소리를 들어야 한다고 굳게 마음먹지 마시길…. 일의 처리는 완벽하기를 요구하지 말고, 말은 다 하려고 하지 마십시오. 당신이 그 자리에 있는 머무는 시간은 지나고 보면 참으로 짧습니다.

갈등을 해결하고 포용하기

Z세대 포용하기

2024년 현재, 각계에서 최고의 리더 그룹에 있는 1960~70년대생의 세대는 어린 시절 목숨을 위협하는 심각한 질병과 배고픔, 가난과 싸우며, 인권 등에 대해 별 인식 없이 자랐습니다. 가정이나 학교에서 때로 매를 맞으면서 자랐고 형제들 간의 불평등에 대한 설움도 삼키며 자랐습니다. 당시 대가족제도에서 가구의 7할이 농경사회였습니다. 자연히 부모나 삼촌, 고모의 관심과 기대, 보살핌 속에 어린 시절을 보냈습니다. 도시에서 대개 가계의 수입원은 장사나 직장을 다니는 아버지였고, 어머니는 가정주부로 지내는 구조였습니다. 사회 전반에 남녀 차별이 여전히 있었고, 가부장제의 가정환경 속에서 성장기를 보냈습니다. 권위적인 사회문화 환경 속에서 자라서 그런지 눈치를 잘 보며 자신의 권리를 잘 주장하지 못하는 세대입니다.

그런데 요즘 학교는 디지털시대를 맞아 80~90년대생 일부가 교무, 연구 등 중요 보직을 맡고 있습니다. 최근엔 디지털 마인드와 사용 기술로 무장한 90년대생이 성장하여 이제 막 보직교사를 맡으며 떠오르고 있습니다. 요즈음 학교장들은 30대 초반들이 중추 역할을 맡으면서 일하는 방식이라든지 소통하는 면에서 적지 않은 당혹감을 느끼고 있다고 합니다.

이들은 앞선 80년대생과도 다르며, 기존의 60~70년대생 세대와 확연한 차이의 생활문화와 의식을 지니고 있습니다. 필자가 인식하는 한 Z세대는 나라가 가장 성장하는 시기에 태어나 부모의 사랑과 칭찬을 듬뿍 받으며 귀하게 자랐습니다. 대개 맞벌이가 늘어난 가정에서 자라 그 부모들도 용돈을 주거나 학원 보내는 것으로 자녀교육을 다 했다고 생각하였지요. 용돈을 들고 가게에 가면 나이 많은 주인도 어린 소비자로서 대우해주는 어린 시절을 지냈습니다. 베푸는 것보다는 받는 것에 익숙하며 물질, 소비문화에 길들어진 세대이기도 합니다. 미래의 성공을 위해 오늘의 힘듦을 참고 견디지 않는 세대인 것 같습니다.

어려서부터 영어와 컴퓨터를 사용하거나 스마트폰을 접하면서 서구문화와 디지털 문화에 최적화되었습니다. 본인 외 형제나 자매도 1명 정도에 불과해서 이들은 필요한 정보나 지식을 누구에게 물어보거나 부탁할 필요 없이 인터넷 세상에서 금방 얻습니다. 세상의 정보에 누구나 접근성이 보장된 시대에 성장기를 보냈습니다. 자연히 부모나 선배의 잔소리와는 담을 쌓았고 인내심은 얇습니다. 조금 안 좋은 말을 들으면 금방 삐치기도 합니다. 부모를 공경하는 마음은 앞 세대보다 다소 부족한 듯합니다. 홀로 생활하는 개인 생활, 익명의 횡적 연결에 편안함을 느낍니다. 그런 연유로 이들은 아쉽게도 동료인데도 먼저 이웃하는 상대방을 찾아가서 인사를 건네길 어려워하는 세대입니다. 자기보다 나이 많은 사람에게 먼저 전화를 걸어서 어떤 대화를 하는 것을 몹시 힘들어하는 세대이기도 합니다.

이들은 타인의 권위를 별로 인정하거나 스스로 추구하지 않으며, 남에게 부탁하는 일을 잘하지 못합니다. 즉 아쉬운 소리를 잘하지 못합니다. 앞선 세대와 달리 절대적인 기아와 빈곤 속에서 생존의 위기감을 느끼지 않고 자라서 그런지 누구에게 기대면서 생존하는 것을 수치스럽게 생각합니다.

디지털 연결은 터치 하나로 연결과 단절이 쉽게 이루어집니다. 이들은 온라인 동호회를 조직하고 느슨하게 개인의 자유와 자존감을 지키면서도 가입과 탈퇴가 쉬운 조직문화에 편안함을 느낀다고 합니다. 디지털 세계는 기본적으로 수평적 문화이며 능력과 노력에 따라 보상받는 시스템을 선호하게 마련입니다. 자연히 이전 세대와 달리 자존감을 내세우며 권리를 강하게 주장하는 세대가 되었습니다. 특히 납득하기 어려운 손해나 불편을 감수하지 못하며, 불공정에 대한 반감이 크며 잘 참지 않습니다. 잔소리하는 꼰대를 싫어하고, 공평한 기준을 요구하며 정당한 보상을 갈망합니다. 위선을 미워하고 진정성에 크게 반응하는 세대이기도 합니다.

이들은 누구보다 열심히 살아왔으나 부(富)는 기성세대가 거의 다 차지해서 앞날이 어둡습니다. 자연스럽게 소확행 열차에 탑승하고, 혼자 힘들거나 무거운 책임지기를 꺼립니다.

이들은 학교 사정이 어떻든 자기를 희생하는 보직교사를 맡기 싫어하며 적절한 보상 없이 무거운 중책은 맡지 않으려고 하거나 딱 주어진 일만 합니다. 나아가 업무를 1/n로 나누는 것을 좋아합니다. 이들은 고도성장과 산업화 시대에 유용했던 연공서열 보수체계는 지연된 보상책이며 지속이 가능하지 않다고 생각합니다. 즉각적인 보상을 원하지요. 자기들도 훗날 나이 들고 늙겠지만, '월급 받는 만큼만 일한다'가 이들의 직무 수행상 제일 원칙입니다. 결국은 직무 난도에 따라 보수에 차등을 두는 직무급제 도입이 더 어울릴 것입니다. 아무래도 희생과 봉사는 이들의 인생관과 거리가 멀다고 봅니다. 전문성과 일한 만큼 비해서 보수도 너무 적다고 생각하고 있으며, 공무원 연금도 이전 세대보다 더 내고 덜 받는 구조여서 퇴직 후 미래는 비관적일 수 있습니다.

다만, 공동체의 일을 하는 데 있어서 협업의 중요성을 잘 알고 협력적인 자세를 지니고 있음은 인정할 만합니다. 아쉽다면 더 노력하여 한 단계 위로 성장하려고 하지 않는 것이지요. 투지, 인내, 근성이 부족하다고나 할까요? 그런데 솔직히 그들을 탓하긴 어렵다고 봅니다. 아무리 인성이 좋은 사람도 별다른 보상이 없는 것엔 매력을 느끼지 않습니다. 현재의 공무원 보수 시스템이 이들 세대에게 부합하지 않을 뿐이라고 생각합니다.

한 가지 분명한 것은 Z세대가 지금 세대의 뒤를 이어받는 세대라는 점입니다. 원치 않는 일도 눈치를 보아가며 했던 앞의 세대와 달리 이들은 단호히 "별로예요", "싫어요"를 말합니다. 평등과 협업에 대한 감각이 발달했고 개인의 행복과 자기 가치관이 뚜렷한 세대죠. 쉽진 않겠지만 이들을 성공적으로 포용하여야 학교 교육의 과제를 함께 성공적으로 풀어갈 수 있을 것입니다.

구성원 간 갈등 관리

리더는 내부 구성원 간 의견이 다를 때는 서로 이해할 수 있도록 분위기를 조성하되, 상대방을 비난하거나 비방의 장이 되지 않도록 잘 관리하여야 합니다. 조직 내에서 뭘 어떻게 할지를 정하기 위해 토론회를 연다고 합시다. 토론회가 제대로 이루어지려면 선행조건이 갖춰져야 합니다. 상대방에 대해 최소한의 신뢰를 지니고, 다른 의견을 수용하려는 열린 자세가 필요합니다. 그리고 토론회를 폐쇄적으로 하지 말고 공개적으로 운영하여야 각기 자기주장에 대해 준비를 잘해오게 됩니다. 그 결과 의견의 다양성이 뒷받침된 창의적 성과물을 낼 수 있습니다.

교내의 갈등으로 자주 드러나는 것이 교무실과 행정실의 업무 소관 문제로 인한 것입니다. 행정실 인원이 소수라서 그렇기도 하고 행정실은 교육활동 지원부서라고 오인한 까닭이기도 합니다. 행정실은 시설, 재정, 일반행정 등 관리가 주된 사업입니다. 교원과 직렬 및 업무가 다르고 신분도 교육감 소속 지방공무원입니다. 일부 행정실 공무원은 학교에 부임할 때부터 학교 교원과는 일정한 거리두기를 생각하며 온다고 말합니다. 그래서 교원과 행정실 직원 간에는 묘한 긴장 관계가 있습니다.

그러므로 교원은 행정실 공무원을 자신들을 지원하는 보조기관 정도로 여기면 안 되고 그들을 존중하여야 합니다. 필자는 이를 이해시키는 차원에서 학교 업무분장을 교무실과 행정실 영역으로 나누되 모두 공유하여 상대가 어떤 일을 하는지 알도록 하고 상호 협력해야 함을 알게 하였습니다.

갈등의 내용은 보건 영역의 방역, 수질검사와 아리수 정수기 관리 주체에 관한 것부터 시작하여 늘봄학교 같은 새로운 사업 외에도 예산 품의, 집행에 이르기까지 다양합니다.

2023년에 그동안 자취를 감추었던 빈대가 국내에 발생하자 뜨거운 이슈로 커져서 학교의 방역 활동과 그 업무를 보건교사가 하느냐 행정실 공무원이 하느냐로 논란이 있었고 각각 보건교사노조와 공무원노조가 자기 이익을 위한 주장을 펴고 나섰습니다. 이 일도 자세히 보면 보건교사가 할 일이 있고 시설관리 공무원이 할 일이 있게 마련입니다.

학교 일을 분담하고 협력해서 처리하려고 해야 하는데 아예 이 일은 너네(당신)가 하는 게 맞는다며 떠넘기니 참으로 해결이 쉽지 않고 감정도 상할 수 있습니다. 평소에도 학교에 이런 류의 업무적 갈등이 적지 않게 생기고 있습니다. 간혹 "이 일은 제 일이 아닌데요."라고 주장하며 교장에게 중재를 요청합니다. 이럴 때 교장은 양측을 잘 이해시키고 세부적으로 타협하여 학교 상황에 맞게 조정해야 합니다.

갈등을 조기에 조정·관리하지 않으면 교원 대 일반직 공무원 간의 커다란 알력으로 커져서 마침내 학교의 경영상의 장애가 되므로 인내를 가지고 합리적으로 처리하여야 합니다.

가끔 교사 간에도 담임과 교과 또는 특수, 보건, 영양, 상담교사 간에도 업무라든지 수당 차이 같은 걸로 마음이 불편해지기도 합니다. 상대방의 특수성을 이해하려고 하지 않고 왜 내가 차별받아야 하느냐 하며 갈등이 표출되기도 합니다.

대부분 직장에서와 마찬가지로 학교에서 종종 발생하는 구성원 간의 업무와 관련한 갈등은 좀처럼 해결하기가 쉽지 않습니다.

늘봄학교처럼 새로운 사업이 계속 생겨나고 있는데 기존의 업무에 새로운 일이 가중되면 누구라도 우리만 이걸 또 맡는다는 피해의식이 생길 수밖에 없습니다. 새로운 사업을 하려면 비용이 들더라도 추가로 팀(인력 보강)을 만들어야 합니다. 그래야 기존 고유업무에 전념할 수 있습니다. 자칫하면 같은 교원 내 그룹에서도 교장, 교감, 교사 간의 직무 형평성 문제 등으로 갈등이 표면화할 수 있습니다.

예컨대 학부모 민원 대응은 학교장이 직접 처리하는 쪽으로 정리가 되어서 최근 개정된 초·중등교육법은 학교장이 보호자의 민원 처리를 전담하도록 했습니다. 따라서 보호자는 교원의 생활지도에 관한 의견을 담임교사에게 직접 해서는 아니 되고 학교장에게 제기하여야 합니다. 그런데 그 일의 실무는 교사가 하지 않음에 따라 교감이 하게 되었습니다.

교육부에서 교원의 생활지도 고시 마련 시 수업을 방해하거나 타 학생의 학습권을 침해하는 문제아를 분리하여 지도하는 문제도 교사들이 모두 거부함에 따라 결국 교감이 맡아서 관리하는 일이 벌어지고 있습니다.

한편, 교무 처리의 책임을 학교장에게 부여한다고 하니 일부에서는 그 일은 교사에게 주면 안 되고 교장이 직접 처리해야 한다고 주장하기도 합니다. 하지만 이건 무지의 소산입니다. 법조문의 구성이 "학교의 장은 무엇 무엇을 하여야 한다."

라고 규정하고 있다고 해서 그 일을 교장이 직접 하는 것은 아닙니다. 학교 단위 차원에서 문제에 접근하고 교직원이 함께 업무를 적절히 나누어 처리하면 되는 것이고 그 책임은 최종적으로 학교장이 진다는 의미로 해석하여야 맞는 것입니다.

이러한 어려움을 해결하기 위해 교장은 대책 마련에 솔선수범하고 통합적 리더십을 발휘해야 합니다. 예컨대 구성원이 다양한 직책이나 역할이 있어도 모두가 학생 교육을 위해 모인 한 팀(one team)이라는 의식을 가질 수 있도록 해결책을 모색하고 단합하는 기회를 마련하는 수범을 보여야 하겠습니다. 이때 필요한 것이 역지사지의 자세입니다.

교직원들에게 역지사지하라고 할 필요는 없지만, 적어도 윗사람인 교장이 먼저 존중하는 자세로 그들을 대한다면 통합에너지가 많이 드는 분열과 대립은 최소화할 수 있을 것입니다. 윗사람이 넓은 아량으로 상대를 연민의 마음으로 바라볼 수 있어야 해결의 실마리가 보입니다. 지금의 교사는 교감이나 교장을 해보지 않아서 상대를 잘 이해하기 힘들지만, 교감과 교장은 모두 교사 시절이 있었기에 교사의 마음을 잘 알 것입니다.

교장은 조직의 운영과 발전의 측면에서 늘 더 좋은 방법을 찾으려고 어떤 방안을 제시할 때, 조직의 구성원이 다른 의견을 기꺼이 내도록 조장하고 격려할 필요가 있습니다. 특히 자신의 제안에 대해 다른 의견을 내도록 장려할 때 생산적 논쟁이 이루어지고 합리적인 결론에 도달할 수 있습니다. 이때 사전에 행동의 약속을 정하고 감정의 경계선을 존중하여야 합니다.

교장은 업무를 하면서 교직원들이 자신과 생각이 다른 것에 대해 좌절하거나 분노하지 말아야 합니다. 다름이 생기는 것은 자기 책임이 아니고 자기가 바꿀 수 없는 영역이라고 생각하면서 마음을 편히 가져야 합니다. 우리 사회가 다른 생각을 지닌 사람들로 구성된 것은 어쩌면 좋은 일입니다.

자기의 방식을 반대하는 상대방과 적절한 감정의 경계선을 만들고 그 경계선 안으로 들어가지 않도록 주의해야 합니다. 자칫 감정에 빠져 선동과 대결이 되어서는 안 되며 대화와 타협을 지향해야 하겠습니다.

간혹 반대가 심해서 어떻게 해도 설득이 안 될 때는 한 발짝 물러서서 차선의 방법을 찾아보거나 시행을 보류하는 것도 하나의 방법입니다. 이럴 땐 '지금은 내가 틀릴 수도 있다.'라는 생각을 하는 게 좋겠습니다. 즉 상황이 변하기를 기다리거나 알맞은 시기를 기다리는 것이 좋습니다. 아니면 학교에서 가장 훌륭하다고 인정받는 교사를 만나서 이 일은 어떻게 처리하면 좋을지 그의 의견을 구하는 것도 좋을 것입니다. 그 과정에서 새로운 타협의 아이디어가 떠오를지도 모르겠습니다.

제4장
배려하는 학교 리더

학교 리더는 배려하는 마음으로 의미 있는 회의문화를 조성하며 창의적인 업무혁신이 이루어지도록 궁리합니다. 또한 학생들에게 재미있는 놀이 시설 등을 제공하며, 두려움 없는 학교 문화 조성 등 교직원의 행복을 위해 노력합니다.

의미 있는 회의와 궁리하기

회의의 목적 생각하기

모든 조직은 본연의 사명을 달성하기 위해 직위나 직급이 있고 필요에 따라 구성원들이 모여 회의를 엽니다.

병원, 기업, 군대, 학교 등 어디에나 회의가 있습니다. 회의를 여는 가장 큰 목적은 중요사항에 대해 의견을 교환하거나 토론하는 등 절차를 거쳐 조직의 의사결정을 하기 위함이지요. 회의할 때는 회의 목적을 염두에 두고 참가자들이 의견을 갖고 회의장에 모이도록 해야 합니다. 그렇지 않으면 대표가 회의를 계속 주도하게 되고, 나머지 참석자들은 그냥 회의 모양을 내기 위해 모인 것에 불과합니다.

가끔은 회의에 참석하고 나서 일이 더 바빠지고 두통이 생기는 경우가 있습니다. 이는 회의가 괜히 시간을 낭비했고, 그 낭비한 장소에 자신이 있었고, 결과적으로 참석한 아무런 의미가 없었기 때문일 것입니다.

회의는 어떤 형식이 되었든 참석자들이 각각 주인의식을 갖고 해결방안에 대해 허심탄회하게 이야기를 꺼내고 서로 들어줄 자세가 있어야 합니다. 그러려면 회의를 주재하는 리더는 자신의 생각을 참고 있다가 두루 의견을 들은 후 제일 나중에 밝히는 것이 건전한 토론과 아이디어 생산을 위해 바람직합니다.

회의할 때는 회의 안건뿐만 아니라 시간과 방법에 대해서도 사전에 참석자들에게 안내하면 좋습니다. 언제 마칠지 모르는 끝장 토론이라면 모를까 서로의 일정 관리를 위해 1시간 걸릴지 30분 걸릴지 안내하는 것이 바람직합니다. 최근엔 회의를 짧게 하는 것이 미덕입니다. 과거엔 회의한다고 사람이 모였다 하면, "요즘 어떻게 지내셨나요?" 하면서 사적인 잡담을 10여 분 정도 차를 마시면서 서로 나눈 후 본론으로 들어갔습니다. 하지만 이제는 타인의 시간을 아껴주는 것이 새로운 미덕으로 자리 잡았습니다.

회의의 방법은 코로나19 때에는 원격 화상회의가 필요했지만 대면 회의가 가장 좋을 것입니다. 이를 몸으로 체화(體化)된 소통이라 할 수 있겠죠. 대면 회의라 해도 전자칠판 등을 활용한 회의 방식을 주로 사용하였습니다. 회의 전에 복사하느라 분주한 것도 없고 종이도 절약할 수 있었습니다.

필자의 경우, 교장이 주재하는 기획 회의는 매주 월요일 오후에 교장, 교감, 행정실장, 교무, 연구부장 등이 참여합니다. 교장이 주간 교육활동을 내다보면서 떠오른 아이디어나 검토 자료 등을 정리해서 사전에 참석자에게 메신저로 배포합니다. 참여자들은 이를 참고하고 자신의 업무와 연계해서 의견을 정리한 후 참석하게 됩니다. 회의 시 각자의 업무를 포함하여 교장의 아이디어에 대해 논의합니다. 대부분은 배포된 회의자료를 조금씩 다듬고 수정한 정도에서 결정합니다. 그런데 간혹 아이디어가 폐기되거나 대폭 수정되는 때도 있습니다.

참석자 중 일부가 교장의 의견에 다른 의견을 제기하기도 합니다. 아이디어를 실제 교직원들이 시행하기엔 부담스럽다든가 시기가 적당하지 않다는 등의 이유 때문입니다. 그러면 필자는 이 부분은 다시 고려해보겠다며 물러섭니다. 당시엔 마음이 즐겁지 않지만 지나고 보면 그때 이의를 수용한 것이 잘한 것임을 알게 됩니다.

회의 시 교장은 의식적으로 말을 적게 하려고 노력하고, 회의 시간과 발언의 기회를 다른 참석자에게 최대한 분배하는 게 바람직합니다. 리더로서 결정적 의사 표현은 마지막에 해야 합니다.

소수의 다른 의견 수용하기

우리가 토론을 제대로 못 하는 게 일반적인 약점인데, 토론하라고 하면 양편으로 나눠서 자기주장만 하다가 급기야 감정싸움으로 결말이 나고 뒤끝이 남는 걸 자주 봐왔습니다. 조선 중기 사색 당쟁의 후예(?)는 아니어야 할 텐데 안타깝게도 토론 상대를 협력대상이 아니라 반대파로 인식하기 일쑤입니다. 모든 회의가 꼭 찬반이어야 할 이유는 없습니다. 대신, 어느 주장에 대해 합리적 이유를 들면서 다른 의견을 낼 수 있어야 합니다.

회의가 끝난 후 알찬 성과를 내는 팀은 치열하게 서로 의견을 내되 강점, 약점을 제대로 찾아서 최선의 결론을 내는 조직입니다. 이는 그 팀원들이 회의의 목적을 충분히 이해한 후 참여하는 조직이기 때문입니다. 그런데 실제로 목적 중심의 회의를 수행하는 팀이 얼마나 있을까요? 우리도 그 팀 중의 하나가 될 수 있을까요? 회의에서 다른 의견을 존중하는 것은 가장 진화한 개인과 조직만이 할 수 있다고 생각합니다.

조직은 특성상 집단의 안정과 효율성을 추구하기 위해 합의라는 방식을 암묵적으로 수행합니다. 위계질서가 있는 조직에서 리더의 의사 표명에 제동을 건다는 건 위험한 행동이므로 대부분 진솔한 반대 의사 표시를 꺼립니다. 민주화가 덜 되거나 사당화된 정당, 또는 오너십이 강한 기업일 경우 그럴 때가 있습니다. 즉 조직의 앞날을 위해서는 필요한 일인데도 승진이나 평가의 불이익을 받을까 봐, 동료들로부터 따돌림당할까 봐 할 말을 못 합니다. 그러다 보면 조직은 위험에 빠지게 됩니다. 결국 '불편한 레드팀'을 운영하지 않으면 조만간 그 대가를 치르게 됩니다.

예컨대, 2023년 강서구청장 보궐선거에 정부 여당이 유죄 판결받은 자를 사면한 후 후보자로 공천하여 여론의 반감을 사서 패배한 거라든지, 2030 부산 엑스포 유치전에서 마치 사우디아라비아와 박빙의 승부인 것처럼 정부 각료와 기업 대표들이 마지막까지 최선을 다해 움직였는데 막상 119대 29표를 받아 좌절된 것은 사실을 편하게 말하지 못하는 의사소통 불능 조직이었기 때문 아닐까요? 결국 최고 리더에게 다른 의견이 전달되지 않았거나 레드 팀을 제대로 운영하지 않은 리더의 책임이라고 봅니다.

2003년 우주왕복선 컬럼비아호가 귀환할 때 폭발하여 승무원 7명 전원이 숨진 사건이라든지, 유나이티드 항공 173편 비행기가 연료 부족 사태로 착륙지점으로부터 불과 10km 떨어진 땅에 추락하는 사건이 벌어진 것도 바로 집단사고의 틀에 갇혀 원활한 의사소통이 안 되어 위험을 감지하지 못했기 때문이었습니다.

이러한 원인은 다른 관점에 대해 용인하지 않는 조직문화 탓이라는 것이 대다수 경영학자의 중론입니다. 다른 의견, 또는 반대되는 의견을 수용하라고 하는 것은 많은 실험적, 경험적 데이터를 근거로 지금은 많은 경영조직에서 받아들이고 있습니다.

학교 리더라면 다른 의견을 수용하는 기회를 많이 만들기 바랍니다. 자신과 다른 의견을 낸 사람을 대할 때 순간 기분이 나쁠 수 있습니다. 하지만 이것은 잠깐뿐이고 조직 전체에 활기를 가져오고 그에 대한 대책을 세움으로써 한층 완전한 계획을 작성할 수 있게 됩니다. 오히려 다른 의견을 장려해야 추진에 협력을 가져와 좋은 결과를 얻을 수 있습니다.

다수의견과 다른 의견을 낼 기회를 만드는 것은 최고 리더의 몫입니다. 리더가 다른 의견을 듣겠다고 말하고 실제로 그런 여건을 만들 때만 가능한 것입니다. 그리고 회의를 연다면 절대 인격적으로 비난하지 않으며, 상대의 체면을 살려주고 제대로 논쟁하는 태도를 지녀야 합니다. 다른 의견을 낸 사람을 격려해주는 리더의 자세가 필요합니다. 이러한 태도는 우리 공동체의 존립과 발전을 위해서 매우 필요합니다.

반대자의 의견을 수용한다고 해도 인간 본성상 자존심이 상하기 때문에 어떤 형태로든 다수의견 지지자로부터 보복의 위협이 기다리고 있진 않을까요? 그래도 옳다고 생각한다면 용기를 내어 반대 의견을 내보는 것이 어떨까요? 다만, 합리적 토론 끝에 최종 결론이 난 사항에 대해서는 겸허히 따르는 자세가 필요합니다. 소신이랍시고 끝까지 반대하는 것은 소속 공동체의 질서와 안녕에 위험하므로 자제해야 합니다.

어느 기업에서는 반대 의견이 없는 다수의견은 채택하지 않는다는 원칙을 정해서 어떡해서든 반대 의견을 내게 하는 독특한 문화가 있다고 합니다. 이는 듣는 이가 불편해도 할 말은 하고, 보복하거나 비난하지 않는 조직문화, 체면을 지켜야 한다는 강박감과 두려움이 없는 회의문화를 만들겠다는 최고 리더의 굳은 결심과 실천이 있기에 가능한 것입니다.

문제해결의 돌출변수 대비

리더로서 해묵은 과제를 추진할 때 뭔가 새로운 방식으로 창의적으로 멋지게 마무리하고 싶을 때가 있을 겁니다.

그런데 창의적인 사고는 절로 발달하는 것이 아니고 많은 훈련을 겪고 뇌를 단련시켜야 가능한 것으로 알려져 있습니다. 창의적 생각은 다른 사람이 하는 것에서 힌트를 얻거나 골똘히 오랫동안 숙제로 갖고 있다가 불꽃이 일 듯이 터져 나옵니다. 즉 오랫동안 염두에 두고 고민하다 보면 자신이 생각했던 것 이상으로 좋은 아이디어가 떠오릅니다. 초기 아이디어를 잘 메모해 두었다가 그 단계에서 계속해서 사고를 확장해 가다 보면 상당한 수준에서 만족할 만한 해결책을 발견하게 됩니다.

교장으로 부임한 첫 학교에서 몇 달 지났을 즈음, 지역의 구의원 한 분이 방문했습니다. 그분은 학교 정문 앞 도로 폭이 좁아 보·차도를 구분할 수 없어 아동들의 등하굣길이 위험하니 함께 해결해보자고 하였습니다. 저는 쾌히 동의하고 해결책을 모색하기 시작하였습니다. 현실적인 대안은 보·차도 폭을 넓히는 방법밖에 없는데 그러려면 학교 용지를 양보해서 학교 경계 담장을 안으로 후퇴해야 한다는 결론에 도달하였습니다. 최종안으로 현재의 담장 경계에서 약 1.5 미터 뒤로 물려서 그 공간을 보도로 만드는 방안을 마련했습니다. 마침 구청 관계자가 보도 설치에 필요한 예산은 구청 차원에서 마련해 보겠다고 하였습니다.

문제는 학교의 땅이 공유재산이어서 처분권을 교육감이 갖고 있다는 점이었습니다. 이에 대해 지역교육청과 협의한 결과, 학교장이 아동들의 안전한 등하굣길을 위해 학교 땅을 일정 기간 내놓아 무상으로 사용토록 할 수 있는 게 가능하다는 유권해석을 받았습니다. 어차피 땅의 경계는 지적도에 있는 것이고 뒤로 물린다고 해서 경계가 소멸해 재산권이 상실되진 않습니다. 공유재산심의위원회에 이의 사용에 대해 승인을 구하기로 하고 예산은 지자체에서 마련해준다고 하니 추진하기로 하였습니다.

그리하여 학교와 구청 간에 구체적인 협의안을 마련하고 어느 날 학부모들에게 설명회를 열고 이해를 구하려고 했습니다.

그런데 설명회에 참석한 일부 학부모들이 학교 용지 일부를 내놓는다는 이야기를 듣고서는 강력히 반대를 표명하였습니다.

"왜 우리 아이들이 사용해야 할 학교 땅을 아무런 이득 없이 무상으로 내놓습니까? 절대로 반대합니다!"

아주 거칠게 고함을 지르며 항의하자 곧 설명회장의 분위기가 썰렁해졌습니다. 찬성하는 쪽 부모들은 별로 없거나 소수라서 그런지 조용하였습니다. 그 자리에 구청 공무원과 구의원 등이 와 있었는데 교장으로서 대응하기가 매우 난감하였습니다.

그때 너무나 실망한 나머지 필자는 이렇게 대답하였습니다.

"이 사업은 어린이들의 등하굣길 안전을 위한 일인데 일부 학부모님들이 이렇게 심하게 반대한다면 이 사업은 추진되기 어려우니 일단 재고하도록 하겠습니다."

이렇게 말하며 필자의 임기 중엔 성급하게 재론하지 않겠다며 물러섰습니다. 이 장면을 떠올리면 초보 교장의 한심한 대응에 스스로 얼굴이 화끈거립니다. 반대를 예상하고 적절한 대응책을 준비하지 못한 자신이 몹시 부끄러웠습니다. 모든 일이 잘돼 가고 있다는 안이한 생각에 반대파의 돌출변수에 대비하지 않았습니다. 그러므로 일을 벌이기 전에 반대파의 입장을 고려하여 설득 준비를 충분히 해두어야 하고, 갈등이 예상되는 사업을 원만히 추진하려면 사전에 반대파와도 목표에 대한 공감을 얻는 등 협력적 전략과 방법을 갖고 있어야 합니다.

돌아보면, 통학로 확장 건과 관련하여 학교로 등교하는 길이 다른 곳에 사는 주민들끼리 과거부터 약간 반목하는 일이 생긴 것을 알고 있었는데, 이쪽 학부모들이 반대할 것이라는 정보를 듣고서도 충분히 대비하지 못한 게 아쉬움으로 남았습니다.

그로부터 수년의 시간이 흐른 후, 교육청에서 등굣길 안전화 사업의 대상으로 학교 바깥 통학로에 보·차도가 분리되어 있지 아니한 학교는 신청하라는 공문이 왔습니다. 공유재산인 학교 용지를 무상 임대하는 쪽으로 관리하여 통학 보도를 내겠다는 뜻이었죠. 수년 전에 반대 학부모를 잘 설득하고 추진했다면 이미 그 학교 학생들의 등하굣길이 훨씬 편하고 안전해졌을 것입니다.

간절히 원하고 궁리하라

교장으로 재직한 첫 학교 건물은 사용 연한이 40년 정도 되었는데 여기저기 고쳐 써야 할 곳이 너무 많았습니다. 교사 외벽 바로 옆에 붙여서 지은 숙직실과 보일러실 벽면에 균열이 생긴 것과 건물 뒤편의 창고가 장애물로 작용하여 교직원의 주차 이용이 몹시 어려운 점 등은 시급히 해결해야 할 과제였습니다.

건물 뒤쪽의 창고 두 동은 행정 절차를 거쳐 해마다 하나씩 순차적으로 제거하였습니다. 낡은 숙직실은 골조만 남기고 헐어내고 리모델링 하여 단열 처리와 내부 화장실까지 새로 만들었습니다. 어울리지 않게 화단 안에 들어와 있었던 책 읽는 오누이상과 충무공상은 건물 현관 출입문 옆으로 이전 설치하였습니다. 그런 후 화단을 정비하여서 수목, 화초류를 추가로 심거나 이식하였습니다. 그제야 화단의 본래 모습이 잘 갖추어졌습니다.

하교 시간이 되면 학부모가 교문 앞에서 자녀를 기다리는 광경을 많이 보았습니다. 그런데 직사광선과 비바람을 피하며 기다릴 공간이 마땅히 없었습니다. 당시 학교 교문 바로 옆에 콘크리트 평지붕으로 된 창고가 하나 있었는데, 이걸 개조해서 '만남의 장소'로 만들어 볼 수 있을지 매일 궁리하였습니다. 마침 예산을 확보한 후라 늘 머릿속은 '어떻게 설계할까?'로 가득 차 있었습니다.

이런 생각을 늘 갖고 어느 동네를 지나가다 한 건축물을 봤는데 머릿속이 번쩍하였습니다. 필자가 고대하며 찾던 모델이었습니다. 그래서 설계를 통해 창고의 슬라브 천정 부분을 일부 잘라내고 천장 높이를 높인 후 강철 판넬로 지붕을 만들어 만남의 공간으로 만들었습니다. 기존 창고 벽면은 창문을 많이 내어 밝은 빛을 불러들였고 사면 중 한쪽 벽면은 확장하여 내부 공간을 넓혔습니다.

내부 마감재로 천정과 벽면을 모두 편백나무로 마감하였습니다. 나무 향도 좋고 시원한 내부 공간에 작은 탁자와 의자를 두어, 학부모가 자녀를 기다리기에 제법 편안하였습니다. 창고에 있던 기존 물품과 장비들은 따로 작은 창고형 컨테이너를 구매하여 다른 장소에 놓고 수납하였습니다.

건축설계사에게 '만남의 장소' 설계용역을 주었지만, 핵심적 설계안은 필자가 가지고 있었었기에 가능하였습니다. 그래서 만족스러운 건물을 완성할 수 있었습니다. 이 건물은 이후 학생과 학부모들이 많이 이용했던 걸로 알고 있는데 필자가 재임 중 가장 잘한 일이었다고 평가받은 사업이었습니다.

두 번째 학교에서는 오래된 학교 담장을 교체하는 예산을 받았습니다. 시공은 교육지원청이 발주하였고 어떤 방식으로 할지는 학교와 협의하였습니다. 그런데 담장이 모두 주변의 주택과 아주 가까이 붙어 있고 담장과 유착이 심해서 기존담장을 헐고 교체하기란 거의 불가능했습니다. 주택 건물주와 모두 협의하여야 하는데 비용, 일정상 포기하고, 도로변 쪽의 주요 구간이라도 멋있게 하려고 고민하였습니다.

그러다가 떠올린 게 전통 담장이었습니다. 전통 담장은 이전에 학교 교직원 현장 연수 때, 경기도 광주시의 생태수목원인 '화담숲'을 다녀올 때 멋진 전통 담장 설치구역이 있어서 '언젠가 기회가 오면 참고해야지.'하고 사진을 찍어 스마트폰에 저장해둔 덕분이었습니다. 공사 후 줄곧 그 담장을 지나며 출퇴근하였는데 볼 때마다 기분이 좋았습니다.

교무실 바로 옆에 교실 반 칸 정도 되는 작은 공간이 있었습니다. 이곳은 예전에 학습준비물실로 사용되었고, 플로터 인쇄가 이루어지는 공간이었습니다. 그런데 볼 때마다 온갖 복잡한 물품들이 쌓여있어 머리가 아플 지경이었지요. 시급히 정리가 필요해 보였습니다. 드디어 새 학년도가 시작될 때 기존 물품들을 2층 다른 교실로 이전하여 새로 학습준비물실을 만들고, 이 공간은 편백나무로 벽체를 마감하고 탁자와 의자를 놓아 작은 휴게공간으로 만들었습니다. 이 공간의 이름은 '행복연구실'로 명명하였습니다. 규모는 작지만, 교직원이 삼삼오오 모여 차를 마시거나 잠깐 쉬거나 소규모 만남 등 애용하는 공간이 되었습니다.

생태 환경 교육을 위해 학교에 흙으로 된 텃밭이 없었지만 궁리하다 보니 해결할 수 있었습니다. 재배 상자를 이용하여 2인 1조의 '상자 텃밭'을 만든 겁니다. 전교생용으로 상자형 화분을 운동장 수돗가 보도 주변으로 배치하고, 기를 채소 모종도 학생들이 팀을 만들어서 각자 정하도록 하였습니다. 4월 중순부터 아이들은 매일 아침에 얼마나 자랐는지 나와보며 물을 주고 7월 초까지 자신이 심은 채소들을 정성껏 길렀습니다. 다음 해에도 화분과 흙은 재사용이 가능하였습니다.

위 사례들은 오랫동안 궁리하면 문이 열린다는 것을 알게 해준 사례입니다. 실제로 창의적 사고력은 많은 독서력과 관심, 배경지식이 융합적으로 발현하는 걸로 알려져 있습니다.

평소에 무언가를 하기 위해 오랫동안 집중하여 고민하게 되면 어떤 영감이 떠오른다는 것도 알게 되었습니다. 어떤 결정을 할 때는 가급적 밤에는 하지 않기를 권합니다. 밤에는 이성적 뇌보다는 감성적 뇌가 활발해져서 합리적 판단보다는 감정의 지배를 받기 쉽다고 합니다. 특히 술 마신 후에는 중요한 의사결정을 해서는 안 됩니다. 다음 날 아침에 후회하게 됩니다. 재미있는 발견은 어떤 결정을 못 내려 머리가 아파도 참고 그냥 자면 다음 날 아침에 우리의 뇌는 명쾌한 결론을 내려줄 때가 있다는 것입니다. 뇌는 기특하게도 밤새 숙제를 해결함으로써 매듭을 지으려고 하지요. 뇌도 불편한 걸 마냥 놔두는 것은 힘든가 봅니다.

뭔가를 해결해야 한다는 간절한 욕구가 있다면 아마 당신에게도 영감이 찾아와 작은 기적이 벌어질 수 있을 것입니다.

놀이의 즐거움을 선사하기

잘 놀아야 바른 인성이 자란다

인간은 다른 영장류와 마찬가지로 어린 시절을 또래 친구들과 놀면서 사회생활의 이치를 터득하며 온전한 자아를 발달시켜가며 자랍니다. 아동기에 잘 놀아야 하는 까닭이 여기에 있습니다.

뉴런 발달과 관계된 복잡한 뇌 신경 회로 연결 과정이 온전히 마무리되기 위해서는 우리 아이들이 반드시 자유 놀이를 할 필요가 있습니다. 이 기회를 빼앗긴 아이들은 신체적 능력 및 사회성 면에서 온전한 능력을 갖추지 못한 성인으로 자라날 소지가 큽니다. 그런 아이들은 여러 위험을 만났을 때 잘 버텨내지 못하고, 쉽게 불안 장애에 걸립니다.[05]

자녀를 키워본 부모들은 다 압니다. 어린이들이 선물로 가장 가지고 싶어 하는 게 재미있는 놀이도구인 장난감이고 인형 등이지요. 그렇습니다. 인간은 모여서 사회생활을 하게 되는데 그 시작에 놀이가 있고 아주 오랜 옛날부터 놀이를 해왔습니다.

필자의 어린 시절을 추억해보면, 당시 학교는 한 반에 60여 명 어린이가 다닥다닥 붙어서 공부하고, 점심시간에는 싸 온 도시락을 후딱 먹고는 한 20여 분 남은 점심시간을 운동장이나 작은 공터에 나가 놀았습니다. 온갖 놀이가 유행하였지요. 땅따먹기, 제기차기, 구슬치기, 말타기, 기마전, 축구 등 비교적 저렴하고 준비하기 쉬운 소도구를 이용한 놀이였습니다. 공 하나만 주면 수십 명이 땀을 뻘뻘 흘리며 공을 따라 뛰었습니다. 공 한 번 차보지 못하고 수업 종이 울려 교실로 들어올 때도 있지만, 절대 심심하지 않았던 추억이 아련히 남아 있습니다.

방과 후엔 시소, 그네, 정글짐, 원형판 회전 기구(뺑뱅이) 타기 등 인기 놀이기구엔 항상 어린이들이 몰려서 서로 어울려 놀았던 기억이 납니다. 때론 자기 차례라며 언쟁하기도 하였습니다. 운동장 다른 곳에서는 여자아이들이 모여 고무줄로 놀이를 하였지요. 이렇듯 놀이는 언제나 어린이들에게 즐거움을 주는 원천입니다.

요즘 아이들은 어떠할까요? 아침에 등교한 후에도 점심 먹고 시간이 남아도, 방과후에도 운동장에 나와 여럿이 재미있게 노는 어린이들을 볼 수 없습니다. 담임교사가 놀다가 다치는 걸 방지하려고 운동장 놀이를 제한하는 수도 있겠지요. 아이들은 보통 한 집에 한 명 아니면 두 명이 전부입니다. 이들은 아동기에 서로 잘 어울리며 우애 있게 지낼까요? 아마 그렇지 못할 것입니다. 왜냐하면 각자가 학원에 다니거나, 스마트폰에 빠지거나, 혹은 혼자라서 함께 놀 사람이 없습니다.

이렇게 된 것은 핵개인과 스마트폰 의존 시대 때문입니다. 과거의 세대와 달리 친척 및 사촌 등과 교류할 기회도 거의 없고 방과후에도 학원 일정 때문에 혹은 시험 일정 때문에 서로 만나보기 힘들어졌습니다. 부모도 대부분 맞벌이를 하고 형제자매도 거의 없다 보니 놀이를 함께 할 대상도 없습니다. 그러다 보니 각자 스마트폰에 과하게 의존하게 되고 성장기 뇌의 발달에 이상을 가져오게 되는 겁니다.

또, 너도나도 공부에만 매달리니 인성을 개발하고 특기를 찾아내고 여행이나 모험 활동, 취미활동 등 경험을 통한 자기를 발견할 시간이 없습니다. 그러니 대학교 들어갈 때까지 공부한 경험밖에 없는 사람이 되고 맙니다. 자기 인생의 모델로서 닮고 싶고 존경하는 어른이 주변에 실재하지 않습니다. 결국 어린애 같은 경험만 가진 채 어른이 되어가는 것이죠.

그러다 보니 공부 외엔 할 줄 아는 게 없고, 공부에서 성과를 내지 못하면 쓸모없는 존재라며 스스로 자기를 비하하는 학생도 생겨납니다. 또 학부모도 자녀가 공부를 잘하지 못하면 다른 방향으로 진로를 고민하고 지원할 생각을 해야 하는데 오히려 더 공부 학원을 보내고 닦달만 하니 아이는 공부 지옥에서 헤어 나오지 못하고 더 괴로워할 뿐입니다.

아동기를 이렇게 보내고서 미래를 향한 어떤 진취적인 기상과 도전과 끈기, 실패와 성공, 놀이를 통한 우정을 발견할 수 있을까요? 자연과의 교감 같은 정서적 발달을 구한다는 것은 정말 연목구어와 같은 일이 되어버렸습니다.

놀이의 긍정적 기능은 매우 많습니다. 놀이를 함께 하면서 소년들은 사회화 과정을 익히게 되고 주장과 양보, 공격과 후퇴, 자존심 지키기 등 심리적, 정서적 영역의 발달을 추구합니다. 몸의 세부 근육을 단련하고 오장육부의 감각기능을 강화하지요. 간혹 놀다가 다치면서도 위험을 인지하고 이를 극복하는 인내심과 도전정신을 기릅니다. 여럿이 놀다가 다투기도 하고 어른들로부터 꾸중을 듣기도 하지만, 아이들은 온실 속의 화초로 자라지 않고 당당히 야생에서 하나의 강인한 존재로 성장하는 것입니다.

재미있는 놀이터 만들기

필자는 학생들에게 어린 시절을 놀이와 더불어 즐겁게 지낼 놀이기구를 선물하고 싶었습니다.

교장 재임 첫 학교엔 놀이기구가 여럿 있었는데 종합 놀이기구라 제법 아이들의 사랑을 받았던 거로 기억합니다. 한편으론 다른 놀이기구가 별로 없었기 때문이었죠. 점심시간이면 아이들이 많이 몰려들었습니다. 몇 가지 체육 놀이기구는 후문 재사용 공사 등으로 재배치하고 안전한 환경을 만드는 데 신경을 썼습니다. 설치할 공간의 여유가 없어서 추가로 놀이시설물을 만들지는 못했습니다.

두 번째 학교에서는 어린이들이 놀이터에 아무도 가지 않는 것을 발견하였습니다. 놀이시설물이 별로 없고 그저 체육시설뿐이었습니다. 그중 미끄럼틀이 있고 옆엔 정글짐이 있었습니다. 정글짐엔 그래도 몇 명이 가서 노는데 넓은 공간을 차지한 미끄럼틀은 간혹 유치원생이 겨우 한두 명 이용할 뿐이었습니다.

오랫동안 지켜보다가 드디어 결단을 내렸습니다. 내부 회의를 통해 공론화한 후, 학운위에서 심의하여 학교발전기금으로 미끄럼틀을 철거하고 그 자리에 '거미손 놀이'라는 암벽 오르기 시설물을 세웠습니다. 미끄럼틀보다는 아이들이 많이 왔지만, 주변의 놀이기구가 재미없어서 그런지 그것만으로는 역부족이었습니다.

그래서 방향을 전환해 운동장을 어떻게 효과적으로 쓸 수 있을까 하고 깊이 고민하였습니다. 후문 쪽에서 학교 본관동으로 들어오는 직선 보도를 설치하고 나니 교사(校舍)와 보도 사이에 작은 마당처럼 최소 600제곱 미터 공간이 생겼습니다.

이 공간을 어떻게 사용하도록 할까 구상했는데 맨발 걷기장을 하기로 하였습니다. 마사와 황토를 깔고 발을 씻는 세족장을 만들었습니다. 학부모들에게 홍보하고 동의를 얻어 아이들이 오기 시작했는데 한 20여 명이 아침에 맨발 걷기에 참여하였습니다. 여전히 고학년은 맨발 걷기에 마음을 열지 않았습니다. 너무 오랫동안 양말을 신고 다녔기에 맨발은 비위생적이라는 오해가 생기지 않았나 싶습니다. 오히려 저학년 어린이들이 매우 신나게 참여하였습니다.

나중에 맨발 걷기장에 추가로 일부 구역은 잔디를 깔았고 통나무 지압장도 만들었습니다. 체육실의 평균대를 갖다 놓아서 놀게 하였습니다. 아이들은 평균대 위에서 밀어내기를 하면서 즐겁게 놀았습니다. 어느샌가 보니 담당 교사가 운동장에 사방치기,

달팽이 놀이를 하도록 선을 그려주고 아이들과 함께 놀아주었습니다. 아이들은 맨발로 뛰어다니며 정말 즐거워했고 아침 시간 20~30분은 그렇게 훌쩍 지나갔습니다. 그 선생님의 이야기를 들어보면 아침에 재미있게 놀고 들어온 아이들은 몸에 에너지가 돌고 수업에도 즐겁게 참여한다고 하였습니다.

교장 재임 마지막 해, 더운 여름에 아이들이 신나게 놀 만한 게 뭐 없을까 고민하다가 터널분수를 떠올렸으나 비용과 시설공사의 규모 문제로 포기하였습니다. 대신 여름방학 중에 건물 연결통로 다리 기둥을 예쁘게 무지개색으로 나눠 칠하고, 그 기둥에 아이들이 점프하여 손바닥으로 칠 수 있도록 스프링이 달린 점프용 터치 볼을 4개 설치하여 아쉬움을 달랬습니다.

아이들은 도전한다

우리나라를 비롯한 미국, 일본은 놀이시설물이 매우 천편일률적입니다. 매끈한 강화플라스틱 소재 아니면 가공한 목재와 로프 등으로 안전하게 만들어졌으며, 혹 굴러떨어져도 거의 다치지 않게 바닥엔 충격 완화를 위한 바닥재나 모래를 깔도록 세세하게 규정지어놓고 있습니다. 아파트 놀이터, 학교, 유치원의 놀이터도 비용은 매우 비싸면서도 효과성은 그다지 좋지 않은 그야말로 심하게 말하면 장난감 같은 수준의 놀이기구가 주종을 이루고 있습니다. 놀이시설물을 단독으로 취급하는 건축업자나 조경사업가도

별로 없습니다. 워낙 수주할 물량도 적고 안전기준을 통과하기도 어려우니 수지타산이 맞지 않기 때문일 것입니다.

수백 명 또는 천 명이나 되는 어린이들이 학교에서 신나는 놀이시설물을 갖지 못한다면 매우 불행한 일입니다. 놀이기구가 규격을 벗어나면 위험하다고 하지만 정작 아이들은 그다지 위험하다고 느끼지 않습니다. 오히려 그들은 실패 후 성공의 짜릿한 맛과 성취감을 느낍니다. 그리고 더 높은 도전성을 유감없이 발휘합니다. 그들은 점차 자신의 한계에 도전해보고 극복하는 아동기, 청소년기를 보내게 됩니다.

간혹 떨어지거나 해서 다친대도 가벼운 골절이나 찰과상 등의 부상쯤은 언제나 생길 수 있는 일입니다. 살아가면서 전혀 안 다치고 산다는 것은 거의 불가능할 뿐만 아니라, 오히려 위험을 관리할 기회를 얻지 못하는 것이 더 불행한 일이 될 수 있습니다.

또한, 우리나라를 비롯한 일본, 미국 등은 놀이시설물 운영에 관한 법률이 매우 까다롭고 안전에 지나치게 치우쳐서 놀이시설물 관리 주체에게 무거운 책임을 지웁니다. 놀이시설물을 이용하다가 다치거나 하면 때로 학교장에게 책임이 돌아가 비난받을 뿐만 아니라 민·형사상 소송까지 당할 수 있습니다. 그러니 어느 교장이 학교에 위험한(?) 놀이기구를 설치하겠습니까?

분명한 것은 안전 위주로 만들어진 놀이기구엔 어린이들이 가지 않는다는 사실입니다. 대표적인 것이 미끄럼틀인데 처음에 한두 번 이용하다가 이내 싫증을 느껴서 다시는 근처에 가지도 않습니다. 이는 유치원부터 이용했거니와 도저히 짜릿함과 도전을 불러일으키지 않는 밋밋하기 짝이 없는 놀이기구입니다. 그런데 거미줄 네트처럼 약간 복잡한 놀이기구엔 아이들이 많이 몰립니다. 뭔가 도전해 볼 호기심이 생기는 것이기 때문이겠지요.

아이들은 어른들이 보듯이 그렇게 나약하거나 어리석지 않습니다. 도전적이지 않거나 전혀 위험하지 않은 놀이기구, 즉 심장이 떨리고 약간의 다리가 후들거리는 것이 아니면 아이들은 구경만 할 뿐 잘 가지 않습니다. 필자도 어렸을 때를 생각하면 참 그땐 어떻게 그렇게 위험한 놀이를 했는지 끔찍할 때도 있습니다.

하지만, "좀 다치거나 부러진다고 어떠하랴. 우리는 도전하며 놉니다." 이게 아이들 본성입니다. 자유롭게 놀려는 아이의 본성을 억압하고 공부만 하도록 하는 것은 아이를 불행하게 만드는 일임을 꼭 명심하면 좋겠습니다.

최근에 '꿈 담은 놀이터'가 몇몇 학교에 설치되었습니다. 아이들이 사업의 주역으로 놀이를 기획하고 규칙도 만든다고 합니다. 게다가 최근에 생기는 공공 놀이터는 생태형 놀이시설물로 제작되는 것이 많아서 자연에서 주재료를 가져오거나 자연과 조화를 이루려는 방식이 제법 많이 등장하고 있습니다. 산비탈, 모래언덕, 개울물을 활용한 사례, 밧줄로 이루어진 장애물 통과형 놀이기구가 아이들의 인기를 얻고 있습니다.

언젠가 당진시의 산골짜기에 있는 수목원에서 마주한 일명 '도토리 놀이대'는 어린이들의 마음을 사로잡을 만큼 도전적이고 매력적이었습니다. 근처엔 물놀이 시설과 숲속 나무집, 산행길, 쉼터 등 정말 재미있게 잘 꾸며놓았지요. 부모님과 아이들이 많이 방문하는 걸 확인할 수 있었습니다.

이와 함께 학교 체육 교과를 재미있게 운영하려는 교사의 노력도 중요합니다. 교과서엔 다양한 놀이와 게임을 통한 체력 증진과 건강을 강조하고 있습니다. 학생들이 체육 시간만이라도 알차게 참여함으로써 신체 발달과 정신건강에 도움이 되기를 바랍니다. 다행히도 잠든 뇌를 깨운다는 0교시 아침 운동도 시도교육청마다 시작하는 것 같은데 활성화되기를 바랍니다.

세계보건기구에 따르면 우리나라 11~17세 학생 중 '하루 1시간 중간 이상의 신체활동을 하지 않는다'라는 학생 비율이 94.2%에 달한다고 합니다. 운동 부족 학생이 세계에서 가장 높은 수준입니다. 지나친 학업 경쟁에 내몰리거나 스마트폰 중독 등에 빠진 것이 아닌지 걱정입니다.

편해문은 그의 저서 《놀이터, 위험해야 안전하다》에서 아이들을 '건강한 위험'에 노출해야 좋다고 하였습니다. 그의 주장에 적극 공감합니다. 아이들이 인식할 수 있고, 통제가 가능하고 극복할 수 있는 위험이라면 성장에 꼭 필요하다고 믿습니다.

위험과 스릴이 있는 놀이 활동을 통해 아이들은 용기와 배려를 배우고 실험정신, 도전정신을 키울 수 있기에 학교엔 안전하고 멋진 놀이터가 있어야 합니다. 이를 도와줄 수 있는 분은 오직 교장선생님, 당신 뿐입니다.

직원들의 행복한 삶에 힘쓰기

조직의 분위기를 살려라

교장으로서 첫 번째 임기를 마칠 때가 다 돼서야, 비로소 교장이 조직의 분위기를 살리는 메이커임을 인식하게 되었습니다. 학교의 장으로서 별다른 노력 없이 조직이 잘 될 거라는 생각은 조직에 대한 사명감과 책임감이 부족한 거라고 느꼈습니다. 그래서 필자는 좀 더 조직의 내부와 단단히 연결되고자 하였습니다.

2019년 3월, 지난날의 태도를 반성하며 새 임지인 영등포구 D초등학교에 갔습니다. 이제는 좀 더 성숙한 자세로 교직원들과 어울릴 수 있을 것 같았습니다. 첫 학교에서 하지 않았던 교직원과의 대화의 시간을 맨 먼저 실시하였지요. 대화의 주제는 무겁지 않으면서도 서로를 알아갈 수 있는 걸로 정하였습니다. 주제는 '선생님의 꿈은 무엇입니까?'였습니다. 바쁜 3월을 보내고 4월에 가진 대화의 자리는 만족스럽게 잘 진행되었고 교사들의 반응도 괜찮은 것 같았습니다. 그렇게 조직의 분위기를 서로 어울리고 이해하려는 방향으로 서서히 만들어 나갔습니다.

이런 행사는 나름대로 교직원 화합에 도움이 된다고 판단하여 해마다 주제를 달리하며 추진하였습니다. 코로나19 시기에도 마스크를 쓰고서 계속 추진하였습니다.

또한, 학교경영을 다른 학교와 함께 지혜를 나누면서 좀 더 잘 해내고 싶어서 교육지원청 내의 3개교 교장이 모여서 학교 간 교원학습공동체를 만들기로 합의하였습니다. 우리 학교만 좋은 것을 보유하지 말고 이웃 학교 간에 연구물이나 정보를 공유하고, 서로 교류하면서 함께 성장하려는 취지였습니다. 교장, 교감, 담당 부장교사를 운영위원으로 구성하여 4월 말에는 공동으로 상호협약식도 맺었습니다. 그때 학교 교육과정 책자와 학사력, 워크북 등을 교환하였습니다.

이후 학교 시설물 개관 시 함께 축하하고 관람한다든지 교사 연수 프로그램도 서로 품앗이 형태로 하면서 교류를 늘려나갔습니다. 첫해 연말엔 교육과정 편성을 위한 부장교사 워크숍을 공동 주관하여 1박 2일로 합동 워크숍을 열었습니다. 비용은 서로 공동 부담하였습니다. 이런 활동이 제법 도움이 되어서 계속해야 했지만, 이듬해 초부터 코로나19로 인해서 모임을 지속할 수 없게 되었습니다.

대신 교내에서 다른 방식으로 조직의 에너지를 한 방향으로 모으는 데 주력하였습니다. 그것은 교내 교원학습공동체를 내실 있게 운영하는 것이었습니다. 매월 중순 수요일에 학년군별 팀을 만들고 연간 프로젝트를 구상하게 하여 팀장 주도하에 자체 소규모 연수나 컨설팅 장학을 운영하는 것이었습니다. 간식 구입비도 편성하여 커피라든지 빵, 음료수 정도를 놓고 회합할 수 있게 하였습니다. 그리고 마지막 주간에는 수업을 마친 후 학년군 또는 교과 팀별로 현장 연수를 떠나도록 하였습니다. 가까운 식물원이나 생태원, 박물관, 미술관 등을 찾아서 교육자료도 얻고 교류하는 가운데 상호 이해를 높이고 동료애를 느끼도록 하였습니다. 이의 실효성을 높이고자 학교 예산에 입장료, 체험비 등 현장 연수비도 적정수준으로 책정하였습니다. 이를 통해 학교 교육의 동반자로서 타 학년군의 사업을 서로 이해하고 어려움을 나누는 등 나름대로 성과를 얻을 수 있었습니다.

학교에는 교원 그룹과 행정직 그룹, 교육공무직 그룹이 있습니다. 각기 역할은 다르지만 모두 학교 교육을 위해 협업하여야 하는 위치에 있습니다. 교사들은 쉬는 시간에도 수업 준비와 학생들을 돌보는 일로 늘 정신 없이 바쁩니다. 수업 후에도 과제처리나 회의 참석, 학부모 상담, 업무 연락 등으로 바쁘지요. 교육공무직인 실무사들은 책임지고 독립적으로 맡은 일이 거의 없고 교사와 같은 업무 파트너로 협력관계에 있습니다. 이들이 서로 존중하고 협력한다면 다행이나 인간관계가 좋지 못하거나 성격상 사교성이 떨어진다면 서로 힘들어합니다. 매사 서로 상대의 탓을 하며 한숨을 내쉬게 되지요.

교장은 이러한 역학관계를 이해하여야 하며 평소에 어느 한 그룹에만 기회를 주는 것은 자제해야 합니다. 현장 연수 같은 경우도 가능하면 균형을 고려하여 고루 현장 연수를 나갈 수 있도록 합니다. 적어도 교장이 이에 대해 무감각하지 않고 어느 한쪽이 피해의식을 갖지 않도록 노력하면 교직원 간 서로 이해도를 높여 갈등을 유발하는 일은 거의 생기지 않을 겁니다.

계속되는 코로나19 시국에 답답함과 불안감이 짓누르던 어느 해 여름날이었습니다. 수개월째 불요불급의 모임이나 직장 내 회식을 자제하라는 공문이 계속 왔습니다. 뭔가 재미를 느낄 것이 없을까 생각하던 차에, 마침 날짜가 7월 7일이어서 깜짝 행운 이벤트를 열기로 하였습니다. 교감선생님에게 지난 1년간 조퇴 등을 적게 쓰면서 성실하게 근무하신 상위 20% 교사를 추천해 달라고 하였습니다.

해당 교사들에게 쪽지를 보내서 행운의 이벤트에 당첨되었다며 3시에 교장실로 와서 작은 선물을 받아 가시라고 하였습니다. 시간이 되자 모두 여섯 분의 교사가 들어왔습니다. 얼굴엔 어떤 기대와 설렘의 표정이 역력하였습니다. 저는 요즘 계속되는 코로나 시국에 뭔가 재미있는 일을 만들어보고자 마침 오늘을 맞아 깜짝 행운의 이벤트를 하게 되었노라고 말씀드렸습니다. 그동안 학교를 위해 성실히 근무해주어서 고맙다는 인사를 하였습니다. 그리고 차가운 음료수 한 개씩을 테이블에 올려놓았고, 준비한 쿠키 한 통씩도 나누어 드렸습니다.

모두 마스크를 쓰고 있었지만, 기분이 좋은지 초승달 모양의 눈웃음이 보였습니다. 즐거운 분위기에서 가볍게 환담하고 보냈습니다. 저도 덩달아 기분이 참 좋았습니다. 열심히 근무하는 교사에게 작은 선물을 해서 격려할 기회를 마련하길 잘했다는 생각이 들었습니다.

사실 여태까지 지내면서 이런 일을 벌여본 경험이 거의 없어서 저도 조금 놀랐고 좋은 추억으로 남게 되었습니다. 이렇듯 작은 것이지만 조직에 긍정적인 에너지를 불어넣는 것이 교장이 해야 할 일이라는 것을 느낀 하루였습니다.

일할 맛 나는 공간

리더는 직원들이 몸과 마음이 행복할 때 높은 성과를 낸다는 것을 잘 알고 있습니다. 그래서 직원들의 사기를 높이기 위해 심리적, 정서적으로 쾌적한 공간과 편안한 조직문화를 만드는데 많은 에너지를 씁니다.

즐거운 직장 생활을 영위하려면 업무의 공간이 불편하지 않아야 할 뿐만 아니라 정신적인 휴식을 취할 수 있는 여건이 되어야 합니다. 우리의 삶은 가정과 직장에서 혹은 사회에서 이루어집니다. 그중 가정보다 더 많이 일에 집중하고 동료들과 대부분 시간을 보내는 곳은 직장일 겁니다.

교직원이나 학생이 학교에서 상당한 시간을 보내는데 그 공간과 시간이 무의미하다면 불행할 것 같습니다. 그러니 제 영향력 아래에 있는 수십 명의 교직원과 수많은 학생이 행복한 삶의 의미를 찾도록 도와줘야 한다고 결심하였습니다.

그래서 교장으로 재임하는 동안 첫 학교든 두 번째 학교든 생활 공간의 개선에 많은 시간과 에너지를 쏟았습니다. 누가 하라고 했으면 아마 해내지 못했을 것입니다. 필자가 4년 동안 머물러야 하는 공간이고 동료 교직원들과 학생들이 지내는 공간인데 쾌적하고 편안하게 지내도록 만들어야겠다는 생각이 늘 있었습니다. 이를 실천하려고 보니 공간과 관련된 건축과 조경 등에 관한 책들을 다수 읽게 되었고 틈만 나면 학교 공간에 개선할 곳이 없는지 찾아다니게 되었습니다.

이런 일은 묘하게도 해도 해도 끝이 없었습니다. 화단 정비, 주차 시 장애물인 낡은 창고를 헐어내고 넓은 주차장 만들기, 또 다른 창고 리모델링으로 학부모와 학생의 만남의 장소 만들기, 아이들의 쉼터인 옥상정원 만들기, 기타 아이들의 쉴 공간 만들기 등 늘 공사할 것이고, 뜯어내서 버릴 것이 많았습니다. 그래도 필자는 이 일을 지치지 않고 재미있게 했습니다. 누구나 그렇지만 즐겁게 하는 일은 지루하지도 피로하지도 않았지요. 오히려 보람만 차곡차곡 채워가는 충만한 시간을 보내었습니다.

첫 임지에서 4년간 정말 쉬지 않고 즐겁게 일하다가 떠났습니다. 학부모들도 학교의 긍정적 변화를 인정했는지 떠나는 2월에 멋진 송별회를 열어주었습니다. 학생 대표들과 학부모 대표들이 교실 한 곳에서 아이들이 쓴 편지와 감사패, 꽃바구니 등을 전달하며 저의 가슴을 뭉클하게 하였습니다. 아이들이 쓴 편지글 중 대표작을 누군가가 낭독하는데 가슴 한쪽에서 뜨거운 기운이 올라옴을 느꼈습니다. '아, 학생들도 내가 한 일을 지켜보고 있었구나!' 지금도 그 장면이 잊히지 않고 떠오릅니다.

두 번째 학교에서도 공간혁신을 위해 여러 가지 개선공사를 하였습니다. 교직원들이 쉬는 시간에 정원을 산책할 수 있도록 적당한 공간에 작은 수목 정원을 만들고 야생화와 꽃나무를 심고 수크령과 억새도 예쁘게 조성하여 계절의 변화를 느끼게 하였습니다. 계절별로 다양한 화분을 들여와 작은 실내 정원을 만들어 심리적인 편안함과 정신적인 여유를 느끼도록 하였습니다.

이곳 학교에서 3년 차가 시작될 때 학생 수가 줄어서 유휴 교실이 서너 개 생겼습니다. 이를 어떻게 효과적으로 활용하여 근무하는 교직원의 사기를 올려줄까 고민하다가 보건실과 교육복지실을 과거 돌봄교실이어서 온돌바닥과 씽크대가 있는 2층으로 이동 배치하고, 소체육실로 쓰던 교실은 교직원 휴게실로 만들었습니다. 그리고 4층 회의실에 좋은 가구로 만든 회의용 테이블을 들여와서 각종 위원회의 회의 장소로 사용하도록 하였다. 이러한 사무 공간의 재배치는 교직원의 근무 의욕을 북돋우고 신선한 바람이 불게 만든다고 믿습니다.

그러던 중 학교가 그린스마트 미래학교 개축 대상교로 지정되었습니다. 교직원, 학생, 학부모와 개축 설계 의견을 나누고 일정을 협의하였습니다. 살펴보니 몇 년 뒤 개축 공사를 하려면 덤프트럭 운행 통로가 필요하여 50년 된 창고를 헐어내고 그 자리를 차량 통로와 주차장으로 만들어서 미리 준비해두었습니다.

임기 마지막 해, 2월에는 급식실이 있는 서관동 보일러실의 소음을 최소한으로 낮추기 위하여 간단한 시공을 하여 마무리한 기억이 있습니다. 그곳은 필자가 지날 때마다 손보려고 했던 마지막 일이었습니다. 이 일은 학생 및 동료 교직원들의 몸과 마음의 평안과 행복을 위한 제 마지막 손길이었습니다.

두려움 없는 조직문화

관리자는 소속 직원이 규정에 따라 일하도록 하지만, 리더는 마음으로 상대를 감동시켜 따르게 합니다. 말은 마음의 표현이므로 마음의 수양을 먼저 해야 하고, 말과 일치하는 행동을 실천할 것이 요구됩니다.

교직원들은 상사와 만나서 업무나 개인의 신상에 관해 대화할 때 본능적으로 위축되고 불안한 마음으로 찾아옵니다. 이때 리더는 하던 일을 잠시 멈추고 자리를 권하여 앉게 한 다음, 계절에 알맞은 차나 음료를 내놓으며 분위기를 편하게 합니다. 상대에 대한 이런 배려와 관련해서 조윤제가 쓴 《우아한 승부사》를 읽다 보면 다음과 같은 구절이 나옵니다.

"직원과 대화를 나눌 때는 당신의 말에 관심이 있다는 눈빛, 당신의 그 말에 공감한다는 끄덕임, 어떤 말도 들을 준비가 되어 있다는 신뢰의 표정은 닫힌 마음을 여는 따뜻한 두드림이다. 마음을 여는 것. 대화의 시작이자 완성이다. 이럴 때 직원들의 내면에 행복이 흐르는 걸 느낄 수 있다."[06]

리더는 상대방과 대화 시 그를 존중하는 태도를 보이고, 의견을 묻고 들으려는 겸허한 자세로 임해야 합니다. 즉 그가 무슨 말을 하든지 두려움이 없도록 리더가 솔선수범하여 이를 수용하는 자세를 가져야 합니다.

리더는 평소 의식적으로 직원의 의견을 경청하려 노력하고, 다소 동의하지 않더라도 상대방이 말하는 것을 제지하지 않아야 합니다. 저를 돌아보면 대화할 때도 상대방을 존중하면서 먼저 이해하려고 해야 했는데 거의 제 주장을 합리화하는 데만 힘쓴 것 같아 미안하고 아쉬운 마음입니다.

학교나 교육청 같은 공공기관의 구성원은 계속 흘러가는 물처럼 오래된 물은 나가고 새 물이 들어옵니다. 이 순환의 과정에 있는 조직에서 두려움 없이 자유로이 본인의 의사를 말할 수 있는 문화가 정착된다면 하나의 멋진 전통이 될 것입니다.

두려움 없는 조직문화를 실천하려면 리더가 직원들을 존중하는 자세를 견지해야 합니다. 직원들은 리더와 대화를 나누든가 공식 자리에서 토론할 때 자신이 한 말에 면박을 받게 되면 입을 다물게 됩니다. 그렇게 된다면 폭넓은 의견수렴이 안 되고 아부하는 사람들의 의견만 판치게 됩니다. 그래서 일부러라도 반대하는 소리를 내게 하고 이에 대해서 긍정적으로 수용하는 자세를 견지하여야 합니다. 이는 생각처럼 결코 쉬운 일은 아닙니다.

리더는 직원이 자신의 의견에 동조하지 않고 자유로이 소신껏 반대의 목소리를 낼 때 기분이 나쁘기도 할 것입니다. 하지만 말하는 자의 인격을 공격하는 것이 아니라 어떤 주제에 관해 반대 의견으로 토론하는 것은 조직의 건전성에 좋은 영향을 미칩니다. 교직원들은 자신이 한 말에 대해서 책임을 추궁당하지 않는 두려움이 없는 조직문화를 원합니다.

조직이 능력의 범위를 초과하여 많은 일을 벌이면 구성원은 정신적 여유가 없습니다. 그러니 불필요한 일은 하지 않겠다는 자세가 필요합니다. 꼭 필요한 일만 제대로 잘하려는 자세를 견지하면 좋겠습니다. 그것도 본질을 생각하고, 처리의 간결성과 단순미를 추구하면 더욱 좋겠습니다.

리더는 소속 직원들 앞에서 힘들다거나 괴롭다는 표정이나 한숨을 짓지 않도록 유의함이 좋겠습니다. 지난 일의 잘못에 대해서도 자꾸 되새기며 괴로워하지 않길 바랍니다. 사람에겐 거울신경이 있어서 상대의 슬픈 표정을 보면 자신도 힘이 빠진다고 합니다. 그리고 간혹 자신과 맞지 않는 존재가 있더라도 그냥 놔두는 게 좋겠습니다. 누군가를 자주 미워하고 불편하게 느낄 때 엄청난 기운을 소모하기 때문입니다.

직장이나 부서의 책임자로서 업무가 잘못 돌아갈 때 화가 날 수도 있습니다. 그럴 때 바로 담당자를 호출하는 전화기를 붙들지 않길 바랍니다. 한 20초만 심호흡하고 지나면 화를 분출하는 호르몬의 분비가 줄어든다고 하니, 감정이 가라앉았을 때 불러서 지도하면 좋겠습니다.

리더는 유머를 살려서 분위기를 밝게 이끌어가려는 노력도 하여야 합니다. 지나치게 사무적이고 행정적인 직장 분위기를 만들면 조직은 활력을 잃고 쉬 지칠 수 있습니다. 리더가 속사정은 힘들지언정 직원들을 대할 때 웃음을 잃지 않고, 목소리에 명랑함이 배어있으면 그 자체로 조직 구성원들에게 힘을 보태주는 것이라고 봅니다.

제5장
학교 리더의 인성과 역량

학교 리더는 바른 인성과 풍부한 역량을 지녀야 합니다. 신체적, 정신적으로 건강할 뿐 아니라 강인한 정신력을 지니고 인간 본성을 이해하여 인재를 알아보는 안목을 가져야 하겠습니다. 아울러 평소에 깊고 넓은 교육 경험을 쌓아 리더십을 기르는 것이 필요합니다.

인성이 바르고 선한 사람

철이 든 사람

우리는 살아가면서 자주 듣거나 하는 말이 있는데, “어휴, 언제 철들래?”라는 말입니다.

대개 인생의 후반부에 다가가면 철이 들게 마련입니다. 나이 마흔, 쉰이 넘으면 인생에 대한 욕망의 한계와 자각이 생기고 죽음도 알고, 좌절도 겪기 때문입니다. 하지만 그게 오래가지는 않습니다. 그래도 그때마다 반성하고 수양하면 자녀 앞에서, 혹은 부모 앞에서 부끄럽지 않은 언행을 하는 것이 가능해집니다.

필자도 인생의 후반에 들어서서 이제부터는 철들어서 원래 되어야 하는 대로 돌아가려고 노력하였습니다. 이 말의 깊은 의미는 우주적 질서를 깨닫자는 것인데, 우주적 질서는 엄격한 삶의 질서와 같은 의미로서 시간상, 공간상 되돌아갈 수 없습니다.

우리는 우주적 질서에 따라 언젠가 죽는다는 사실을 겸허히 받아들여야 합니다. 그 사실을 머리로만 알지 말고 자기 몸, 자기 존재로 깨달아야 합니다. 그래야 모든 사라지는 것들에 대한 연민이 생기게 됩니다.

달이 없는 초가을 한밤중에서 새벽 무렵엔 별들이 많습니다. 별들을 조용히 바라보노라면 어떤 시적 감성이 떠오를지도 모르겠습니다. 우리가 사랑하는 윤동주 시인은 《하늘과 바람과 별과 시》의 맨 앞에 '서시(序詩)'를 썼지요.

죽는 날까지 하늘을 우러러 한 점 부끄럼이 없기를,
잎새에 이는 바람에도 나는 괴로워했다.
별을 노래하는 마음으로 모든 죽어가는 것을 사랑해야지
그리고 나한테 주어진 길을 걸어가야겠다.

오늘 밤에도 별이 바람에 스치운다.

누구라도 이 시를 읽고서 괴롭지 않거나 한 점 부끄러움이 없는 삶을 살았노라고 장담하긴 어려울 것입니다. 그런데 지난 시절 잘못이 있었더라도 부족한 자신을 미워하고 용서하지 않아서는 안 됩니다. 자기 연민의 마음으로 부족했던 과거를 뉘우치고 현재 모습을 그대로 받아들이고 더 발전하도록 힘써야 합니다. '철들었다'하는 것은 우리의 삶에 영향을 끼치는 우주적 질서를 깨닫고 그 질서를 존중하고 그 이치에 순응하는 걸 의미합니다.

칼 세이건은 역작 《코스모스》 책의 앞부분에서 인간과 우주의 깊은 관계를 다음과 같이 말하였습니다.

"우리도 코스모스 일부이다. 이것은 결코 시적 수사가 아니다.

인간과 우주는 가장 근본적인 의미에서 연결돼 있다. 인류는 코스모스에서 태어났으며 인류의 장차 운명도 코스모스와 깊게 관련돼 있다. 인류 진화의 역사에 있었던 대사건들뿐 아니라 아주 사소하고 하찮은 일들까지도 따지고 보면 하나같이 우리를 둘러싼 우주의 기원에 그 뿌리가 닿아 있다."[07]

코스모스(cosmos)는 보통 '우주'라는 의미 외에 혼란에 반대되는 관념으로 '우주적 질서'라고도 표현할 수 있는데, 자연의 법칙을 존중하는 삶을 내포합니다. 지구라는 무대에서 살아가는 우리에게 시공간과 사건은 인과응보의 관계로 짜이므로 절대 과거로 되돌릴 수 없습니다. 한 번 파괴한 것을 본래대로 되돌리기엔 시간이 너무 오래 걸리고 비용도 엄청납니다. 우리는 대부분 자신의 인생을 최선을 다하는 자세로 살고 있습니다. 그렇기에 지금까지 함께 한 자기 자신을 돌아보고 사랑하여야 합니다. 그래야만 남을 이해하고 사랑할 힘을 얻을 수 있고, 앞으로 자기 자신의 발전을 도모할 수 있습니다.

물고기는 사는 동안 물을 볼 수 없습니다. 땅을 기어가는 벌레는 하늘을 나는 새를 볼 수 없습니다. 개구리는 올챙이 시절을 기억하지 못합니다. 우물 안 개구리는 우물 바깥에 넓은 세상이 있다는 걸 알지 못하죠. 마찬가지로 자식이 부모의 깊은 사랑을 모르고, 학생이 스승의 넓은 마음을 모를 수 있습니다. 남편은 아내가 겪고 있는 내면의 고민과 심리상태를 다 알지 못합니다. 또 학교에서 교사들은 교장의 무거운 책임감과 애타는 마음을 모를 수 있습니다. 그 반대의 경우도 마찬가지입니다.

이렇듯 가정에서나 사회생활을 하면서 갈등이 싹틀 때가 있습니다. 이는 서로 다른 환경에서 지내거나 교류가 없어서 상대를 잘 모르는데 철들지 않은 인간의 본성 속에 들어 있는 '알고 있다는 착각' 때문에 상대방을 오해하기 때문입니다. 누군가와 의견이 맞서게 될 때 우리는 자신이 모를 수 있다고, 내가 틀릴 수 있다는 마음을 가져야 합니다. 내 의견만이 옳고 가치 있다고 주장할 때 우리는 크고 작은 갈등을 맞게 됩니다. 갈등이 생기면 상대와의 상호성을 생각해야 해결의 실마리를 얻게 됩니다.

이 우주는 마구잡이로 흘러가는 무심한 곳이 아닙니다. 오히려 그 반대입니다. 존재는 공명(共鳴)합니다. 우주는 우리가 하는 말과 행동 이면에 있는 의도에 반응합니다. 우리가 내보낸 것은 결국 우리에게 돌아옵니다. 세상은 우리의 모습으로 존재합니다. 그러니 그 안에서 보고 싶은 모습이 있다면 우리가 그런 존재가 되어야 합니다.[08]

필자는 가끔 어떻게 살아야 후회하지 않는 삶인지에 대해 생각해 보았습니다. 가장 괜찮은 방법은 인생의 전환기마다 앞으로의 5년 후, 10년 후 모습을 생각해 보는 것이었습니다. 저의 변화를 비롯해 부모, 자식, 형제, 친구, 조직, 사회 등이 어떤 모습으로 변할지 예상해보는 것입니다. 거기에 맞게 제가 해야 할 일을 찾아 준비하는 것이 철이 든 생활이라고 봅니다. 이것은 우주의 질서에 부합하는 삶의 자세라고도 생각하였습니다.

사람이 살아가는 데에는 자연의 법칙처럼 삶의 원칙이 존재합니다. 부모를 공경하고 스승을 존경하는 태도가 그것입니다. 유교의 의로운 윤리는 대부분 인간관계인 군신간, 부자간, 형제간, 부부간, 붕우간의 관계를 가르쳤습니다. 예부터 이 세상 최고의 직업은 '스승'이었습니다. '군사부일체'라는 말은 임금과 스승과 부모는 한가지라는 뜻으로서 이들 관계의 질서는 분명하였으니 위에서 아래로는 사랑(愛), 아래에서 위로는 효경(孝敬)과 충(忠), 사회에서는 예(禮)였습니다. 이것은 시대가 바뀌어도 인간의 본성에 내재된 우주적 질서라고 봅니다.

계급이나 서열이 아래인 사람이 예의나 규율을 무시하고 윗사람을 누르고 오르는 행위를 하극상(下剋上)이라고 합니다. 군대에서 하급자가 상급자를 능멸하는 행위입니다. 학생이 교사를 욕하거나 폭행합니다. 가정에서 자녀가 부모를 꾸짖거나 폭력을 써서 부모가 죽거나 다칩니다. 이때는 패륜(悖倫)이라고 합니다. 인륜을 짓밟은 행위를 저지를 때 쓰는 말이죠. 이런 행위를 바라보는 철든 사람은 전혀 부끄러움을 모르는 철없는 인생에 대한 깊은 '연민'으로 한숨을 쉬겠죠.

전통적 사회 질서가 무너진 요즘은 어떤가요? 우주적 질서를 모르고 함부로 날뛰는 괴물인간(괴인)이 등장합니다. 위아래와 천지를 모르는 '괴인'이 하극상을 일으킵니다. 자기 위엔 아무도 없다는 극단적인 유아독존이요 사이코패스입니다. 이런 자는 교화가 되지 않을 뿐만 아니라 세상을 아주 못살게 만듭니다. 분을 못 이겨 집에 방화하거나 칼을 들고 대낮에 길거리에서 무고한 시민을 향해 휘두르는 '패악질'을 저지릅니다. 하극상은 우주의 질서를 파괴하는 것으로서 중죄입니다.

이런 현상을 그냥 지나쳐서는 안 됩니다. 반드시 그 원인을 찾고 대안을 마련해야 할 것입니다. 필자는 다른 것도 있겠지만 스마트폰이라는 '판도라의 상자'를 어린 학생들에게 주어서 그런 일이 일어났다고 보고 있습니다. 한마디로 어린 영혼을 파괴하는 기계장치인 스마트폰이 유죄입니다. 인성교육을 차단하고 인간이 철드는 것을 방해하는 강력한 중독 기제가 스마트폰에 있습니다.

부모가 최소한 초등학교 4, 5학년까지는 자녀에게 스마트폰을 사주지 않는 것이 매우 중요한 자녀교육의 열쇠라 봅니다. 그 시간 동안에는 독서와 놀이, 대화, 운동, 여행 등으로 심신을 균형 있게 발달시키는 것이 중요합니다. 물론 IT 교육을 위해 노트북이나 PC가 필요하겠지만요.

유교의 의로움[義]은 효경과 예입니다. 효와 예를 인성교육의 으뜸으로 삼으면 어떨까 합니다. 효와 예는 우주적 질서와도 통합니다. 이를 가정과 학교 교육에서 제대로 가르쳐야 합니다. 교육이 미래세대에게 영향을 미치는 것과 우주적 질서 사이엔 분명한 관련이 있습니다.

예컨대 가정에서 부모가 도리를 다하여 모범을 보이고 자녀를 사랑하면 자식도 부모에게 효도할 것이요, 학교에서 교사가 학생을 사랑하고 언행에 있어서 모범을 보이면 학생은 존경하며 따르고 배울 것입니다. 이처럼 모든 존재가 각자 알맞은 역할을 하며 사는 게 우주적 질서(cosmos)에 부합하는 삶이라 봅니다.

인성이 바른 사람

남을 가르치거나 이끄는 자는 어떤 자일까요? 오래전부터 덕망이 있고 지혜로운 자 주위에는 많은 사람이 모여들고 멀리서도 찾아와 스승으로 모시면서 가르침을 받았습니다. 근대국가 체제로 바뀌면서부터는 대부분 국가가 국민 교육을 국책사업으로 정하고 학교를 세우고 교사를 양성해서 배치하였습니다. 또한, 뜻 있는 개인이 교육사업을 일생의 큰일로 자부하며 사학을 일으킨 분들도 많았습니다. 수많은 교사 중에서 인성과 역량이 뛰어난 적격자가 승진하여 교감, 교장이 됩니다.

인성이 바른 사람이란 윤리적 지식과 균형감각을 지니고 올바르게 처신하는 사람을 일컫습니다. 구체적으로는 누구나가 인정할 만한 덕을 갖추고 그러한 생활이 몸에 밴 사람을 가리킵니다.

인성이 바른 자는 정직, 성실합니다. 평소 언행에 겸손하며 자기가 잘하는 것을 발견할 줄 알고, 자신의 주위를 둘러보고 물려받은 유산 중 지켜야 할 소중한 것들을 지키려는 마음을 가진 자입니다.

인성은 학교만 아니라 병원, 군대, 기업, 공공기관 등 심지어 동창회, 사적 모임 등 모든 조직에서 기본이 되는 자질입니다. 인성이 바르지 않은 사람이 조직이나 사회의 지도자가 되면 우리가 갈망하는 진실성, 공정, 책임과 용기, 명예, 인간애 등의 가치는 사라집니다.

더불어 살아가는 사회생활에서 요구되는 것은 지적인 실력뿐만 아니라 인성을 갖춘 사람이어야 한다는 점입니다. 예컨대 타인을 배려하는 마음, 인간에 대한 연민과 용서, 이러한 것들을 표현하는 공감과 예절이 몸에 배어있는 자여야 하겠습니다. 지금은 인성이 곧 실력이 되는 시대입니다.

교원으로 근무하면서 때로 직장 내외에서 법령저촉 등으로 징계받기도 하는데, 대부분 징계의 원인은 직무 내외를 불문하고 인성적인 일탈과 관련된 것이 많습니다.

리더는 자신이 소속한 조직에서 바른 인성을 솔선수범할 때만 리더로서 인정받을 수 있습니다. 자신은 출퇴근 시각이 불분명하면서 소속 직원에게 출퇴근 시각을 지키라고 말할 수 있겠습니까? 상사인 자기는 공적인 지위를 사용하여 사적 이익을 취하면서 부하에게 청렴하라고 교육할 수 있겠습니까?

그러므로 학교의 리더는 먼저 인성이 바른 사람이어야 합니다. 나아가 교직원 중에 인성이 바르지 않아 교육에 나쁜 영향을 끼칠 수 있는 자들은 솎아내도록 노력하여야 합니다. 리더에겐 지도·감독, 인사 및 평정권이 있으므로 이를 적절히 사용하여서 인성적으로 '문제아'가 조직 내에서 성장하지 못하도록 엄격하게 관리하여야 합니다. 이는 조직의 생존과 유지, 발전을 위해 필요한 일입니다.

조직의 경영상 리더의 인성 중 중요한 것을 꼽으라고 한다면 한배에 탄 동료들을 사랑하고 존중하며 그들의 성공을 기뻐하고, 아픔에 관심과 위로를 건넬 줄 아는 공감력과 배려 있는 태도라고 봅니다. 그리고 지도자로서 남의 허물, 상대의 논리적 허점을 찾아내는 지적 능력보다 중요한 것은 자기 허물, 자신의 문제를 솔직히 인정하는 용기와 정직성, 자신을 객관화시켜서 바라보고 낮출 수 있는 능력과 겸허함입니다.[09] 이런 것이 쌓여서 구성원 서로가 협력하게 되고 신뢰하는 직장 문화를 만들게 됩니다.

지켜내야 할 가치

자유민주주의 체제에서 살아가는 우리에게 소중한 가치는 개인의 권리와 선택할 자유, 법 앞의 평등, 노력과 능력에 따른 결과의 공정한 보상 체계, 기회의 균등한 보장, 소수의 약자 배려 등일 것입니다. 물론, 더 많은 것들이 있을 수 있겠습니다.

그런데 인권과 공정, 정의를 본인은 실천하지 않으면서 입으로만 부르짖고, 법, 제도의 현실 세계를 권력투쟁과 지배의 시각으로 바라보는 자는 인간을 목적으로서의 존재보다는 수단으로 간주하는데 익숙한 자입니다.

그런 자가 민주적(?)으로 선출되어 권력을 쥐게 되면 독재적으로 변하고 개인의 자유는 억압될 것입니다. 그로 인하여 부정성(否定性)은 사라지지 않고 기존체제의 변혁과 파괴, 책임 전가, 처벌 등으로 공동체가 가지고 있던 아름다운 전통이나 가치관, 좋은 제도들은 광기 앞에 속절없이 무너지게 될 것입니다. 미국의 제3대 대통령인 토머스 제퍼슨이 말했듯이 우리가 '시민으로서 누리는 자유의 대가는 이러한 것에 대한 부단한 경계의 노고'임을 잊지 말아야 하겠습니다.

주권재민이라고 했습니다. 그런 부도덕하고 위선적인 자를 용납하고 선출한 책임은 그 지역민이나 국민에게 있습니다. 지도자의 그릇은 곧 그 공동체 구성원의 그릇의 크기와 같다고 할 수 있습니다.

그 예로, 과거 도시국가 아테네가 스파르타와 16년간 전쟁 중에 시칠리아 원정의 찬반을 투표로 결정할 때 시민들이 사욕-전쟁에 나가 이길 수 있으며 전리품을 많이 챙길 수 있다는 달콤한 유혹-을 개입함으로써 무리하게 원정에 나가 국가(아테네)가 멸망하는 결과를 초래했음을 기억하여야 하겠습니다.

세상엔 사랑할 가치가 있는 아름다운 것들이 많이 존재합니다. 대표적인 것이 멋있는 자연환경을 비롯한 국가유산, 세계문화유산입니다. 그리고 우리가 오랫동안 지켜가야 할 전통과 미풍양속도 적지 않습니다.

우리가 아름다운 가치로 보편적으로 믿고 있는 성실, 봉사, 책임의 덕목과 만남, 우정, 사랑이라는 인간관계의 가치를 존중하고 제대로 실천해온 자들이 지도자가 되어야 세상은 평화로울 것입니다.

리더의 언행은 차곡차곡 쌓여서 훗날 그가 걸어온 과거가 되고 평가받게 됩니다. 어떤 조직에서나 존경받는 리더는 앎의 수준에서 그치는 것이 아니라 행함에도 높은 수준의 경지에 이른 분입니다. 지행합일(知行合一)의 성실한 실천가, 그가 바로 우리가 찾는 훌륭한 지도자의 모습일 것입니다.

신체적 정신적 건강함

일상에서 건강관리

교직 입문 후 약 25~30년 정도 지나 교감, 교장이 될 나이면 신체적으로 쇠약해지기 시작하는 시기입니다. 자신이 관리하는 학교를 하루에도 여러 차례 순시하고 회의나 행사 자리에 참여하고 교육행정 업무를 처리하려면 체력적으로 강해야 하고 신체적, 정신적으로도 질병이 없는 건강한 상태를 유지하여야 합니다. 젊은 교사 시절부터 건강관리를 잘해야 하는 까닭입니다. 교감이라면, 교장을 가까이에서 보좌하고 교직원의 관리나 업무상 중요한 위치를 차지하고 있으므로 본인의 질병 등으로 학교 운영에 누가 되지 않도록 평소 건강을 잘 관리해야 합니다.

무엇보다 질병의 근원인 스트레스 관리를 잘하여야 합니다. 스트레스를 잘 관리하면 새로운 변화와 기회를 창출하기도 하지만, 헤어 나오지 못할 정도의 스트레스는 병으로 진행하여 몸을 쓰러뜨리게 됩니다. 과도한 스트레스는 몸의 면역체계를 망가뜨려서 온갖 질병이 들어옵니다. 그러니 스트레스에 노출되면 스스로 인식하고 회복하려는 탄력성을 길러야 합니다. 보통 면역력을 기르려면 섬유질 음식을 먹어 장(腸)을 건강히 하고 햇볕을 쬐어 비타민 D도 만들어야 합니다. 체온을 유지하고 많이 웃어야 합니다. 잠을 충분히 자고 적당한 운동도 꾸준히 해야 합니다.

이처럼 젊었을 때부터 건강에 대한 인식을 바르게 하고 꾸준한 운동과 규칙적인 생활을 하여 관리해야 합니다. 달리기나 수영, 빠르게 걷기 등 신체의 단련을 통해 면역력을 길러 질병으로부터 방어해야 하겠습니다. 아울러 정기적으로 건강 검진을 하여 몸의 이상 유무를 늘 확인하고, 소식하는 식습관을 기르고 건강에 해로운 생활 습관을 멀리하여야 하겠습니다.

필자는 50세 이후부터는 자전거를 타면서 건강관리를 하기 시작하였습니다. 그전에는 주말에 뒷산에 오르는 것을 주로 하였는데 무릎에 무리가 오는 것 같아서 계속하는 것을 주저하였습니다. 그러다가 자전거를 타게 되었습니다. 처음엔 몸에 무리가 많이 가서 여기저기가 아팠습니다. 점차 습관이 들면서부터는 타는 시간과 속도를 조절하게 되었고, 주말과 휴일엔 스트레스도 날리고 계절마다 변하는 멋진 풍광도 즐기면서 타게 되었습니다.

자전거를 타게 된 것이 건강관리에 도움이 되었다고 생각합니다. 한겨울을 제외하고는 주말마다 자전거를 타면서 땀을 흘리고 근육과 체형을 바로 잡고 만들었습니다. 자전거를 타면서 지난 한 주간을 돌아보며 잘못을 반성하고 고칠 것도 생각하고, 다음 주에 할 것들을 생각하며 유익하게 시간을 보낼 수 있었습니다.

또 하나의 건강관리는 출퇴근 시 걷는 것입니다. 목표를 하루

1시간 이상씩 걷는 것으로 정하였습니다. 그 전엔 약 20년간 승용차로 출퇴근하였지만, 도보와 전철을 이용하였습니다. 집에서 역까지 약 30분 걷고, 전철은 무조건 서서 가고, 하차 후 학교까지 걸어가니 약 15분, 그렇게 해서 왕복 1시간 이상 걷기 목표를 달성할 수 있었습니다.

처음엔 오랫동안 승용차에 익숙했던 몸이라 전철역 계단 오르기부터 만만치 않았습니다. 걷기에 편리한 신발을 신었는데도 허리, 허벅지와 종아리의 근육에 부하가 걸리면서 힘들었습니다. 그래도 이 운동을 3개월 이상 꾸준히 하니 다리에 힘이 붙었습니다. 인간은 생물학적으로 직립 보행하는 동물이므로 걷는 것은 매우 중요하고 당연합니다.

걷기 운동은 주말에 하는 자전거 운동과 함께 긍정적인 상승효과를 불러일으켜서 건강해지는 게 느껴질 정도였습니다.

전에는 직장동료나 지인들과 술 마시며 회식할 때 외에는 자동차로 오갔던 출퇴근 길을 이제는 비가 오나 눈이 오나 덥거나 춥거나 간에 걸어서 다니니 몸이 여기에 완전히 적응하여서 감기도 거의 걸리지 않고 건강해졌습니다.

이를 경험하면서 새로 알게 된 것이 있습니다. 건강한 몸에 건강한 정신이 깃든다는 오래된 격언이 맞고, 운동을 꾸준히 하면 나이가 든다고 해서 근육이 사라지는 것은 아니라는 것을 알게 되었습니다. 나이가 들면 늙어가는 것이니 모든 게 힘들다는 부정적 자기 체념에 빠지지 않았습니다. 웬만한 스트레스는 자전거 타기 같은 운동과 걸으면서 하는 명상 등으로 가볍게 극복할 수 있다는 걸 확실히 알게 되었습니다.

현대인이 살아가면서 피할 수 없는 것이 불안과 우울이라고 하는데 이에 대해 가장 좋은 처방은 운동임을 알게 되었습니다. 다만, 뇌는 운동을 하는 걸 그다지 좋아하지 않습니다. 이를 극복하고 운동이 내 건강을 살리는데 가장 좋은 것임을 확신하고 자기 몸에 알맞은 운동을 꾸준히 한다면 신체적 건강도 챙길 뿐만 아니라 정서적 건강에도 매우 좋음을 알게 됩니다.

운동을 적절히 하면 잠도 잘 옵니다. 밤에 잠을 잘 자지 못하면 인내심이 빨리 바닥나고 기분을 조절하기가 쉽지 않습니다. 그러므로 몸 상태를 잘 파악해서 제때 자고 일어나는 습관을 들여야 일과를 성공적으로 마무리할 수 있습니다. 리더로서 수많은 업무를 처리하는 과정에서 부정적 마음을 다스리고 평정심을 발휘하려면 전날 수면이 충분해야 합니다.

정서적 안정과 독서의 힘

리더가 정서적으로 안정감 있고 화내지 않도록 하는 것은 전체 교직원과 학생의 안녕을 위해서도 중요합니다. 아침에 만나 인사를 나눌 때 상대방의 얼굴에 미소와 안정감이 보여야 편안합니다. 교직원들도 교감, 교장의 기분을 바로 알아채므로 자신의 기분을 안정적으로 잘 관리하여야 합니다.

정서적으로 고요하고 심리적으로 안정되어 있음은 두려움으로부터 해방되었다는 것과 같은 말입니다. 개들이 주인을 따라 신나게 길을 가다가 다른 개를 만나면 으르렁거리며 사납게 짖으며 공격성을 드러내는데 왜 그럴까요? 아마도 모르는 상대에 대한 두려움 때문에 경계하는 것이라 봅니다. 누구든 실재하는 위험에 맞닥뜨리면 두려움이 생겨서 싸우거나 도망가야 하는데, 상대가 만만해 보일 때는 화를 내면서 일단 자신의 두려움을 감추는 것입니다. 속담처럼 하룻강아지는 범을 무서워하지 않습니다. 아직 상대가 어떤 두려움을 주는지 잘 모르기 때문입니다.

인간은 평소 생각하는 것 중 부정적 생각이 약 80%나 차지한다고 하는데 기본적으로 생존을 위해 두려움을 반복 재생한다고 합니다. 내면의 고통을 극복하려 할 때 꾸준한 독서가 한몫한 것 같습니다. 교장이 된 후엔 책 읽기가 더 습관이 되어서 지금껏 꽤 많은 책을 읽게 되었습니다. 독서 시간을 내기에 심리적으로 부담감이 적고 최고 리더로서 배울 게 많았습니다. 그래서 주말에도 인터넷에서 사거나 도서관에서 책을 빌려 읽는 게 하나의 취미이자 습관이 되었습니다.

독서를 하면서 두드러진 변화가 있다면, 예전의 불완전한 나를 지우고 새로운 나로 태어난 것 같은 느낌을 받은 것입니다. 지금과 비교하면 예전의 필자는 정말 형편없었다고 해도 과언이 아닙니다. 저 자신을 제대로 통찰하거나 인식하지 못했고 작은 일에도 화를 잘 참지 못하였습니다. 독서를 하면서 스스로 부족한 것을 많이 느꼈고 마음을 수양할 수 있게 되었습니다. 특히 잘 모르는 개념 및 용어의 올바른 이해와 사용을 위해 국어사전이나 인터넷을 찾는 습관을 들였습니다. 이를 통해 대상을 정확히 알고 이해하는 지식이 쌓이기 시작하였습니다.

독서를 하면서 책 속에서 과거의 위대한 스승도 만나고 철학자도 만나고 새로운 생각을 많이 접하게 되어 뇌가 젊어지는 느낌도 받았습니다. 그래서 스트레스가 생겨도 바로 회복하는 힘도 생겼습니다. 오히려 스트레스를 적당히 즐길 수 있게 되었습니다. 엄청난 변화였습니다.

피곤한데 무슨 독서를 하느냐는 사람도 있지만 그렇지 않았습니다. 독서는 저를 위로해주었고 자신의 가치를 깨닫게 해주었습니다. 책 속에서 만난 위인들은 죽기 전까지 남은 시간을 어떻게 써야 할지 잘 알려 주었습니다. 꾸준한 독서로 인해 이제 어지간한 일은 견딜 수 있고, 세상에 당당히 나갈 수 있다는 자신감을 가지게 되었습니다.

다방면의 독서를 하다 보면 사상, 철학에도 자연히 심취하게 됩니다. 여러 정치, 교육사상가들을 만날 수 있었고 심리·정서적으로 안정감을 찾게 해준 철학자들도 만날 수 있었습니다. 이들은 제 삶의 정신적 기둥과 같은 존재들입니다.

그 중 스토아 철학이 제 맘에 쏙 들어왔습니다. 기원전 1, 2세기경부터 시작했으니 2,000여 년이 넘는 기간 동안 살아남아 오늘을 사는 우리에게 삶의 자세와 의미를 가르쳐주고 있습니다. 동양의 유·불교 사상과 비슷한 스토아 철학의 핵심은 언제나 평정심을 잃지 않는 마음-절제, 중용의 자세입니다. 세네카, 에픽테토스, 마르쿠스 아우렐리우스 등이 유명하며 그들의 정신세계와 어록은 지금도 유럽의 스토아학파에 의해 이어져 오고 있습니다.

그중 윌리엄 B. 어빈이 쓴 《좌절의 기술》은 기억에 많이 남습니다. 좌절을 겪으면 외면하지 말고 '좌절'을 인식하라고 합니다. 그리고 스토아 신(神)이 나의 평정심을 단련시키려고 하는 시험이라 여기고 좌절의 늪에 빠지지 말라고 합니다. 그냥 가볍게 여기고 견디면 됩니다. 견디어 낸다면 그게 좌절을 극복하는 기술이라는 것입니다.

라스무스 호가드와 재클린 카터는 《성공을 부르는 리더의 3가지 법칙》책에서 리더가 지녀야 할 3가지로 마음 챙김, 자기 비움, 연민 등을 말했는데 정서적으로 안정을 가져다주었습니다.

신체와 정신은 귀찮다고 사용하지 않으면 점차 퇴화합니다. 뇌가 그렇습니다. 폭넓은 독서를 꾸준히 하면 편협한 사고에서 벗어나 유연하고 한 차원 높은 정신세계를 유영할 수 있습니다. 독서를 하지 않는 리더는 성공할 가능성이 매우 적습니다. 꼭 기억하면 좋겠습니다.

혼자 있는 공간

사회가 점차 복잡해질수록 학교 리더에게 요구되는 것이 강인한 정신력입니다. 하루에도 수많은 사건과 이해관계자들을 만나고 학부모 민원 등을 해결해나가는 과정에서 자칫 인내심이라든지 상대에 대한 믿음을 잃기 쉽습니다. 강한 정신력을 단련한다는 의미는 큰 두려움이나 좌절을 느낄 때, 혹은 무엇인가를 잃어버렸을 때 느끼는 상실감 등을 극복해낸다는 말입니다.

불행히도 갈수록 자신이 처한 상황을 두려워하거나 스스로 애처로이 여기는 나약한 정신을 갖는 사람이 늘어나고 있습니다. 이는 교사뿐만 아니라 교감도, 교장도 그렇습니다. 대표적인 것이 우울감이라든지 낮은 자존감을 느끼는 것입니다. 아무도 당신의 우울감을 부채질하거나 자존감을 떨어뜨리지 않습니다. 본인이 스스로 그렇게 느꼈을 뿐입니다.

자신이 이루어낸 업적이라든지 힘든 과정에서도 묵묵히 수행하여 만들어낸 값진 성과를 타인이 알아주지 않는다고 서운해할 필요가 없습니다. 자신에 대한 가치 평가는 남이 해주는 것보다는 자신이 매길 때 더욱 빛이 나는 법입니다. 자기 통찰, 자기 인식을 통해 자기 존중감을 키워나갈 필요가 있습니다.

교장의 자리는 교실 한 칸 정도의 방에 있고 다른 사람이 배석하지 않습니다. 말을 거는 사람도 들어 줄 사람도 없습니다. 교장실에서 무엇을 하고 있는지 아무도 잘 알지 못합니다. 아니 그것보다는 아무도 알려고 하지 않는 게 맞는 거 같습니다. 그래서 때로 고독하다고 말합니다.

교장이 여러 사람과 함께 있으면 생각이란 것을 할 수가 없습니다. 사무실의 크기는 문제가 아닙니다. 그러니 혼자 있도록 해야 합니다. 한 발짝 뒤로 물러나 멀리서 볼 때 경영의 큰 그림을 더 잘 볼 수 있습니다. 소동파도 일찍이 "여산의 진면목을 알기 어려운 것은 이 몸이 산 중에 있기 때문이다."고 했습니다.

교장실에 혼자 있게 되면 약간은 불안하거나 상황 인식에서 불확실성을 느낄 수도 있을 것입니다. 인간은 모여야 힘이 나고 서로 간에 정을 쌓으며 한 팀으로 기능하게 되는데 교장은 완전히 혼자입니다. 그래서 언제나 단단한 마음의 평정심을 유지하고 있어야 올바른 결정을 내릴 수 있기에 마음공부가 중요합니다.

조급함을 참고 기다릴 수 있는 마음, 불안을 다스리고 이성으로 판단할 수 있도록 일상에서 고독을 견디며 평정심을 길러야 합니다. 그렇게 두 학교 교장을 지나왔지만, 시간은 금방 갔습니다. 무심한 시간이 흘러 퇴직하게 되면 지난날 그렇게 속상했던 일들도 조바심을 냈던 일들도 한낱 부질없음을 깨닫게 됩니다.

교장의 위치는 조직 내에서 정점에 있으므로 교사 시절에 했던 언행과는 다르게 영향을 주위에 끼치게 마련입니다. 그러므로 늘 언행에 있어서 살얼음판을 지나듯이 조심해야 합니다. 해마다 교원소청심사위원회의 홈페이지에 공개하는 결정문집을 틈틈이 읽으면서 자신을 돌아보고 타산지석의 지혜를 얻길 바랍니다.

인간의 걱정과 행복의 근원은 어디에서 시작될까요? 그것은 스토아 철학자 에픽테토스가 남긴 말에서 알 수 있듯이 자신이 생각하기에 달려있습니다. 한 예로 어떤 사건이나 현상이 내 마음을 어지럽힌다면 그것이 내가 통제할 권한이 있는 영역인가 아닌가를 먼저 생각해 봅니다. 내가 어찌할 수 없다면 손 떼고 그저 지켜보는 것으로 만족하세요. 그러면 속상해할 것도 없고 부러워할 것도 없고 비평할 것도 없습니다.

당신이 아끼던 무언가를 잃어버렸다면 그저 원래대로 돌아갔다고 생각하면 됩니다. 남이 나를 욕하고 모멸감을 주었다고 화내지 마세요. 그 모멸감은 나를 향한 것이 아니라고 내가 받아들이지 않으면 내게 아무런 상처도 주지 않습니다. 대략 이런 것이 스토아 철학의 중심 내용입니다. 말이 그렇지 이렇게 생각하고 실천하는 사람이 몇이나 있을까요? 그렇기에 혼자서 독서나 명상으로 내공을 단단히 쌓아서 강한 정신력을 길러야 합니다.

회복력이 강한 사람

정신과 의사인 김민후는 저서 《강해질 권리》라는 책에서 요즘 정신과에 상담받으러 오는 젊은 환자들은 자기다움을 내세우며 자기 기분대로 사는 삶을 행복이라고 크게 착각하는 나약한 정신적 환자들이 많다고 쓴소리하였습니다. 그들은 대개 욜로(YOLO), 포모(FOMO), 소확행, 은둔형 외톨이들로서 자랄 때 응원만 받아서 정신적 단련이 부족하고, 냉혹한 어려움을 겪지 않아 작은 험한 일에도 자존심을 상해합니다. 자기가 뭔가를 잘하고 있는데도 칭찬을 해주지 않아서 서운하다고 불만을 토해내는 게 특징이라고 합니다.

조너선 하이트 등도 공저인 《나쁜 교육》에서 미국의 대학생 젊은이들이 부모의 헬리콥터 양육, 각종 안전 제일 사회규범으로 인해 소년 시절 같은 성장기에 누군가의 감시 없이 놀거나 탐험할 시간을 갖지 못했다고 말했습니다. 젊은이들이 이렇게 갖가지 도전, 부정적 경험, 사소한 위험들을 경험할 기회를 놓친 것이 쉽게 감정의 상처를 입고 불안과 우울증을 호소하며, 정신건강과 회복 탄력성을 해치는 부정적 요인이라고 주장하였습니다.

자연에서 태어난 우리는 가만히 높고 푸른 하늘을 바라볼 때도, 넓고 푸른 바다를 볼 때도 마치 고향의 품에 안긴 듯 푸근하게 느껴집니다. 훗날 언젠가 다시 자연으로 돌아갈 테지만요.

필자는 교장실에 혼자 있으면서 가끔 좋아하는 가곡을 들으면서 평온한 심기를 기르려고 노력하였습니다. 그러면서 실내에서 가꾸는 화분에 물을 주며 그들과 대화를 나눴습니다. "너와 나는 우주의 한 형제다."라고.

과학자들이 밝혀낸 바에 의하면, 실제로 지구상의 모든 자연과 생명체는 기원을 따지면 인류와 형제라고 합니다. 즉 우리 인간의 신체를 구성하는 원자와 분자도 우주의 뭇별과 행성과 같은 성분으로 되어있음을 밝혀냈습니다. 결국, 지구상의 동식물은 우리와 함께 우주의 자손이자 동반자인 셈이지요. 이를 두고 칼 세이건은 우리가 '코스모스'의 일원이라고 표현했습니다. 그래서 그럴까요? 우리 몸을 튼튼하게 하거나 아플 때 치료하는 약들의 성분은 모두 지구의 동식물이나 광물로부터 얻고 있습니다.

우리는 삶을 살아가는 도중에 종종 기대와 다른 결과에 놀라기도, 억울한 일로 화나기도, 때론 슬픔에도 빠집니다. 하지만 정신력이 강한 사람은 빨리 회복하는데, 여기에는 오랜 내공으로 다져진 회복력이 있다고 합니다.

《하버드 비즈니스리뷰 멘탈수업》이란 책에서 마틴 셀리그만은 회복력을 높이기 위해서는 원인 지향적인 사고에서 적극적이고 반응 지향적인 사고로의 전환이 필요하다고 하였습니다.

즉 이 일이 이렇게 된 원인의 범위나 영향을 따지기보다 다음에 발생할 일과 관련하여 내가 긍정적인 영향을 줄 수 있는 일이 있는가? 어떻게 하면 상황의 부정적 측면을 억누르고 현재로서는 보이지 않는 긍정적 측면을 만들어낼 수 있을까? 이 문제를 해결하려면 무슨 일부터 해야 할까? 등의 사고를 함으로써 혼란의 상태에서도 기회를 발견할 수 있다고 하였습니다. 원인 지향은 비난을 먼저 하지만 반응 지향은 해결책을 모색하게 됩니다.

기업의 리더나 전장의 지휘관들이 극한의 힘든 상황 속에서도 스트레스를 이겨내고 성과를 내고 더 강하게 다음의 도전을 열망하도록 이끈 것은 역경을 받아들이는 그들의 마음가짐입니다. 이들은 스트레스와 회복력의 사이클을 통제할 수 있는 어떤 마음가짐을 지녔을까요? 이미 일어난 일을 바꿀 수는 없습니다. 다만 자신이 통제할 수 있는 것, 즉 지금 벌어진 상황에서 자신이 처리할 수 있는 실질적인 문제에 집중함으로써 위기를 극복해나가는 것입니다. 이러한 역경의 극복 경험이 자산이 되어 이전보다 훨씬 성숙한 능력을 발휘할 수 있게 됩니다.

우리가 잘 알고 있는 독일 철학자 쇼펜하우어는 사람의 인생은 고통과 비참함 그 자체라고 하였습니다. 생명은 욕구가 늘 생기니 고통이요, 욕구를 채워서 고통이 사라진다면 행복이 오는 게 아니라 무료함이 생기고 또 다른 욕구가 생긴다고 하였습니다. 그러므로 피할 수 없는 고통이나 근심이라면 담담하게 받아들이고 마주해야 한다고 하였습니다. 그래야 성장하고 고통을 행복으로 전환할 수 있다고 하였습니다.

한편, 상대에 대해 능력 수준에 맞지 않게, 혹은 합리적 이유 없이 잘할 거라고 기대하지 않는 것이 맑은 정신을 기르는 데 유익합니다. 한마디로 기대를 접는 것이 자유롭고 행복한 삶을 사는 데 필요한 자세입니다. 동료 직원들에게도 공연히 어떤 기대를 품지 않는 것이 좋습니다. 그리고 자신에 대한 기대치도 자신에 삶의 목표에 맞게 조정할 필요가 있습니다. 즉 자녀, 가족, 친구 등 타인의 기대치에만 맞춰 피곤한 삶을 살아온 것은 아닌지 자신을 돌아볼 필요가 있습니다.

왜 하필 내게 이런 일이 생겼냐면서 자신과 타인에게 짜증 내고 툴툴대는 것은 그야말로 부질없습니다. 인생의 주인은 자기 자신인데 주인이라면 남 탓을 하지 말아야 하겠습니다.

세계적으로 존경받는 심리학자인 웨인 다이어는《인생의 태도》책에서 우리의 모든 것(성공, 행복 등)은 태도에 달려있다고 했습니다. 내 인생은 내가 선택한 결과이며 자신을 믿으라고 했습니다. 학교의 리더로서 커다란 과업을 수행할 때 스트레스를 받는 것은 어쩌면 당연합니다. 이를 어떻게 이겨나갈지 스스로 동기를 생각하고 목표 달성의 순간을 그려보면서 차근차근 대응해 나가길 바랍니다. 그러면 긴장감을 느끼면서도 일하는 즐거움을 느끼는 묘한 경지까지 닿을 수 있습니다.

인재를 알아보는 안목

인간의 본성

인간이 사회생활을 하는 데 있어서 피할 수 없는 것이 인간관계입니다. 리더는 상하 간에 좋은 인간관계를 맺으며 인재를 발굴하여 조직의 목표를 위해 함께 전진해 나가야 하는데, 이때 사람을 알아보는 안목을 지닐 것이 요구됩니다.

인간은 생각보다 비합리성을 띠고 있어서 누가 옳은 일을 했더라도 자신이 손해를 보면 별로 좋아하지 않습니다. 나의 명예를 훼손했든지 나의 기회를 선점해서 가져갔든지, 어쨌든 내게 손해를 입힌 자를 쉽게 용서하진 않습니다. 사람들은 모두 자기가 대체로 잘났다고 생각하며 타인이 나를 어떻게 보는지 늘 신경을 쓰며 살고 있습니다.

인간이 불완전하다는 것은 본성적으로 자기가 받은 은혜는 금방 잊고, 타인이 자신에게 끼친 나쁜 점만 기억하여 서운해하기 때문입니다. 이런 점을 생각할 때 인간을 어떻게 이해할 수 있는지, 쓸 만한 인재를 알아볼 수 있는지가 중요해졌습니다.

인간은 아주 원시시대부터 모여 살면서 상대를 알려고 엄청나게 시간과 에너지를 들여서 탐구해왔습니다. 상대가 우선 적인지 내 편인지 알아야 하고 나와 비슷한 생각을 지닌 자인지, 나를 이용하려거나 타도할 상대로 여기는지 끊임없이 상대의 의중을 알아내야만 생존할 수 있고 번영할 수 있었기 때문입니다.

인간은 부족 성향의 생명체로, 기회만 생기면 언제든 집단을 이루어 다른 집단과 경쟁을 벌이려 합니다.[10] 이른바 '정치적 부족주의(tribalism)'가 생기는 이유입니다. 그래서 정치·사상의 동류의식은 각종 단체, 결사의 분화로 이어지고 인간 본성상 사라지지 않을 것입니다. 수많은 정당과 그 파벌을 비롯해 교총과 전교조(교사노조), 한노총과 민노총, 한변과 민변 등은 정치·사상 성향 차이로 인해 분화된 대표적인 단체입니다. 겉모습은 교직자단체요, 노동자단체, 변호사단체지만 결국은 내적으로 분화하여 다른 정치적 성향을 띤다는 것을 알 수 있습니다.

짧은 시간에 겉으로 드러난 언행만 보고 사람을 믿지 말아야 합니다. 충분한 근거 없이 믿는 것은 더욱 안 됩니다. 인간 본성은 타인에게 완전한 신뢰가 쌓이기 전까진 서로 가면을 쓰게 마련입니다. 상대의 성격, 습관, 포부, 가치관 등을 잘 알고 나서야 비로소 그가 한 말이나 행동을 비교적 정확하게 해석할 수 있게 됩니다.

인간은 자기의 부정적인 행동을 설명할 땐 자기가 당시 처했던 상황을 최대한 자세히 말하면서 그렇게 행동할 수밖에 없었노라고 이해를 구합니다. 하지만 반대로 다른 누군가가 어떤 행동이나 말을 했을 때는 그런 상황이나 전후의 맥락은 중요하게 판단의 요소로 삼지 않고 그저 개인적 기질이나 가치관을 들어 쉽게 판단하고 공격하는 이중성을 드러냅니다.

즉 나한테 한없이 너그럽고 남에게 엄격한 것이 바로 사람의 평판에 대한 기본적인 행태이자 본성인데 한마디로 '내로남불(위선자)' '아시타비(我是他非)' 현상입니다. 이 현상은 진화·생존해온 인간의 본성 속에 깊숙이 뿌리박힌 자신과 성향이 다른 사람에 대한 두려움과 불신이 그 원인이 아닐까 생각합니다.

편집과 맥락

우리가 무엇을 알려고 할 때는 우리 내부에 도사리고 있는 편견에 의해 사실적 내용이 왜곡되지 않도록 해야 합니다. 또 어떤 사실을 전해 듣거나 보도를 접할 땐 화자의 말만 듣지 말고 생략된 '맥락'을 읽으려고 노력해야 합니다. 그래야 제대로 내용을 파악할 수 있습니다. 요즈음 가짜뉴스가 많이 생산되고 있음은 우려할 만합니다. 특히 편집의 기술이 정교해져서 맥락을 숨기고 의도를 갖고 편집하면 당사자가 실제 이야기한 것도 전혀 다른 이야기로 창조되는 사례가 상당합니다.

어떤 인물이나 사건의 평가엔 대개 빛과 그림자가 있습니다. 어디다 초점을 두느냐에 따라, 즉 어떻게 편집하느냐에 따라 기획 의도를 달성할 수 있습니다. 방송이나 언론 보도는 '기획'이라는 시각에서 사실적 내용을 가지고 확대, 축소, 초점화 등을 통해 생산자의 입맛에 맞게 가공하여 세상 사람들에게 내놓는다는 점을 꼭 알아야 할 것입니다. 그래서 미디어 기술이 발달할수록 진정한 '사실(fact)'을 찾기란 더 힘들어졌습니다.

어떤 뉴스 보도를 접하고 드러난 것 그대로만 믿어서는 안 될 일입니다. 다중 정보원으로부터 교차 검증함으로써 정확한 사실을 알아내는 것도 리더의 중요한 능력입니다. 오래전에 필자가 대입 수능 감독관으로 갔던 고등학교에서 생긴 일이 떠올랐습니다. 수험생이 시험장으로 오는 길에 교통사고로 늑골에 금이 가는 중상을 입었는데, 이를 보도한 M 방송국은 당일 저녁 뉴스에서 본인의 의지에 반해 "감독관이 시험포기서에 서명하라는 말을 했다."라며 그 부분만 자막 처리하여 방송하였습니다. 학생 본인과 보호자의 동의를 얻어서 신체상의 안전을 우선 고려하여 그리 한 것이었는데도 그런 사실은 아예 제외하고, 인터뷰 내용 중 해당 부분만 선택적으로 발췌, 편집해서 내보낸 것입니다.

사람은 알기 어렵다

리더는 자기가 관리하는 소속 직원들을 잘 알기 위해 기회가 있을 때마다 대화나 관찰 등을 통해 신중히 접근하려는 자세를 가져야 합니다. 그의 말과 행동을 보고 바로 판단하려 하지 말아야 합니다. 그의 긴 인생을 어찌 한순간의 대화나 만남으로 파악할 수 있겠습니까? 하지만 그의 누적된 과거의 언행을 잘 파악하면 어떤 사람인지 대체로 알 수 있습니다. 현재 그가 하는 이야기에 무의식적으로 담긴 표현을 읽어내는 기술도 필요합니다. 사람은 아무리 꾸며서 이야기를 한다 해도 미세하게 드러나는 표정과 목소리, 근육의 떨림은 숨길 수 없습니다. 이렇게 하여 상대에 대한 정보가 차곡차곡 쌓이면 신뢰할 수 있는지 알아낼 수 있다고 합니다.

교장실엔 이런저런 일로 외부 사람들이 가끔 방문하기도 합니다. 구청 관계자나, 의회 관계자, 학부모, 사업자, 교육청 관계자, 타교 교원 등 여러 사람이 방문합니다. 대부분 처음 만나는 사람들이라 그들의 성격, 습관, 의지를 알 수가 없으므로 대화할 때는 항상 겸손하게 대하고 언행에 조심스러워야 합니다.

한편, 사람들은 자기가 심사위원이 되어 면접을 보면 그가 좋은 사람인지 어떤지를 가려낼 안목이 있다고 자신합니다. 예부터 인물을 고르던 신언서판(身言書判)을 기준으로 사람을 알아볼 수 있다고 하는 말이지만, 매우 조심해야 할 대목으로서 어떤 연구 사례가 있는데 다음과 같습니다.

어떤 판사가 재범의 우려가 없는지 사람을 직접 대면하고 나서 질문을 통해 표정과 태도 등을 종합적으로 판단하여 보석 허가를 내주었는데, 대면하지 않고 과거의 범행경력만을 파악 후 보석 여부를 결정한 AI보다 못한 결과를 냈다는 사례가 있었습니다.[11] 이는 재판부가 믿어야 하는 것은 확실한 물적 증거이지 사람의 진술이 아니라는 것입니다. 사람은 거짓 진술하는 게 능숙하므로 그의 말을 그대로 믿어서는 안 된다는 것을 확인해준 좋은 예입니다.

사람이 하는 언어는 신의가 없는 자라면 거짓말을 밥 먹듯이 하기에 신뢰할 수 없습니다. 그런데도 많은 사람이 사기를 당하는 것은 인간의 뇌의 기본값이 사람을 믿는다는 것에 있다는 것입니다. 이 말은 말콤 글래드웰이 그의 저서 《타인의 해석》에서 여러 사례를 들며 주장한 것입니다. 한 예로, 제2차 세계대전이 일어나기 전에 영국 수상 체임벌린은 히틀러를 모두 세 차례나 만나고 나서도 히틀러는 절대로 전쟁을 크게 일으킬 인물이 아닐 것이라고 말했습니다.[12] 사람을 직접 몇 차례 만나고도 올바른 판단을 하지 못했다는 것은 인간은 상대가 가면을 쓰고 의도를 숨기는 위장에 잘 속아 넘어가는 존재임을 알게 해줍니다.

언젠가 교내 교육복지 대상 학생을 위해 전문상담사를 채용해야 하는데 교감으로서 자신감 있게 심사를 맡았습니다. 서류전형보다 면접을 중시하여 질문과 대답을 통해 적합한 사람을 알아볼 수 있다고 자신하였으나, 뽑고 난 이후에 1년간 경험해 본 결과 사람을 제대로 알아보지 못하고 뽑은 걸 후회한 적이 있었지요. 면접을 중시하고 제출한 서류의 과거 경력을 소홀히 여긴 것이 한 원인이었습니다. 막힘없이 말을 잘했다거나, 미소 띤 얼굴, 목소리 등으로 섣불리 판단하는 것은 현명하지 않은 태도입니다.

이처럼 리더가 새로 어떤 인사를 초빙해오거나 보직을 임명할 때 제대로 축적된 상대방의 언어, 행동 관찰이 뒷받침되지 않았을 때는 주의가 필요합니다. 시간을 두고 꾸준히 기록된 믿을 만한 데이터를 근거로 판단하여야 하고, 그의 인상이나 기타 태도로만 평가해서는 후회할 수도 있습니다.

직장 생활 중 그저 보거나 들은 것만 가지고 상사나 동료를 판단하는 것은 조심해야 합니다. 한정된 공간에서 1~2년 정도 겪어보고 그를 안다고 하는 것은 다소 섣부른 일입니다. 차라리 잘 모르겠으면 '그는 어떻다'라고 말하지 말고 그냥 두고 지내는 편이 훨씬 낫습니다. 시간이 지나면 다른 일들로 인해 그 사람의 진짜 모습이 자연스럽게 드러납니다.

사람은 태어날 때부터 교육해야 인격을 지닌 인간이 됩니다. 어쩌면 인격이란 타인에게 어떻게 보이는가를 염두에 둔 언행이라고 볼 수 있습니다. 인간은 본디 사회적 존재인 관계로 타인에게 해를 끼치지 않고 규칙을 지키며 사회생활을 잘 하는 것이 곧 인격을 수양하는 것이죠.

이렇게 보면 인격은 나를 위한 것이 아니라 타인과 좋은 관계를 맺기 위한 것입니다. 그러다 보니 우리는 남들이 나를 어떻게 보는 가에 무척 신경을 쓰면서 살게 되었습니다. 특히 조직에 필요한 인재를 구할 때는 그가 성실하고 정직한 사람인지 살펴보게 됩니다.

조직이 원하는 인재의 선발은 그 조직이 필요로 하는 인재의 요소를 추출한 후 그것을 평가할 수 있는 방식으로 뽑아야 합니다. 필기시험이나 실기시험, 면접으로만 한 인간을 제대로 평가해 낼 수는 없는 것입니다. 그래서 수습제도를 두기도 한다지만 결국엔 인성과 역량을 잘 배분하여 선발하는 기술이 개발되어야 할 것입니다. 앞으로 AI가 이 기술을 어느 정도 보완할 수 있을지

기대해보기도 합니다.

좀 더 사람을 제대로 알기 위해서 하는 일 중 하나가 전 직장이나 전 동료를 통해 평판을 조회하는 것입니다. 몇 년간 같이 일해본 전 직장의 동료에게 그 사람이 어떤 사람인지 물어보거나 설문을 통해 알아보면 됩니다.

그중에서 가장 좋은 답변은

"그 사람은 참 성실한 분이에요."

"그 사람은 정직하고 매사 열심히 하는 분입니다."

이런 사람은 일단 좋은 사람으로 봐도 되겠습니다.

"그분 참 똑똑해요. 능력 있고요. 야망도 있습니다."

이런 답변보다 우선하는 것이 그 사람의 성실성과 정직성을 표현한 말입니다. 그런데 '성실과 정직'이 빠진 답변은 그냥 인사치레라고 보면 대개 맞습니다.

필자가 재직 시 사람을 볼 때 제일 먼저 보는 것이 그 사람은 매사를 대할 때 긍정적인가 부정적인가입니다. 업무 능력이 뛰어나도 평소 언행에서 불평불만이 많으면 후순위로 둡니다. 그가 주위 사람들을 부정성으로 물들일 수 있기 때문입니다.

다음엔 그가 정직한가입니다. 얕은꾀나 속임수로 위기나 실수를 모면하려는 자도 제외합니다. 조직의 리더로서 능력 부족보다는 인성(품성)이 결여된 자가 더 안 좋습니다. 능력 부족은 노력하여 키워갈 수 있습니다. 하지만 인성이 안된 자를 경력관리 해주어 조직의 최고 리더로 성장시키면, 그로 인해 전체가 고통을 겪을 수 있으므로 경계하여야 합니다.

축적된 교육 리더십

교육 설계 핵심역량

학교 리더는 교사 시절부터 학급이나 단체 같은 작은 조직을 이끌었던 다양한 경험을 바탕으로 매 과정에서 기획, 준비, 실행, 조정, 평가 등의 기술(skill)을 축적함으로써 교육 설계 핵심역량을 키워왔습니다.

학급 수준이나 학년 수준이든 교육을 설계할 때는 이 설계의 수혜자가 누구인지를 염두에 두고 그 대상자가 프로그램에 자유롭게 참여하거나 안 하거나 선택할 수 있도록 기회를 부여함이 중요합니다.

예를 들어 참여를 통해 긍정적인 습관을 기르도록 하는데 주안점을 두었다면, 참여 시 이를 강화하도록 보상을 주고, 불참하였을 시는 피드백을 주거나 적절한 반성을 하게 합니다. 결국에는 본인이 참여할 때 이롭다는 것을 알게 하는 것이 교육적으로 대단히 중요한 설계 전략입니다.

만일, 이처럼 선택할 여지를 두지 않고 강제성을 띠거나 '알아서 해라' 한다면 교육적 성과를 거두기 어렵습니다. 혹 억지로 참여하더라도 지속하기 어렵습니다. 그러므로 수요자의 선택과 참여로 성과를 창출하도록 만드는 힘, 이게 바로 인간의 본성, 심리를 고려한 교육 설계의 핵심역량이라고 말할 수 있습니다.

교육의 실행과 평가, 피드백은 일련의 과정으로서 설계가 들어갑니다. 설계는 그 목적을 달성하기 위한 수단으로서 과학적 합리성과 공정성 실현에 매우 심혈을 기울여야 합니다.

예를 들어 어떤 학교에서 자유로운 경쟁을 통해 인재를 선발한다고 할 때, 공정성 확보를 최우선으로 설계하여야 합니다. 만일 역량, 자격이 부족한 자가 부모의 경제력이나 권력 등을 이용하여 '끼어들기'를 방치한다면 문제입니다. 또 심사 방법이 어느 쪽에 치우쳐서 불공정이 의심되면 신뢰를 잃게 되고 해당 학교의 선발 체계의 권위도 추락하게 됩니다.

아울러 교육은 자체의 원리와 인간 본성의 법칙에 근거하여 설계되어야지, 정권의 성향에 따라 필요한 인간 유형을 창조하기 위한 수단으로 설계되어서는 안 됩니다.

우리가 초저녁 한국의 하늘에서 보는 초승달의 모습도 같은 시각 남반구의 호주에서 볼 때는 그 모습이 그믐달처럼 거꾸로 보입니다. 이 점을 분명히 이해한다면 다양한 관점에서 사물이나 현상을 바라보는 것이 객관적 실체나 사실에 가까이 다가갈 수 있음을 알게 됩니다. 따라서 학교 리더들은 학생 교육을 설계할 때 편향적 시각을 의도적으로 탈피하여 여러 각도에서 비춰서 객관적이고 보편성을 확보하도록 노력하여야 하겠습니다.

열린 리더십

학교에서 경력 있는 교무부장, 교감은 학교경영의 중간 리더로서 학교장을 보좌하여 학교경영에 실질적으로 참여하는 중핵입니다. 그들이 경험하는 학교 교육 설계와 관리역량 축적은 최고 리더의 준비과정으로서 중요합니다. 하지만 이들은 중간 관리자로서 많은 사람을 만나므로 자주 분주하고 매일매일 쌓인 일들을 처리하느라 여유가 별로 없습니다. 식사도 제때 챙기지 못할 만큼 실시간으로 밀려드는 일로 몹시 바쁘고 스트레스도 엄청납니다. 자칫하면 위장계통에 문제가 생기거나 탈모도 생깁니다.

교감은 교사들과 학부모의 민원도 처리하기 때문에 인간관계 관리 자체에서 오는 피로도는 상당히 높습니다. 이를 조금이나마 완화하려면, 자신만이 옳다고 하는 자세를 내려놓아야 할 것입니다. 이로써 상대방의 협력을 얻어서 상생하는 가운데 소기의 목적을 달성할 수 있습니다. 또한 인사나 행정사무 시엔 관련 규정이 있으므로 이를 주의 깊게 처리함으로써 억울한 사례가 발생하지 않도록 조심해야 합니다.

일상에서 조바심을 내려놓고 의식적으로 여유를 가지려고 노력해야 합니다. 사무실에서 어떤 일로 머리가 지끈거릴 정도로 아프다면 책상을 가볍게 정리한 후 바깥으로 나가서 몇 바퀴 돌면서 머리를 식히는 시간을 가지는 것도 좋습니다.

중간 리더로서 업무설계 역량을 쌓으려면 피드백이 중요합니다. 반드시 객관적인 시선으로 계획이나 결과에 대해 진솔한 피드백을 달라고 요청해야 합니다. 이때 자신과 다른 시각이 있음을 알아차리는 것은 깊이 있는 경험을 축적하는 데 유용합니다.

교감의 리더십 공부 중에서 가장 중요하다고 보는 것은 상하 간에 원만하고 신뢰가 있는 인간관계 형성입니다. 조직의 성공은 좋은 인간관계를 유지함으로써 가능하기 때문입니다. 그러려면 겸손한 가운데 자신감을 발휘하는 균형 있는 감각이 필요합니다. 리더가 겸손하면 언행에 그게 자연히 묻어납니다.

필자도 지난날 때로는 실수한 부분이 있었지만, 교감 중에는 간혹 자만심에 빠져서 꼼꼼히 조심스럽게 일하는 버릇을 들이지 못한 경우가 있습니다. 최고 책임자인 교장의 리더십을 존중하고 그를 도와 조직이 성공을 이루려고 노력해야 하는데 상사가 자기 의견과 맞지 않으면 비협조적인 분도 더러 있습니다. 자신이 교장보다 더 올바르게 처신하고 있다는 생각을 내려놓지 않으면 교감으로서 성공하기 어렵고, 그 후유증은 자신이 교장이 된 후에도 이어진다는 점을 명심하였으면 합니다. 평소 교장의 스타일을 잘 읽어내고 그가 경영에서 성공할 수 있도록 적극적으로 돕는 걸 핵심 역할로 인식하여야 합니다.

교장이 깐깐한 업무 스타일이든지 너그럽거나 우유부단한 업무 스타일이든지 상관없이 열린 리더십을 발휘하여 교장이 성공하고 조직이 성공할 수 있도록 보좌하여야 합니다. 교장의 관심사, 전문 기술, 단점을 잘 알고 이에 적합한 보좌체계를 갖추도록 노력하여야 합니다. 우선 교장의 정확한 의도를 알려고 노력하여야 하며, 의사결정 시 판단의 정보가 부족하거나 감정적으로 흐를 때는 그르치지 않도록 잘 보좌하여야 합니다. 교장의 리더십이 자신과 맞지 않는다고 공격적인 언행을 한다든가 공개적으로 비난하는 행위는 매우 잘못하는 것이며, 언젠가 아랫사람들로부터 되돌려받게 됨을 알아야 합니다.

간혹 교장의 지시 중 본인이 힘든 역할을 맡아야 하는 것을 은근히 지연시키며 태만하게 처리하는 분도 있습니다. 그런데 지금의 교장도 지난날 그런 어려운 일을 수행했다는 것을 알아야 합니다. 상사와 서로 다른 업무 스타일을 받아들이고 함께 일할 수 있어야 조직에서 큰일을 맡아 할 수 있습니다. 교장도 인간이므로 늘 시간 상황, 목표, 우선순위, 스트레스, 강점, 약점이 있을 수 있습니다. 이러한 것들을 이해하면서 선호하는 스타일을 알고 이에 맞추어가는 것이 인정받고 성장해나가는 길입니다.

교감 등 중간 리더는 교장의 지시라든지 업무상 협의 과정에서 자존심이 상처를 입더라도 이를 극복하며 성과를 내려고 노력하여야 합니다. 감정을 추스르지 못하고 교장에게 시시비비를 가리자고 하는 행동은 매우 위험하니 조심해야 합니다. 훗날 결정적인 순간에 도움을 받지 못하여 어려움에 빠질 수 있습니다.

현장에서 교사들의 고충을 함께 공감하고 스트레스를 이해하고 이를 풀어주려고 노력하며, 긴장 속에서도 유머를 잊지 말아야 합니다. 혹 그들이 실수하든지 실패하더라도 그 책임을 함께 지려는 자세로 그들을 포용하여야 합니다. 자신은 교장과 교사를 연결하는 교량 역할을 해야 함을 잊어서는 안 됩니다.

성과 리더십

교장은 법령에 기반하여 자율성을 갖고 학교경영을 해나가야 하며 학생 교육의 성과에 책임을 져야 합니다. 성과에 책임을 지기 위해서는 자신의 취약성에 대해 겸허히 인정하고 이를 보완할 참모조직을 우수한 자들로 채워야 할 것입니다. 학교장 책임제에서 참모들과 함께 일할 때는 겸허하게 그들을 존중하는 자세로 임해야 성공할 수 있습니다. 참모를 수족이라 생각하지 말고 역량을 발휘할 수 있도록 큰 자율성을 부여해야 합니다.

여기서 한 가지 중요한 점을 말씀드리고 싶습니다. 의사결정권자로서만 행동하려고 하지 말고 그 의사결정이 제대로 합리성과 성공을 보장할 수 있도록 의사결정에 이르는 과정의 설계를 촘촘히 해두자는 것입니다.

그 방법은 다양한 선택지를 보장하고 다른 시각도 제시할 수 있는 분위기를 만들어야 합니다. 그 과정에서 반대쪽의 이야기도 경청하고 이해관계자의 우려를 해소하면서도 목적을 달성할 수 있도록 최선을 다해야 합니다. 미리 의제를 공개해 시간을 두고 검토할 수 있도록 절차적 공정성도 확보하여야 합니다. 또, 시간에 쫓기듯 결정하지 말고 충분히 숙고하여 처리하여야 합니다. 아울러, 결정 후 실행과정에서 융통성을 발휘해서 결정한 바가 성공으로 이어지도록 유연하게 대처하여야 합니다.

교장의 역할은 배의 선장과도 같습니다. 선장은 목적지까지 가는 길에 있어서 항로를 결정하고 배의 속도를 조절하며 어디에

정박하여 며칠을 머물 것인지를 결정해야 합니다. 늘 배의 안전에 대해 점검하고 선원들의 안전과 승객이 최상의 상태로 여행할 수 있도록 지혜, 용기를 발휘하여야 합니다.

어떤 일이든 경험한 만큼 보입니다. 우리의 뇌가 인지하지 않았을 때는 봐도 보이지 않지만, 관심의 대상이 되면 보려고 하고 알려고 합니다. 그렇게 해서 한 번 알게 되면 언제나 그게 보이게 됩니다. 경험의 축적은 순간의 판단을 정확하게 이끕니다.

교장이 되기 전까진 학교 교육과정 편성이나 인사 등은 다 해보았겠지만, 학교의 건물 유지 보수, 각종 시설의 보수와 환경개선, 예산 확보, 세출예산 편성 및 집행 등에 있어서는 경험이 부족할 겁니다. 행정실장의 보좌가 있겠지만 무엇을 어떻게 할 것인지 목표와 방향성 결정은 교장의 몫입니다. 그래서 이 분야에 대해 폭넓게 공부하고 가능한 한 실제적 경험을 축적하여야 하겠습니다. 적어도 교장 자격연수 이후부터는 이 영역에 관심을 두고 적극적으로 공부하면 좋겠습니다.

말콤 글래드웰도 《아웃라이어》에서 복잡한 업무를 수행하는데 필요한 탁월성을 얻으려면 어느 신경과학자가 제시한 "1만 시간의 법칙"이 적용된다고 분석하였습니다. 즉, 뇌 또는 몸이 약 10년간 반복된 연습으로 최상의 경지에 오른 것입니다. 물론 재능의 정도에 따라 조금 다르겠지요. 엔절라 더크워스도 그의 책 《그릿 GRIT》에서 타고난 재능에 열정과 끈기로 노력의 시간을 곱한다면 위대한 성취를 이룰 수 있다고 하였습니다.

2015년 3월에 서울의 구로구 Y초등학교에 교장으로 발령받았습니다. 이때면 이미 학교 교육과정이라든지 교직원의 조직이라든지, 예산이라든지 하는 것들은 이미 전임자가 모두 다 해놓은 터라 우선은 실행하면서 학교 실정도 살피고, 서서히 학교경영 구상을 하기로 하였습니다.

초·중등교육법 제20조에 "교장은 교무를 총괄하고, 민원 처리를 책임지며, 소속 교직원을 지도·감독하며, 학생을 교육한다."라고 기술하고 있습니다. 교장의 법적인 책임을 알 수 있습니다. 교무(校務)를 총괄함은 학교의 사무를 모두 관장한다는 의미이므로 시설환경 정비, 예산 편성, 담임 배치부터 교무 분장, 보직교사 임용, 기간제교사 채용 등 교육활동을 펴기 위한 여건을 만드는 것에서부터 교직원의 복무 관리를 하며 근무 성과에 대해 평정하는 것까지 모두 교장의 책임하에 있다는 것입니다.

경영계획을 세우기 전에 우선 갖추어야 할 것이 있으니 자신에게 알맞은 경영관을 세우는 일입니다. 실제로 자신만의 경영관을 세우는 일은 정말 어려웠습니다.

당시에 필자는 10년 넘게 프랭클린 플래너를 쓰면서 중요한 구상을 메모하거나 기록해두는 습관을 지니고 있어서 필요시 기록했던 이전 자료를 참고하며 생각을 정리해 나갔습니다.

하지만 1년을 지내면서 학교 사정을 어느 정도 알았다고 해서 좋은 경영관이 나오는 것은 아니었습니다. 교육철학과 경영에 관한 이론서를 많이 읽고 자신에게 알맞은 경영관을 찾아야 합니다. 다행히 사는 곳 인근에 큰 문고가 있어서 시간 날 때마다 방문해서 마음에 드는 경영 관련 서적들을 찾아 구독하였습니다.

이런저런 책들을 읽어가는 가운데 그 책에서 주장하는 것들과 실제 필자가 학교경영에서 느끼고 보는 일들이 서로 어떻게 연결되는지 가늠해볼 수 있었지만, 딱히 이거라고 하는 것은 1년이 다 가도록 손에 잡히지 않았습니다. 오히려 이것도 좋고 저것도 좋다는 식의 혼란함이 끼어들었던 것 같습니다. 나름대로 경영에 대한 구상이 생긴 것은 2년 차 늦가을이 다 되어서였습니다. 마침내 조직사회 속에서 어떤 역할을 해나가야 하는지 머릿속으로 어렴풋이 정리할 수 있었습니다.

경영관 수립에 가장 영감을 준 책은 경영학의 대가 피터 드러커의 경영관이었습니다. 그의 경영관을 한마디로 표현한다면 '일을 통해 조직에 책임을 지고 인간과 사회에 공헌한다.'라는 것입니다. 어느 조직이나 그 조직이 필요로 하는 것을 이해하고, 그 조직의 존재 이유에 대해 분명히 대답하며 성과를 거두는 일, 그로 인해 인간 사회에 공헌하는 것이 경영의 참 의미라는 것입니다. '일을 통해 책임을 지고 공헌한다.'라고 하는 간결하고도 의미 있는 경영관을 얻어서 매우 기뻤습니다.

이와 함께 학교조직에 적용한 경영관은 가치관 경영이었습니다. 이는 어떤 일을 하면서 그 의미를 지니게 하는 것이 대단히 중요하다는 것입니다. 예컨대 아이들을 교육하는 일에 종사하는 교사의 경우, '나는 아이들을 가르치는 일을 한다.'라는 가치관보다는 '나는 학생의 재능을 발견하고 행복한 삶을 살도록 책임 있게 가르친다.'라는 가치관을 갖고 일하면 더욱 보람을 가질 수 있다는 의미로 이해하면 되겠습니다.

이순신 장군을 흠모하여 수십 년을 장군의 리더십에 대해 연구했던 전 헌법재판소 재판관 김종대는 저서 《여해 이순신》 머리글에서 장군이 수년간 무과를 준비하면서, 그 후 급제하여 공직자의 삶을 살면서, 전쟁 중에도 지키고자 했던 일종의 군인으로서의 가치관을 다음과 같이 정리하였습니다.

'제힘으로, 오직 바른길로, 지극한 정성으로, 충만한 사랑으로 바다를 지켜 나라를 구한다.'

그는 또 충무공의 삶을 관통하였던 인생관이었던 '일이 있기 전에는 철저한 준비를 하고, 일을 당해서는 죽기로써 전념하며, 일이 끝나면 결과에 담담하자'라는 내면의 가치관 세계를 분석하고 이러한 가치관이 왜적과의 전쟁에서 승리의 원동력이었다고 밝혔습니다. 이처럼 한 사람의 가치관은 그의 직업에서 성공을 좌우할 만큼 끼치는 영향이 매우 크다는 걸 알 수 있습니다.

학교경영의 최종 수혜자는 학생들이 되어야 합니다. 물론 교직원 등의 성장도 중요하지만, 경영의 최종 목표는 학생의 학업성취를 비롯한 인성교육 등 올바른 성장에 초점을 맞춰야 합니다. 이것이 교장의 성과 리더십의 핵심입니다.

어떤 교육 프로젝트가 있다고 하면 학생 시각에서 의미 있게 설명되어야 하는데, 때로 교직원의 입장을 먼저 고려하다 보면 학생들에게 의미 있는 경험으로 연결되지 않을 수가 있으므로 이러한 가치의 균형을 생각하며 결정하는 게 바람직합니다.

제6장
학교 진화를 위한 통찰력

지금 아이들의 마음은 불안하고, 교실은 붕괴하고 있습니다. 학교는 공부하는 본연의 모습으로 돌아가야 합니다. 학교 교육활동에서 공동체 역량과 놀이문화, 엄격하게 가르치기, 참고 기다리는 힘과 효예에 기반한 인성을 길러주어야 합니다. 현실의 수요에 맞게 교육법령과 제도의 진화가 이루어지길 바랍니다.

학교가 위태롭다

아이들의 생활이 불안하다

학생들이 학교에 와서 공부할 때 지적 호기심을 충족시키면 학습에 일부 즐거움을 느끼지만, 대부분 배움의 과정은 지루하며 하기 싫은 것도 해야 합니다. 일찍이 문해력을 키우며 독서를 습관화하지 않으면 점점 더 공부하기 싫어하게 됩니다. 결국엔 혼자서 하는 자기 주도적인 공부을 하지 못하게 됩니다.

그렇게 되면 읽고 말하기, 쓰기, 셈하기 등 3R을 하지 못하는 학습부진아가 되어 성장은 더디게 됩니다. 나아가 타인과의 협력, 의사소통, 비판적 사고력, 창의성 발휘를 하지 못하여 21세기에 필요로 하는 사회인으로서의 역량을 제대로 갖추지 못하게 되어 은둔하는 외톨이가 되거나 하류 계층으로 전락할 수 있습니다.

지금의 아이들은 과거의 전통적 아이들보다 성장기에 상당한 자유를 누리고 있으나 정서적으론 매우 불안합니다. 많은 부모가 맞벌이하느라 아이를 훈육하거나 인성을 기르는 면에서 시간적, 육체적 부담을 덜고자 너무 일찍 아이들 원하는 쪽으로 양육합니다. 한 예로 초등 2, 3학년생 정도면 아이들이 원하는 스마트폰을 일찍 사주게 되는데 어떤 이유냐고 물어보면 위급한 상황일 때 사용하거나 부모하고 연락할 때 쓰려고 한다고 말합니다. 그때는 간단한 기능만 있는 기본 휴대폰을 사주면 될 것입니다. 스마트폰은 아동기에 현실 세계를 벗어나 또래와의 놀이활동을 차단하고 게임중독, 가상 세계 탐닉을 낳습니다. 또한 부모와의 대화도 차단하여 아이들을 망치게 됩니다. 아이들은 참을성을 기를 기회를 얻지 못합니다. 원하는 게 즉각 수용되지 않으면 떼를 쓰고 울고 욕하고 난폭하게 행동합니다.

이때 양육자가 냉정하게 대응하면서 교육적으로 아이를 가르쳐야 하는데 대부분 부모는 아이에게 지고 맙니다. 이와 반대로 부모의 뜻에 얽매어 하루 14시간을 학교와 학원 등에서 수동적으로 학업에 시달리는 학생도 적지 않습니다. 그들은 즐겁게 놀지 못하는 억울함과 성적 향상의 스트레스를 견디며 힘겹게 하루하루 살고 있습니다. 이들의 머릿속은 부모와 세상을 향한 원망으로 가득하겠지요. 신체적, 정서적으로도 사춘기라 불안감이 높아 반항의 심리가 솔솔 자라납니다.

이런 '반항 심리'를 키운 아이들은 학교에 와서 자기를 가르쳐주시는 선생님을 이기려고 합니다. 자기를 지도하는 교사에게 "왜요?" 하면서 대들고, 저항하기를 통해 그동안 쌓인 스트레스를 풀고 영향력을 넓혀나갑니다.

학부모는 이러한 자녀의 정신적 문제를 알고도 전문적 치료를 받기를 거절하면서 교실마다 몇 명이 면학 분위기를 오염시키는 실태입니다. 그러한 교실은 정신적 문제아로 인해 안전하지 않으며 학습권도 보장되지 않기에 점점 더 많은 초등학교, 중등학교에서 교실은 붕괴하고 있습니다.

어느 고등학교 여학생이 아버지뻘 되는 중년의 선생님에게 항의하는 모습을 다른 학생이 보고 동영상으로 찍어 커뮤니티에 올린 적이 있습니다. 그 내용은 해당 여학생이 수업 중 매점에 다녀온 행위로 생활 규칙을 어겼고 이를 제재한 교사에게 "저도 집의 귀한 딸" 운운하며 "절 왜 나무랐느냐?"며 항의하는 것인데 선생님에 대한 예의도 없고 자기의 잘못도 모르는 경솔한 태도가 몹시 거슬렸습니다.

많은 교사가 아이들을 존중하며 인격적으로 대하려고 노력하지만, 아이들은 교사의 이런 호의를 악용해 학교 현상은 교육의 선한 효과를 기대할 수 없는 수준에 이르렀습니다. 아이들은 사춘기 특유의 에너지를 마구 발산하면서, 수업 시간에 귀를 닫고 교묘한 장난으로 교사를 괴롭히고 친구들을 놀려 댑니다. 사춘기 애들이 원래 그렇다며 넘어가기에는 매우 위험한 수준에 와 있습니다.[13]

오늘날 학교에서 '교사'의 권위가 훼손되고 있습니다. 학생과 학부모로부터 교사의 권위 훼손은 예(禮)의 실종을 의미합니다. 선생님에게 조롱하고, 막말하고, 심지어 욕설과 폭력도 저지릅니다. 그러고도 반성하지 못하는 태도는 패륜이라고 볼 수 있는 망동입니다. 오랫동안 학교 교육에서 전승되어오던 사제지간의 아름다운 관계는 사라졌습니다.

초등 4학년 이상의 일부 교실은 시끄럽고 지저분하며 먼지가 많고 질서가 없습니다. 괴성을 지르는 아이들이 늘어났습니다. 이들의 교과서는 여기저기 뜯겨나가 있고 공책은 낙서장이며 필통의 연필심은 모두 부러져서 쓸 수가 없습니다. 쉬는 시간엔 난장판이 따로 없습니다. 책상과 의자는 줄이 맞지 않고 여기저기 어지러이 흩어져 있고, 아이들은 복도와 교실에서 크게 소리 지르며 뛰고 장난치고 있습니다. 보기만 해도 머리가 아픕니다.

이를 제지하는 선생님은 거의 없습니다. 그냥 못 본 체하거나 교실에서 다음 수업을 준비하며 짧은 10분 정도의 휴식을 취하려고 합니다. 얼굴에 여유는 별로 없고 반은 체념한 상태에서 하루를 보냅니다. 가끔은 힘든 교직을 그만둘 생각을 하기도 합니다.

필자는 2023년 서이초 교사 사건이 발생한 그해 여름 이후 이 문제를 유심히 들여다보았습니다. 교실이 왜 이처럼 붕괴하고 교사가 좌절하는지 그 원인을 나름대로 찾아보았습니다.

첫째, 진보 교육감과 평등 추구 세력이 합작하여 만든 학생인권조례가 가장 큰 원인이었다고 봅니다. 인간으로서 기본 권리를 존중하고 차별을 없애고 평등을 추구한다는 좋은 취지였지만, 미성숙한 아이에게 어른들과 같은 수준의 온갖 자유를 허락하고 훈련과 의무에서 책임을 제외한 것은 학교 규율을 무너뜨리는 독소가 되었습니다. 이런 환경에서 아이들은 무책임하고 무절제한 사람으로 자라게 됐습니다.

10여 년간 학생의 편에서 그들의 권리만 옹호하고 구성원으로서 책임을 묻지 않는 학생인권조례와 퍼주기식 혁신교육 정책은 학생이나 학부모를 교육의 주체이자 소비권리자로 인식하게 하였습니다. 학생이 인권침해 신고를 하면 인권옹호관이 현장 출동하여 조사할 수 있고, 이후 교사에게 경고, 징계 등 조치를 할 수 있습니다. 교사들에겐 두렵고 피하고 싶은 상황입니다.

둘째, 명확성이 부족한 아동복지법 17조 5호(정서적 아동학대) 규정은 학생과 학부모의 강력한 무기가 되었습니다. 이 규정으로 교단의 교사는 학생과 학부모의 형사 고소가 두려워 교실 내에서 벌어지는 문제 상황의 생활지도에 무력하였습니다. 일부 문제 학생은 교사를 조롱하였고 교권은 큰 상처를 입었습니다. 교실은 아이들의 해방구가 되어 질서는 마침내 무너졌습니다.

셋째, 성장기에 건전한 놀이 활동, 교류 학습 대신 과도한 스마트폰에 노출된 초중고 학생의 인성은 황폐해졌습니다. 특히 사춘기 학생들은 대면적인 사회화 과정을 경험하지 못하여 어른과의 관계가 단절된 채 비디오 게임, 포르노 등 가상 세계에 중독됩니다. 그 결과 우울증, 불안감이 생기고 사이버 폭력이 증가합니다. 타인에 대한 배려와 존중, 참여와 협력, 대화와 양보 등 원만한 사회적 인성을 기르지 못했습니다.

《학교는 망했습니다》를 쓴 박상수 변호사는 교사들을 위협하는 아동복지법 17조5호 정서적 학대 처벌 조항이 위헌이라며 헌법소원 심판청구를 했으나 헌법재판소에서 각하 처리되었습니다. 그는 지난 10여 년간 아동복지법상 정서적 학대 조항의 도입, 학교폭력예방법의 개정과 학교폭력 제도의 법제화, 변호사 수의 급증과 학교폭력 법률 분쟁 시장의 블루오션화 등 세 가지 요인이 완벽한 조화를 이루며 학교는 걷잡을 수 없이 붕괴의 길을 걷게 되었다고 주장하였습니다.[14] 이후 교육 관련 법 개정에도 불구하고 아동복지법의 '정서적 학대' 조항 부분은 교사들에겐 표식 없는 지뢰와도 같아 늘 마음이 불안합니다. 이 부분은 합리적으로 개정되어서 교사들의 근원적 불안을 해결해주어야 합니다.

2023년 말에 아동학대처벌법 개정 외에도 초·중등교육법 제20조의2(학교의 장 및 교원의 학생생활지도)가 신설되었습니다. 법령과 학칙이 정하는 바에 따른 교원의 정당한 교육활동과 학생생활지도는 아동복지법 제17조 제3호(신체학대), 제5호(정서학대) 및 제6호(방임, 유기)의 금지행위 위반으로 보지 아니한다는 내용입니다. 학생 인권과 교권은 양립이 가능할 수 있습니다. 하지만 상황과 맥락, 교육 원리를 무시하고 인권이 '먼저'라고 주장한다면 교육은 설 자리가 없을 것이고 교권은 침해받게 됩니다.

교권을 회복하려면 이제라도 학부모의 협조가 필수적입니다. 가정과 학교는 사랑을 바탕으로 교육하되 엄격하게 가르치는 자세가 필요하며 효예에 기반한 인성교육이 뿌리를 내리도록 해야 합니다.

가르치는 교사의 권위 부재는 교육의 황폐화를 초래합니다. 교육상 정당한 언행을 했는데도 교육활동 침해를 입었다면 피하지 말고 적절히 법적으로 대응해야 합니다. 교육청도 피해 교사를 적극적으로 지원해야 합니다. 학교 리더와 교사들의 굳은 의지와 연대가 필요합니다.

공부하는 교실이 돼야 한다

붕괴하는 교실을 멈추고, 학교가 학교다워지려면 어떻게 해야 할까요? 학교의 본질인 공부하는 교실이 되어야 합니다. 일부 학부모에게 학교는 돌봄이나, 친구들과 사귀거나 쉬는 곳이고 실제로 공부하는 곳은 학원이라는 잘못된 인식이 있습니다. 학부모는 담임교사에게 자녀의 학업성취 수준이나 진로에 대해 별로 상담하지 않고 그저 교우관계나 안전, 급식, 돌봄, 질병 예방 등 부차적인 것에 더 관심을 나타내는 실정입니다. 이는 학교가 인성을 기르고 공부하는 교육기관의 위상을 잃어버린 탓입니다.

퇴직 후 몇몇 학교 시간강사를 하면서 수업 후 단원 평가를 포함해서 수행평가를 치른 적이 있고 채점도 해보았습니다. 주요 특징은 학생들이 주관식 단답형 또는 서술형 문제를 해결하기 힘들어했습니다. 이는 어휘력, 문해력이 부족하기 때문이라고 봅니다. 다문화 학생의 경우엔 몇 자 적지도 못하고 빈칸으로 낸 것이 많았습니다. 이게 국어, 사회, 과학 등 많은 교과에서 연쇄적으로 일어나면 학습부진아가 됩니다.

문해력을 키워주려면 국어사전을 학생 개인별로 지참해서 어휘를 찾으면서 공부하던가, 교과서에 새로 나온 용어에 대한 설명을 표기해주던가, 교사가 사전에 어휘를 가르친 후 교과서를 가르쳐야 할 것으로 보입니다. 대개 교과서는 지면 제약 문제나 편집 구조상 용어, 핵심 개념 위주로 텍스트를 구성합니다. 그러다 보니 학생들이 교과서를 읽어도 자세한 설명이나 용어 사용례가 풍부하지 못하여 그 내용을 온전히 이해하기 어려워합니다.

어휘가 약하면 교과서를 읽어도 이해하지 못하고 공부에 관심이 떨어지며, 예습과 복습이 행하여지기 어렵습니다. 요즘 학생들은 과거 학생들처럼 국어 숙제로 낱말 뜻 찾기, 비슷한말, 반대말 찾기도 거의 하지 않는 것 같습니다. 초등 3학년 이후부터는 어휘력이 폭발적으로 증가하는 시기인데 국어사전을 휴대하며 수시로 모르는 낱말을 사전에서 찾아서 그 의미를 알려고 해야 합니다. 그게 안 되면 학년이 올라갈수록 자연히 문해력이 떨어지고 교과서로 혼자 공부하는 자기주도학습은 기대하기 어렵습니다.

학교는 지금보다 수업 혁신에 많은 공을 들여야 합니다. 필요하면 AI를 수업에 접목하여 학생들의 수업 참여도를 높여야 합니다. 이후 성취도 평가의 결과에 따라 개별 맞춤형 보완 지도가 이루어지도록 해야 합니다.

학교가 위상을 다시 찾으려면 그동안 사교육이 차지하였던 학업 성취도 평가와 인성 관련한 생활지도 영역의 교육을 제대로 수행해야 합니다. 즉 수업을 통한 지식, 기술, 태도 육성이라는 교과 교육과정 운영의 평가와 학교생활에서 생활, 인성교육이 제대로 이루어졌는지 적절한 방법으로 평가해야 합니다.

평가가 없으면 피드백이 정확하지 못하고 학력 증진 방안을 찾기가 어려워집니다. 학교에서 평가를 제대로 하지 않으면 개별 학생은 성취 수준을 알지 못합니다. 불안한 학부모는 자녀를 학원에 보내 학원 연합의 평가를 통해 자녀의 수준을 알고자 하고, 자녀의 공부 문제를 학교 선생님에게 상의하지 않는 것입니다.

또한 학교도 교육력 제고를 위한 여러 방안을 깊이 고민하지 않게 됩니다.

특히 초등과정에서 기초학력 부진은 중고등학교에서 낙오와 좌절의 원인이 되므로 보호자와 협력하여 반드시 구제하여 학교의 역할이 학력 증진과 인성 함양에 있음을 보여줘야 하겠습니다.

교육 균형 시각 : 평등과 수월성

학교 교육의 현장에서 학생들을 가르치거나 교육정책을 수립할 때 리더에게 요구되는 지적 통찰력은 무엇일까요? 대충 알고 있겠지만, 교육을 보는 두 개의 다른 눈, 즉 '평등과 수월성' 같은 시각차가 있음을 인정하고 접근하는 것이라고 봅니다.

교육은 왜 하며, 어떻게 하는 것이 올바른 것인가 하는 시각차는 예부터 존재해 왔으며 논쟁거리였습니다. 이러한 논쟁에 대해 조너선 하이트는 《바른마음》에서 정치적 신념의 선택이자 도덕적 가치관의 다름의 문제이지 옳고 그름의 문제가 아니라고 하였습니다. 나의 옳음과 당신의 옳음은 그 선택의 배경과 기준이 다르다고 하였습니다. 그래서 양자의 공존 또는 조화의 관건은 집권한 세력이 어떤 정책을 펼 때 반대쪽 시각이 있음을 인식하여 균형을 찾고 조절하려는 자세일 것입니다.

교육은 우리의 삶에 끼치는 영향이 매우 크기 때문에 부모뿐만 아니라 당사자도 교육에 상당한 공을 들이고, 여유가 있다면 최고의 교육을 받으려고 합니다. 그런데 민주적으로 교육감을 뽑게 되자 유권자의 교육관이나 가치관에 따라 수월성 교육을 지지하거나 경쟁 없는 평준화를 지지하기도 합니다. 게다가 선출직 교육감의 교육정책도 본인 또는 지지자들의 가치 성향에 따라 결과의 평등, 평준화 교육을 지향하거나 선택의 자유, 선의의 경쟁, 수월성 교육을 지향하기도 합니다.

교육과 관련된 주제에 대한 논쟁이 크고 오래가는 것은 개인의 자유로운 선택과 노력, 결과에 대한 공정한 보상, 개인의 행복 추구, 사유재산 보호, 자아실현 등을 위해서는 국민의 삶에 국가의 간섭이 최소화되어야 한다는 시각과 국가 계획적인 정치, 경제, 사회, 문화, 교육정책을 통해 소외된 계층 없이 평등한 공동체를 구현하려는 시각이 팽팽히 부딪치기 때문이라고 이해할 수 있습니다.

유럽에서는 대학의 서열화가 사라지고 정치적으로 평등주의적 의제가 학교 교육을 장악한 이후 교육은 퇴락해 왔습니다. 그 이유는 평등 이념이 개개인이 추구하는 교육의 진정한 목표를 빼앗았고, 어떤 학교도 결코 도달할 수 없는 목표인 평등을 추구함에 따른 필연적 결과였다고 볼 수 있습니다.[15]

그에 비해 미국은 공립인 주립대와 명문인 사립대가 각자 학생들의 진로를 적절히 맡아서 평준화 수준의 공적 요구는 주립대가, 최고를 지향하는 경쟁적인 역할은 사립대가 맡아서 학생의 성향이나 역량을 최대한 살리는 교육을 하고 있습니다. 이 부분은 교육에서 다양성이나 선택의 효과를 엿볼 수 있는 대목으로서 우리나라 교육에 시사하는 바가 큽니다.

평등주의 교육을 지지하는 사람들의 인식은 부자가 부유하기 때문에 빈자가 가난하다는 것이고, 이의 해결책은 오직 결과의 평등을 통해서만 해결될 수 있다는 견해를 가집니다. 이러한 인식은 '누군가가 거둔 성공은 다른 사람이 실패한 대가이다. 정의는 기회의 평등을 요구한다.'라는 사고체계로 귀결됩니다.

마침내 이런 인식을 가진 정부 교육 관료는 교육제도를 통해 불평등의 생산과 재생산을 저지하려는 종합적 교육정책을 펴게 됩니다. 이는 능력별 반 편성이나 시험을 통한 경쟁에 반감을 갖는 정책으로 나타나게 됩니다.[16]

예컨대 자율형 사립고, 외국어고, 국제고가 진보 정권에서 폐지되는 절차를 밟다가 보수 정권에서 다시 존치하는 쪽으로 돌아선 것도 고교 체제를 바라보는 시각의 차에 의하여서입니다. 즉 진보 정부에서는 자사고, 외국어고 등이 고교 서열화를 조장하고 학생 간에 과도한 경쟁을 부추긴다며 2019년 이들 학교의 설립 근거인 초중등교육법시행령 조항을 삭제한 바 있습니다. 그냥 평등하게 일반고 중심으로 가겠다는 것이었지요.

반면에, 보수 정부는 자사고, 외고, 국제고 등을 없애는 것은 획일적 평준화 정책이라며 학생과 학부모의 학교 선택 자유를 존중하고 공교육의 다양성과 창의성 등을 확대하기 위해 존치하는 쪽으로 공약하였고 집권 후 시행한 바 있습니다. 이러한 시책에 대해 불만을 표하는 사람들도 당연히 있습니다.

이러한 시각들에 대해, 영국의 교육철학자 브렌다 코헨은 저서 《교육과 개인》에서 경쟁과 선발을 실제적 실행 절차로 여기는 능력주의는 도덕성과 실제적 효용 측면에서 긍정적인 기반을 구축해 준다고 하였습니다. 능력주의 질서가 잘 잡힌 사회는 다양한 방식에 의하여 학교를 운영하지만, 동등한 결과를 교육 목적으로 하거나 평등을 교육 운영 원리로 채택하게 되면 능력 위주의 결과를 얻지 못한다고 하였습니다.[17]

또한 그녀는 논리 전개의 전반을 통해 자유와 평등은 대립하는 개념이 아니라 보완적인 관계로 보았으며, 정의는 합당한 차이를 인정하고 이에 따른 차별을 용납하지만, 평등은 공공정책에 의하여 그 차이를 모두 제거하는 일이라며 결과의 평등이 곧 정의로 귀결되는 것은 아니라고 주장하였습니다.[18]

한편, 이러한 논리를 반박하여 능력이 공정하다는 착각, 공정의 배신 등의 저작물도 여러 권 되니 참고하시기 바랍니다.

학교 교육은 교육이 사회적 요구와 연결되어 있고 우리 미래 세대가 걸어갈 인생이 걸려있기에 정권이 바뀌어도 집권 세력의 정치적 이데올로기로부터 영향받지 않도록 보호하여야 할 영역입니다. 따라서 교육과정이 너무 자주 조변석개식으로 함부로 재설계되지 않아야 하겠습니다.

교육에서 복원해야 할 것들

공동체 역량과 놀이문화

아이들은 어떤 환경에서 자랄 때 삶에서 바람직한 경험을 쌓으며 정서를 관리하고 바른 인성을 기를 수 있을까요?

과거의 아이들은 성장기에 삼촌, 고모를 비롯해 조부모 등과 함께 지내면서 장유유서의 질서를 배우고 예절을 익혔습니다. 욕구가 있어도 빠른 단념, 양보를 배웠습니다. 실패나 좌절을 겪었어도 위로해 줄 어른이 있었고 함께 성장을 도와주는 형제와 사촌들이 있었습니다. 이를 가능케 한 것은 자신을 둘러싼 가정이었고 마을 공동체였습니다. 가정에서는 부모님을 돕기 위해 형제간에 일을 나누어 맡으며 효도와 책임을 배웠습니다. 마을의 행사에 자연스럽게 참여하면서 다른 사람을 존중하거나 배려하는 마음과 태도, 마을의 일에 협력해야 하는 공동체 의식을 어렴풋이나마 느끼며 자랐습니다.

학교나 마을엔 선후배나 또래 친구들이 많아서 함께 어울리며 놀았습니다. 그렇게 지내는 동안 어렵거나 위험한 일에도 용기를 발휘할 기회가 있기도 하였고, 다투거나 화해하고, 용서하거나 경쟁하기도 하였습니다. 이런 것들은 내면에 축적되어 훗날 삶에서 적지 않은 지혜를 발휘하게 하였습니다.

다니던 초중학교에는 보통 한두 개의 청소년단체를 비롯한 의미 있는 문예체 동아리나 밴드 활동 모임과 지도자가 있어서 행사나 야외 캠핑 등을 통해 독립심과 도전정신을 길러주기도 하였고, 친구를 사귀고 미래의 꿈을 키워주는 역할을 하였습니다.

그에 비하면 요즘 아이들은 많이 외롭습니다. 형제가 없고 혼자서 지내다 보니 이웃과 함께 어울려 노는 것은 거의 어렵고, 혼자 비디오 게임 하기, 스마트폰 동영상 보기, 채팅, 학원이나 방과후학교 참여 등으로 시간을 보냅니다. 대개 부모로부터 과잉보호와 높은 기대를 받으며 자라고 있습니다. 지금의 아이들은 집에서만 지내고 바깥에 나가 노는 일도 거의 없습니다. 이들이 쌓는 경험은 오로지 가상 세계와 소셜미디어 활동과 관련 있는 것이어서 폭넓은 실제적, 사회적 경험이 매우 부족합니다.

아이들끼리 모여서 신체활동만으로 하는 놀이문화는 사라져서 보기 어렵습니다. 아이들은 동기화된 관계가 차단되고 비동기화된 사이버상에 홀로 생활합니다. 외로움에 우울과 불안에 빠지거나, 삶의 의미를 몰라 자해 청소년이 늘어납니다. 학교에서 돌봄교실이나 동아리 활동에서 놀이 방법을 잘 가르치면 관련 재능도 발견할 수 있고, 친구들과 소통이나 우정 쌓기에 도움이 될 수 있을 것입니다. 이렇게 함께 어울리는 공동체 활동은 정서적 안정과 교류의 경험을 가져다주는 매우 소중한 활동입니다.

초등학교에서 늘봄학교를 운영한다고 하니, 놀이 활동을 통해 집단 내에서의 소통과 배려, 책임 등 인성을 배울 기회를 만들면 좋겠습니다. 안전이나 생존을 위한 활동, 문예 표현 활동, 창의성 증진 활동 등 유용한 프로그램을 도입하여 운영하는 것도 고려해 볼 만합니다. 특히 단체 경기나 놀이 활동을 통해 공동체를 위한 협동 정신을 기르는 것도 필요할 것입니다. 다만, 안전사고에 대비하여야 하고 프로그램 개발 및 운영과 관련하여 학부모와의 소통도 중요한 과제입니다.

우리가 교육을 통해 기르려는 인성이란 타인·공동체·자연과 더불어 살아가는 데 필요한 인간다운 성품과 역량을 뜻합니다. 인성교육진흥법에 제시한 인성교육의 덕목으로는 예(禮), 효(孝), 정직, 책임, 존중, 배려, 소통, 협동 등인데 이는 놀이와 공동체 생활을 통해 효과적으로 길러집니다. 근자에 개인주의 성향이 크게 늘어서 공동체와 놀이문화가 중요하다고 말하는 것입니다.

학교는 지역사회, 구청, 청소년단체 등과 긴밀히 협력하여서 사회화 과정인 공동체 역량과 놀이문화를 복원하여야 하겠습니다.

사랑하되 엄격하게 가르치기

학교 교육으로 만들고 싶은 세상, 길러내고 싶은 인간상은 무엇일까요? 많은 이들이 정의로운 세상, 정의로운 사람을 꼽습니다. 그만큼 정의(正義)는 개개 인간이 추구하는 최상의 가치 덕목이자 대다수가 원하는 사회상입니다.

그리스 신화에 등장하는 '정의의 여신상'은 한 손엔 저울, 다른 한 손엔 칼이 들려져 있습니다. 저울이 뜻하는 것은 정의요 칼이 뜻하는 것은 불의를 향한 벌이지요. 우리는 세상에서 살아가는 동안 잘못을 저지를 수 있습니다. 욕심에 의해 고의로 한 것이든 실수로 인한 것이든 그 잘못으로 타인에게 해를 입히고 공동체에 폐를 끼쳤다면 상응하는 벌을 받아야 하겠지요.

오랜 옛날부터 가정이나 학교, 혹은 대부분의 공동체엔 구성원이 지켜야 할 규칙이 있었습니다. 규칙을 잘 준수하거나 바람직한 방향으로의 활동을 격려하고 칭찬하기 위하여 모범적이거나 성과 우수자에게 상을 주었습니다. 반면에 규칙을 어겼을 시 상응하는 벌이 따랐습니다. 근대 법규에도 법을 어겼을 시 받게 되는 벌칙 조문이 있습니다. 그래야 법이 지켜지고 공동체는 평화와 질서, 안정을 유지할 수 있기 때문입니다.

이처럼 정의 구현은 의무나 책임이 뒷받침되어야 가능합니다. 누구나 배우지 않더라도 이기적인 유혹을 이겨내고 우리 사회를 정의롭게 유지하기 위해 주어진 의무를 다해야 하는 것입니다. 만일 의무를 다하지 않거나 규칙을 위반하는 행위를 할 시에는 합당한 벌을 받는 것이 당연한 것으로 인식하였습니다.

한편 벌을 주는 것은 예방효과도 있지만, 용서의 기능도 할 수 있습니다. 다른 아이를 놀리거나 공동체에 해가 되는 행동을 한 학생에게 부과하는 벌은 자신이 끼친 피해를 보상하고 죄책감에 시달리지 않을 수 있도록 해줍니다.[19] 그러므로 벌은 한순간이라도 감정적 분풀이로 행해져서는 아니 되며 사랑의 마음으로 인간을 기른다는 목적을 잊지 말아야 합니다.

그런데 오랫동안 학생인권조례와 아동복지법, 아동학대처벌법 등의 영향으로 실제로는 벌을 거의 부과하지 않았습니다. 학교규칙과 학생생활규정은 문서상으로만 남았습니다. 제대로 실행할 교원이 없고, 위반해도 처벌 시스템이 작동하지 않았습니다.

이런 환경에서 자란 학생들은 규칙을 지키는 걸 가볍게 여겼습니다. 자연히 질서는 무너지고 선생님에게 무례하고 교실에서 시끄럽게 떠들어도 아이들은 아무런 벌을 받지 않았습니다. 결국 교실은 붕괴하기 시작하였습니다. 그 피해는 학급 아동 모두에게 돌아가게 됩니다. 필자는 이 지점에서 '엄격하게 가르치기'라는 해법을 제시하고자 합니다.

벌을 단순히 고통을 주는 어떤 압력으로만 이해하지 말아야 합니다. '교육벌'은 학생으로서 수행해야 마땅한 정해진 규칙을 지키지 않음으로써 치러야 하는 회개의 방법입니다.

생활 속에서 쓸만한 교육벌을 찾아야 합니다. 예컨대, 혼자 있게 분리하기, 교실 청소하기, 급식을 맨 나중 먹기 등입니다. 교육벌은 학생에 대한 인권침해나 차별, 신체적·정서적 아동학대로 해석되지 않아야 합니다. 그러려면 이 부분에 대한 교육계, 법조계의 논의와 공감대가 사전에 형성되어야 하겠습니다. 생활 규정에서 벌의 존재 가치는 학생이 벌을 받지 않으려고 노력하는 가운데 교육적으로 바람직한 습관을 형성하는 것이라 하겠습니다.

과거에 자녀교육은 왜 그렇게 해야 하는지 설명하는 것보다 먼저 실천하게 하였습니다. 즉 먼저 습관이 들게 훈련하였습니다.

《소학(小學)》에 보면 물뿌리고 청소하기와 어른에게 예의를 갖춰 응대하는 요령을 어렸을 때부터 가르쳤습니다. 자꾸 규칙을 연습하다 보면 자연히 몸에 배고 그것이 편안해지기까지 했습니다. 그리고 배우는 학생에게 처음부터 자유롭게 뭘 해도 된다는 것은 없었습니다. 그래서 학생이 누리는 자유는 어떤 것을 조심하여 온전히 해낸 후 얻게 되는 일종의 칭찬이자 보상이었습니다.

한마디로 과거의 자녀교육과 훈육은 엄격하게 가르쳤습니다. 이때의 엄격함은 무서운 표정을 짓고 소리를 지르고 강압적으로 접근하는 것이 아닙니다. 엄격함의 의미는 이치에 대한 순종, 질서에 대한 존중입니다. 이는 제5장에서 인성이 바른 사람을 언급하면서 말한 '철이 든 사람'의 내면의 모습입니다. 이 세상에 있는 선한 가치를 지키기 위해서는 엄격하고 일관성 있는 태도로 아이들을 가르치고, 아이들에게 진리 앞에서 겸손하도록 요구해야 합니다. 이 과정에서 아이들은 삶의 질서를 배우고, 책임감 있게 행동하고, 타인을 배려할 수 있는 어른이 됩니다.[20]

요즘 아이들은 어떤 규칙의 준수에 대해 왜 그래야 하는지, 합리적인 이유가 있느냐고 먼저 묻습니다. 하지만 규칙을 잘 지키려고 하지 않고, 종종 타협해서 완화하거나 무력화하려고 합니다. 이렇게 된 배경엔 그럴 만한 이유가 있다고 봅니다.

지금의 부모들은 권위적인 부모가 되기보다는 합리적이고 친근한 혹은 자상한 부모가 되고 싶어 합니다. 자신들이 어렸을 때 불합리하거나 권위적인 부모에 의해 자랐기에 그 반동으로 자기 자녀에겐 탈권위적인 교육을 하고 싶었을 것입니다. 자녀에게 강제로 뭘 하도록 압박하기보다 잘 설명하고, 토론하고 이해시키면 납득하여 결국은 실천할 거라고 믿었습니다.

그런데 과연 자녀는 바라던 대로 합리적인 존재로 자라났을까요? 아쉽지만, 미성숙한 자녀는 규칙을 이해한다고 해서 지킨다는 보장이 없습니다. 뇌가 그걸 당연하게 받아들이지 않기 때문입니다. 그러면 몸에 습관화가 형성되지 않습니다. 게으름과 이기적인 감정도 극복해야 할 과제입니다. 결과적으로 자녀는 약속을 잘 지키지 않았고 해야 할 의무도 잘 지키지 않았습니다. 왜 그랬냐고 물으면 아프거나 깜박 잊어서, 혹은 그냥 하기 싫어서 그랬다고 합니다. 결국 인내하거나 절제할 줄 모르는 사람, 정신이 몸을 지배하지 못하는 사람이 되고 말았습니다.

교육부에서 타인의 학습을 방해하거나 교사의 수업 방해 학생을 교실에서 분리하여 지도하기 위한 고시를 밝혔고, 학교가 그 구체적인 실행방법을 학칙과 학생생활규정에 반영은 했으나 막상 실행은 하지 못하여 힘들어했습니다. 이 문제는 학교 스스로 해결할 수 있어야 합니다. 학교 구성원들이 협력해서 학생들을 올바르게 선도하겠다는 사랑의 마음으로 규칙을 잘 지키도록 엄격하게 운영하는 것이 최선의 길이라고 생각합니다.

참고 기다리기

우리의 삶은 상당 부분이 참고 기다리는 일의 연속이 아닌가 싶습니다. 분노나 고통을 참는 것부터 기쁨, 슬픔, 두려움 등의 감정을 극단적이지 않게 참고 조절하는 힘이 필요합니다. 학교 교육에서 인성교육을 통해 몸과 마음의 수양이 필요한데 절제에 해당하는 참음[忍인]이 그 시작입니다.

자연에서도 뭔가를 얻어내려면 시간이 제법 걸립니다. 과일을 수확 후 다시 과일을 얻어내기까진 보통 1년 가까이 걸립니다. 황폐한 숲을 복원할 때, 멸종 위기에 처한 동물의 복제와 번식에 성공하기까진 많은 시간이 걸립니다. 자연이 우리에게 가르치려는 것은 참고 기다릴 줄 아는 것입니다.

도광양회(韜光養晦)는 자기의 재능이나 명성을 드러내지 않고 일정한 역량이나 성과가 나타날 때까지 참고 기다린다는 의미로 쓰입니다. 기다리는 시간의 힘은 최고의 걸작을 남길 수 있습니다. 대기만성이라 하여 크게 될 물건이나 인물은 금방 만들어지지 않습니다. 훌륭한 시나 문장도 금세 만들어지지 않습니다. 오랫동안 갈고 닦는 절차탁마의 시간을 보내야 합니다. 전통 옹기는 1,300℃ 가마 속에서 보름간 구워내야 합니다. 그 긴 시간 동안 불을 지켜야 하는데, 참고 기다리는 시간 동안 얼마나 힘들까요? 좋은 결과물을 보려면 참고 기다리는 힘이 있어야 합니다. 이것을 학교 교육에서 길러주어야 한다고 생각합니다.

부모는 자식이 공부를 열심히 하여 일정한 성취를 이루기를 바랍니다. 그런데 많은 부모와 자식이 겪는 갈등 중 하나는 바로 공부하지 않는 자녀에 대한 부모의 기다리지 못하는 조급함에서 비롯됩니다. 저를 비롯해 대부분 부모는 자식이 노는 꼴을 보지 못합니다. 그만 놀고 공부하라며 잔소리합니다. 반면에, 자녀는 자기 자신이 어떻게 인생을 살아갈지 궁리하면서 무엇을 어떻게 공부할지 머릿속에 담고 있습니다. 혹은 공부로는 어렵겠다며 다른 쪽으로 진로를 고민하기도 합니다.

이를 부모가 안다면 재촉하지 말아야 합니다. 자녀를 믿고 기다려주어야 합니다. 이는 자녀에 대한 배려입니다. 정 참지 못하겠거든 부드럽게 "그럼 너는 앞으로 어떻게 할 거냐?"고 물어보면 됩니다. 평소 자녀와 신뢰를 쌓기 위해 산행이나 여행, 가족 캠핑 등을 하면서 대화를 통해 자녀가 뭘 원하는지 알고 지지하고 격려할 수 있습니다. 자식은 부모의 등을 보고 자란다고 했습니다. 부모가 먼저 가정에서 독서라든지 언행에 있어 모범을 보이며 기다려준다면 자녀들은 인성뿐만 아니라 학업 등 많은 면에서 좋은 인재로 자랄 수 있습니다.

뇌는 놀지 않고 스스로 목표를 찾아갑니다. 다만, 시간이 걸릴 뿐이지요. 뇌는 또 실패를 통해 성장합니다. 그러므로 부모가 요구하는 목표 외의 것을 실패로 규정하지 말고 자녀가 하고 싶은 것을 하도록 격려하면 좋습니다. 이때 비로소 자녀는 긍정적인 신호를 받아 스스로 성장하려는 내적 동기를 강하게 느끼고 열심히 노력하게 됩니다. 만일, 부모에게서 실패했다고 질책받게 되면 일종의 외상후 스트레스를 받아 부정적 신호를 갖게 되어 발전에의 동력을 상실하게 되므로 주의하여야 합니다. 자녀가 실패해도 꾹 참고 그간의 노력에 대해 격려해주어야 합니다. 쉽진 않겠지만 부모의 노릇이란 이런 게 아닐까 싶습니다.

뇌는 성공의 기억도 가지게 되는데 이러한 경험의 반복은 강화되어 점차 습관으로 자리 잡게 됩니다. 그래서 성공적일 때는 아낌없이 칭찬하는 것이 학습효과를 높인다고 알려져 있습니다. 인간의 뇌는 헛된 인생을 살려고 하지 않으니 자기 자녀를 믿고 기다려주는 것이 매우 중요합니다.

우리의 삶에서 참고 기다리다가 원하던 일이 생기면 참 기쁩니다. 정다운 벗이 언제 온다고 기다리는 것, 읽고 싶은 새 책을 주문하고 기다리는 것, 부모로부터 첫 스마트폰을 받고자 기다리는 시간이 우리에겐 필요합니다. 뭐든지 빠른 게 좋은 것 같지만 우리의 인생엔 느리지만 기다리는 시간도 필요하다고 봅니다.[21]

단군신화에 나오는 웅녀는 곰이 동굴 속에서 마늘과 쑥을 먹으며 햇빛을 보지 않으며 기다린 끝에 곰이 사람으로 변한 것이지요. 호랑이는 견디지 못하고 뛰쳐나가 사람이 되지 못했고요. 학교에서 모든 학생에게 공부하는 가운데 참고 기다리는 힘을 길러주면 좋겠습니다. 공부라는 건 길게 호흡해야 하는 것이며 오랜 시간이 걸리는 일이라는 걸 학생들이 알도록 말입니다.

인성교육 '효예 선인다'

교장 중임을 시작하면서 어떤 인재를 육성할지 관심이 커졌습니다. 첫해 5월에 본관동과 서관동의 식당으로 가는 연결통로 시설이 준공되었는데 이름을 '선인다로'로 명명하였습니다. 이어 6월에 '선인다정'이란 이름으로 사각형 정자를 설치하여 유치원 아동들이 놀거나 쉼터로 활용토록 하였습니다. 그리고 기초학력 보장과 관련하여 학습부진아들을 지도할 공간 겸 학생 자치 회의실을 하나 만들었는데 선인다실로 명명했습니다. 한마디로 인성이 착한 사람을 길러야겠다고 다짐하였기에 '선인다'를 핵심용어로 삼아 여기저기 활용하였습니다.

이렇게 '선인다(善人多)'를 강조하는 것은 교육자로서 존경하는 퇴계 선생으로부터 비롯된 것입니다. 퇴계 선생전 기록에 의하면, 선생이 50세가 넘어 벼슬을 버리고 고향에 돌아와 은거하면서 시내 옆에 작은 집(한서암)을 짓고 기념으로 시를 지었는데 아래처럼 '선인다' 내용을 볼 수 있습니다.[22]

高蹈非吾事(고도비오사) 높은 곳에 처하는 것은 내 할 일 아니네.
居然在鄕里(거연재향리) 고향마을에 거처하면서
所願善人多(**소원선인다**) 착한 사람이 많아지길 소원하네.
是乃天地紀(시내천지기) 이것이 천지가 제자리를 잡는 것이기에

선생은 삶 속에서 경(敬)을 실천하면서 '선인다'를 추구하였습니다. 선생은 인간의 선한 본성에 따르는 행위인 선을 실천하는 것이 도에 이르는 길이라고 말하였습니다. 선인(善人)은 도가 바람직하다는 것을 아는 자를 뜻합니다. 신인(信人), 미인(美人), 대인(大人)을 거쳐 성인(聖人)으로 가는 첫 단계입니다. 선생의 선인다 정신을 이 작은 학교에서 부활시키고 싶었습니다.

이 '선인다'를 발견한 것은 첫 학교 교장 임기 마지막 해 여름방학 중에 지인들과 '한국 정신문화의 수도'인 안동 여행을 다

녀온 후였습니다. 병산서원과 도산서원, 도산서원선비문화수련원을 답사하였습니다. 그 수련원 건물 중앙에 퇴계 선생 동상이 있었고 '소원 선인다'라는 글귀가 있음을 보았습니다. 원장님으로부터 설명을 듣고 난 후, 학생들의 인성교육에 이 '선인다' 정신을 적용하여 실천하기로 하였습니다.

우리 학생들이 학창시절에 효와 예를 실천하여 주변에 착한 사람이 많아지면 좋겠습니다. 효와 예는 가정과 사회에서 갈등을 가라앉히고 서로 존중하며 살아가는 좋은 인성 덕목입니다. 효와 예가 고대부터 지금까지 죽 이어져 온 것은 다 이러한 이유가 있었습니다.

두 번째 학교에서 맞이한 세 번째 여름이 되었습니다. 본교에 부임하자마자 구상하였던 교육 환경개선과 시설 보완 작업은 대부분 마무리되었습니다. 그런데 하나 더 조성하고 싶은 게 있었으니 바로 현관 쪽의 실내 정원이었습니다. 그 정원의 이름은 당연히 선인다원이 되었지요. 길(路), 정자(亭), 교실(室), 정원(園)이 있음으로써 마침내 '선인다' 구상은 완성되었습니다. 교직원들이 교육활동이나 사무를 보다가 머리가 무거울 때 찾아와서 잠시 쉬고, 방전된 에너지를 충전하기를 바라면서 조성하였습니다.

학생과 교직원이 사용하는 공간에 '선인다'가 있음으로써 우리는 가정에서 효도하고 사회생활에서 예를 지키며 이웃을 존중하고 웃어른을 공경하는 삶의 자세를 가질 것이라 기대합니다.

교육법령과 제도의 진화

입법과 중용의 도(道)

법이란 것은 도덕이나 개인의 윤리의식으로 도저히 어찌해볼 수 없어 최후의 수단으로 사회 질서나 인간의 존엄성을 보장하기 위해 중립적으로 만들어야 합니다. 악화한 여론의 해결 수단으로, 혹은 다수당의 힘의 논리로 입법권을 휘둘러 그 당의 입맛에 맞게 특별법을 만들게 되면 반발하는 국민이 생깁니다.

법은 어느 한 편에 봉사하도록 제정해서는 안 됩니다. 그 수혜자가 약자라 해도 그렇습니다. 즉 특정 대상을 겨냥해서 법을 만들어서는 안 됩니다. 이 법으로 정의를 실현한다고 떠들지 말고 형평성, 비례성, 보충성의 원리를 제대로 적용하여야 합니다.

2021년 8월 말 초중등 신규교사 공개전형 시 필기고사를 보되, 교육감에 위임하여야 한다는 조항이 새로 들어간 사립학교법 개정안이 통과되었는데, 사학의 자율성이 훼손되었습니다.

2021년 11월경에 민주당 의원들이 시도 학생인권조례에 있던 내용을 초·중등교육법상으로 승격하는 개정안을 발의하였습니다. 학생 인권을 지나치게 확대하여 상대적으로 교권이 위축되거나 침해된다는 문제가 있습니다. 합의하지 않은 상태에서 다수결로 입법을 추진하려는 것은 어느 한쪽을 위한다는 문제가 있었는데 처리되지 못하고 폐기되었습니다.

또 2022년 8월엔 초중고 학생 대표가 학교운영위원회 위원으로 참여하는 법안도 발의되었습니다. 학생이 교육의 주체인데 학교운영위원회 위원 구성에서 빠지면 되느냐? 하는 취지문을 읽었습니다만 걱정도 컸습니다. 결국 폐기되고 말았습니다.

그 외에 정치적으로 크게 대립하는 민감한 법안 개정과 특검법 등이 여야 합의 없이 다수당에 의해 발의되고 일방적으로 국회 본회의를 통과하였으나, 대통령의 재의요구권 행사로 번번이 폐기되는 일이 있었습니다. 정치권의 갈등은 격화되었습니다.

위에서 본 바대로 법안들이 실제로 법제화되지 않았습니다만, 국회의원들이 입법을 대체로 가볍게 보는 것 같습니다.

이렇게 된 데는 국회의원 각자가 독립적으로 법안을 평가하고 심의하는 것이 아니라 당론에 따르라는 후진적 관행이 이어져 내려왔기 때문입니다. 선거 때 국회의원 공천권을 당 대표(지도부)가 갖고 있어서 개개의 의원들은 제 역할, 즉 국민이나 지역구의 민심을 충실히 반영하지 못하고 있습니다.

국민은 선거 때만 주인이지 그 외의 모든 날은 주인으로서 기능하지 못합니다. 국회의원은 상생적인 토론과 협력에 기초한 입법이 아니라 자기 당의 노선에만 충실한 법안을 만드는 데 골몰합니다. 법안 발의 후 법률안에 대해 찬반 토론, 정책 청문회를 비롯한 지역민의 의견을 수렴하는 과정 없이 당론에 따라 거수기처럼 처리합니다. 이런 수준 낮은 정치행태가 수십 년째 지속되고 있습니다. 그건 정치인으로서 역할에 대한 소양이 부족하거나 학교에서 정치교육을 제대로 받지 않고 정치인으로 입문한 결과 때문이라고 봅니다.

일반적으로 법은 다수의 횡포로부터 의견이 다른 소수의 개인을 보호합니다. 사실 다수의견도 진실과 거리가 멀 수 있습니다. 오히려 다수의 욕망은 때로 사악할 수 있습니다. 다수보다 더 중요한 누군가는 다수의견에 동조하지 않는 사람입니다. 흔히 '민주주의는 다수결이다.'라는 표현은 국민 다수의 민의를 제대로 반영하고 절제된 법 적용을 할 때만 정당성을 얻을 수 있습니다.

모든 입법의 시작과 끝은 국민의 기본권 보호와 권익 향상에 목표를 두어야 바람직합니다. 시행령, 판례도 소중한 법률 자산입니다. 의회 입법 권한으로 법 조항을 덧씌워 누더기로 만들거나 정부의 자율적 입법권(시행령)을 규제하려는 생각을 자제해야 합니다. 법이란 일종의 규제여서 결과적으로 개인의 자유를 억압하게 되고 때로 새로운 갈등을 유발하기도 합니다. 지나친 법제화는 알게 모르게 서서히 그 사회의 암묵적 자율적 규범, 윤리의식을 약화시킬 수 있으므로 주의해야 합니다.

요즘 들어 교육적 생활지도나 도덕, 윤리 영역의 것까지도 법제화하려는 시도가 많아지고 있습니다. 학교 내외에서 학창 시절에 겪을 수 있는 친구와의 다툼이 학교폭력예방법에 따라 교육적 지도보다는 조사와 처분에 의존하고, 문제행동 부적응 학생의 생활지도 과정에서 생기는 훈육상 언행도 아동복지법 제17조 아동학대 금지행위에 연결될 소지가 생긴 것이 그러합니다.

특히 아동복지법 제17조 제5호인 '정서적 학대행위'는 가벌성(可罰性)이 불명확하거나 범위가 넓어서 가르치는 교사에게 크게 위협적인 규정입니다. 헌법재판소의 판례에서는 정서적 학대행위를 마음에 상처를 주는 폭언과 심한 수치, 모욕, 고통을 주는 행위라고 하였습니다. 구체적 행위로는 잠재우지 않는 것, 벌거벗겨 내쫓는 행위, 억지로 음식을 먹게 하는 행위, 특정 아동을 차별하는 행위, 오랜 시간 벌세우고 방치하는 것, 음란물이나 폭력물을 강제로 시청하게 하는 행위 등을 들었습니다.

중앙아동보호전문기관은 정서적 학대행위를 아동에게 행하는 언어적 모욕, 정서적 위협, 감금이나 억제, 그밖에 악의적, 부정적 태도에서 비롯된 심한 모멸, 무시, 거부, 고함치기, 트집 잡는 것 등 심리적 위해를 주는 언동 등이라고 해석합니다.

위 판례나 해석에서 보듯이 교사가 가장 위험한 순간은 학생이 무엇을 잘못해서 생활지도 또는 교육활동상 어떤 지도를 할 때입니다. 그때는 교사도 감정이 흥분할 수 있어서 '마음에 상처를 주는 폭언', '언어적 모욕' 같은 부분이 발생할 수 있습니다. 이점을 주의해야 하며, 학생에 대한 지도는 별도의 장소와 시간에 절차(방법)에 따라 해야 하겠습니다. 그런데 정서적 학대는 상당히 주관성이 강해서 현실에선 검찰의 기소 여부나 재판에서 판사에 따라 유무죄가 갈릴 수 있다는 문제가 남습니다.

교사는 혹시라도 이로 인한 학부모 민원 제기나 고소 등에 휘말릴까 두려워 생활지도를 제대로 하지 못합니다. 일부 학생은 이런 분위기 등을 잘 알아서 수위를 높여가며 자신을 훈육하는 교사에 저항하고 조롱하는 예가 있다고 하니 참으로 개탄스럽습니다. 일부 교사의 자살도 이런 법률적 문제와 학부모의 집요한 민원, 압박에 따른 절망 등이 원인이 아니었나 짐작합니다.

이런 게 쌓이면서 교사들은 교육활동의 침해로 위축되고 학생들은 점차 교육하기 힘든 대상이 되어 버렸습니다.

2023년 5월 스승의날을 맞아 교총에서 실시한 전국 유초중등 대학 교원 6,700여 명의 교직 만족도 설문조사에서 응답자의 불과 23.6%만이 만족한다고 대답했으며, 다시 태어나도 교직을 택할 것이라는 대답은 겨우 20%였습니다. 역대 최저였지요. 교권을 보호받지 못하고 있다는 교사는 69.7%였습니다. 이로 인한 문제로는 '학생 생활지도 기피, 관심 저하' 46.3%, '수업에 대한 열정 감소로 교육력 저하' 17.3% 등 순으로 답하였습니다.

이 통계에서 나타난 교사의 심리상태를 보면 교육(생활지도)이 잘 될 수 없을 것입니다. 교사들의 불안의 근원인 '정서적 학대행위' 면책 부분은 입법, 사법, 행정 차원에서 합의, 정리해주어야 할 것입니다. 즉 미성숙한 인간을 대상으로 사회성을 지닌 원만한 인간으로 육성하는 행위는 법적으로 규제할 수 없는 고도의 교육적 활동임을 모두가 동의하고 "교원의 교육활동 또는 생활지도 과정에서 부득이한 상황에서, 일시적으로 발생한 언행은 면책할 수 있다."라고 정리되어야 할 것입니다.

법이란 중용의 도(道)를 지키는 가운데 인간의 기본권인 국민의 행복과 안녕, 질서를 유지하기 위해 제정되어야 합니다. 국민

다수가 공감하고 지킬 수 있는 법, 어느 한쪽을 위한 것이 아닌 공정한 법을 만들려면 시간이 걸려도 좋으니 이해가 맞서는 당사자들의 이야기를 잘 듣고 제대로 만들기를 바랍니다.

삼권분립의 원칙을 훼손하는 법, 행정부의 부처 운영의 자율성을 불필요하게 규제하는 법, 개인의 자유를 심각하게 제한하는 법률조차도 다수만 동의하면 합법적으로 입법할 수 있다는 생각이 만연하면, 법의 지배(Rule of the Law)원칙이 쉽게 무너질 수 있습니다. 이러한 '입법에 의한 지배'는 늘 경계하여야 합니다. 법의 본질상 인간의 자유와 기본권을 제약하는 불법에 대한 정당한 저항은 다음과 같이 헌법이 보장하고 있습니다.

"모든 국민은 인간으로서의 존엄과 가치를 가지며, 행복을 추구할 권리를 가진다. 국가는 개인이 가지는 불가침의 기본적 인권을 확인하고 이를 보장할 의무를 진다."(헌법 제10조)

교육의 정치적 중립

교육제도에 대한 이해를 제대로 해야 학교경영을 할 때 유용할 텐데 정치적 문제는 꺼내기가 불편한 부분입니다.

우리나라의 헌법에서는 교육의 정치적 중립성에 관한 조항이 제31조 4항에 있는데 "교육의 자주성, 전문성, 정치적 중립성 및 대학의 자율성은 법률이 정하는 바에 의하여 보장된다."라고 명시하고 있습니다. 그리고 교육기본법 제6조 1항에서 "교육은 교육 본래의 목적에 따라 그 기능을 다 하도록 운영되어야 하며, 정치적·파당적 또는 개인적 편견을 전파하기 위한 방편으로 이용되어서는 아니 된다."라고 규정하고 있습니다.

이처럼 교육활동의 정치적 중립성을 보장하는 법적 장치를 두고 있으나, 교육 현장에는 현실적으로, 예컨대 국사 교과서의 내용과 관련하여 임의적인 정치세력들이 격렬하게 영향력을 행사하고 있습니다. 국민교육의 향방을 좌우하는 이데올로기적 주도권의 행사를 위한 정치적 세력들이 헌법적 강령의 해석에서부터 갈등적 양상을 보이기도 합니다.[23]

게다가 학교 교육은 다수당에 의한 교육 관련 입법과 선출된 교육감에 의해 좌우되는 것이기에 실제로 내용상 교육 현장에서 정치적 중립은 지켜지기 어려운 구조입니다.

재직 시 교원으로서 제일 힘들었던 점이 교육법령이나 정책과 관련한 교육적 견해를 자유롭게 표현하지 못한다는 것이었습니다. 그것은 국가공무원법과 국가공무원복무규정, 교육기본법 등에 명시한 공무원의 정치운동 금지 및 교육의 중립성 유지 요구조항 때문입니다. 사실 이 조항은 공무원으로서 정치적 활동이나 선거운동을 하지 말라는 것이지만, 현직 교육공무원으로서 정부나 교육청 등의 어떤 정책을 자유롭게 비판하다 보면 행위의 경계가 모호하여 정치적 행위로 오해받을 수 있기에 조심스러웠습니다.

대한민국 정부 수립 후 교육에서 정치적 중립성을 담보하기 위해 초중등 교원에 대해서는 대학교수와 달리 정치 참여의 길을 제한하였습니다. 그런데, 공직선거법이나 정당법에 보면 국립대학교수들은 공무원인데도 정당에 가입할 수 있고, 언론에 기고하거나 방송에 출연해서 자신의 정치적 견해를 주장할 수 있게 하였습니다. 대학교수들은 이처럼 필요시 휴직하고 교육감 선거나 국회의원 선거 등에 자유롭게 나갈 수 있습니다.

국립대학 교수로서 특혜에 해당하는 정치 참여는 학문 연구의 자유, 정치적 인재 확충 등과 관련하여서는 일부 긍정적인 측면이 있으나 교육의 정치적 중립 훼손, 학생에 대한 학습권 침해 부분은 부정적인 측면입니다.

반면에, 초중등 교원은 절대 불가하며 선거일 90일 전까지 그 직을 그만두고서만 가능합니다. 헌법상 권리의 형평성 면에서 크게 문제가 있습니다. 초중등 교원에게도 적어도 휴직 후 교육감 선출 같은 교육 관련 선거에는 출마할 수 있도록 기회를 열어주어야 한다고 생각합니다. 물론 선거에서 떨어지거나 취임 후 임기를 마치면 복직하여 근무할 수 있도록 하면 됩니다.

이와 함께 초중등학교 교육과 평생교육 차원에서 자유민주주의 시민으로서 공동체 문제해결의 정치적, 지적 판단 능력을 길러주고 정치인의 낮은 정치 수준을 높이기 위해서는 정치교육을 제대로 다루어야 합니다. 국민이 느끼기에 가장 뒤떨어진 분야가 바로 정치인과 정치영역이기 때문입니다. 상대방을 벼랑으로 모는 잔인한 정치, 무절제한 정치가 기승을 부리고 있습니다. 올바른 정치교육을 통해 일상에서 자유민주주의를 실천하는 정치활동 참여와 그에 따른 자질과 소양을 길러주어야 하겠습니다.

퇴직 후 교육 지원활동

교사는 일과 중 수업을 주로 하지만 각종 사무 행정 처리 등으로도 바쁩니다. 특히 수업과 수업 사이의 휴식 시간, 점심 식사 시간도 학생들의 안전과 질서를 위해 제대로 쉬지 못합니다. 학생들은 교실과 복도에서 떠들고 뛰어다니며 교사의 통제를 벗어나려고 하기에 잠시라도 긴장감을 늦출 수 없습니다. 하교 후엔 배당된 공문서 처리 또는 성적처리 및 교수학습자료 준비 등으로 퇴근 시까지 바쁩니다. 그래서 단골로 제기하는 요구사항은 과도한 비교육적 업무에 대한 경감 조치입니다.

교사의 수업과 기타 업무를 지원하기 위해 전보다 많은 교육공무직원이 신설되어 학교에 근무하고 있습니다. 학생 수 감소에 따라 교사 수도 줄면서 업무를 감당할 현장 인력이 점차 줄기 때문에 교사가 느끼는 행정업무 부담은 시간이 지나도 별로 개선된 게 없는 것처럼 느껴집니다.

행정사무는 피할 수 없는 조직의 업무입니다. 교사가 행정을 전혀 안 할 수는 없겠지요. 교육활동과 관련된 후속 처리는 행정사무와 직결되어 있습니다. 부장교사는 평교사보다 더 많은 업무를 처리해야 하므로 힘듭니다. 이들의 수업시수나 업무를 경감시켜주어야 합니다. 그 외에 교육청이나 정부, 의회 등에서 요구하는 보고자료, 감사자료 수합 제출 등 일반 행정사무와 늘봄학교 같은 새로운 사업 관련한 사무를 지혜롭게 처리할 수 있는 방법을 찾아야 하겠습니다.

우선 그런 일을 했던 경험이 있는 퇴직 교원을 활용하면 좋을 듯합니다. 혹자는 행정사무 전담 교원을 두자고 합니다만, 비용이 많이 듭니다. 퇴직 교원 중 경륜과 기술이 적합한 자를 많이 바쁜 시즌에 시간제로 채용하여 행정사무 지원 인력으로 운용하면 효과적일 것 같습니다.

이들은 과거에 교육활동을 했던 경험으로 어떤 내용의 행정사무인지 대번에 알기 때문에 가장 효율적으로 사무를 볼 줄 압니다. 컴퓨터 활용 업무처리 능력도 있어서 별도 연수나 비용도 거의 들지 않습니다. 퇴직 교원은 몇 년간은 충분히 학교의 사무를 볼 수 있는 지력과 체력을 가지고 있습니다. 학교폭력 조사관으로 퇴직한 교원이나 경찰을 위촉하는 것도 이들이 퇴직 전까지 관련 사무를 보았기 때문에 개인정보보호라든지 사무처리의 원칙, 기술을 잘 알고 있기 때문입니다.

학교의 행정사무 지원 인력이나 교사와 지방공무원이 서로 맡기 싫어하는 새로운 신규사업 담당자로 퇴직 교원을 임시직으로 활용하는 방안이 시행된다면 퇴직자들은 집 근처 가까운 학교에서 일할 수 있고, 현직 교원의 업무를 줄여주는 효과도 있어서 제법 긍정적일 것입니다. 요일별로 단기 근로자 형태로 고용하는 것도 한 방법일 것입니다.

퇴직 교원은 평생을 가르치는 일에 종사하였기에 교육에 관하여는 전문직입니다. 퇴직하였다고 해서 바로 그 기술과 경륜이 사라지는 것이 아니기에 그들이 학교 교육에 적절히 기여할 수 있다면 우리나라의 교육활동은 훨씬 풍부한 인적 자원을 가지고 운영할 수 있습니다.

다음으로 고려해 볼 것은 62세 정년에 달하는 교원의 선택을 존중해서 1년 단위로 재계약 고용해서 65세까지로 하되 보수체계에서 피크제를 도입하는 것입니다. 이들은 교장 중임 후 계속 근무하는 원로교사와 다르며, 행정사무 중심의 교사입니다. 수업을 절반으로 줄이고 나머지 시간을 행정사무에 임하도록 하는 것인데 지금의 교원행정업무지원팀과 유사합니다.

2015년 공무원연금 개혁 후 정년 퇴임하는 교원은 최초 공무원연금을 수령하는 나이가 65세입니다. 62세 정년 후 일정 기간 공백이 생깁니다. 이것을 해소하기 위해서라도 정년 연장 효과가 있는 대책이 필요할 것입니다. 다만, 이런 것은 노인 인구 부양과 복지 등 보장 문제, 고용 문제, 연금 문제, 나라의 경제적 여력 등을 종합해서 살펴보아야 할 것입니다.

사회적으로 정년 연장에 대한 논의와 함께 점차 고령화되어가는 이 시기에 퇴직 교원 중에서 더 일할 사람들에게 기회를 부여하는 것도 필요하다고 봅니다. 일부 퇴직 교원은 정년에 떠밀려 보석 같은 학교경영 지식을 활용해보지도 못하고 퇴직하는 예도 있습니다. 기업은 오랜 경험이 축적된 기술자들이 정년을 맞아 퇴직하더라도 일정 기간 재고용해서 후임 경력직들의 멘토가 되어준다고 합니다. 우리 교육계도 이런 제도를 참고하여 인력난에 어려움을 겪는 학교를 지원하는 방법을 찾아봐야 하겠습니다.

제7장
유산을 남기다

학교 리더는 떠날 때 좋은 유산을 남겨야 하겠습니다. 제가 남기고자 하는 유산은 3가지입니다. 훌륭한 인재 육성, 자율적인 조직문화, 유비무환의 습관화입니다. 그리고 우리의 미래세대를 위해 나보다 '더 큰 나'인 코스모스를 생각해 보면 좋겠습니다.

훌륭한 인재 육성

내 안의 코스모스

지구 46억 년의 역사에서 현생 인류인 호모 사피엔스가 다른 종(種)과의 경쟁에서 이겨내고 지구 생태계의 최상위를 차지한 것은 약 20만 년 전이라고 합니다.

인류는 우주의 광대무변한 시간과 공간 속에서 자체적으론 목적 없는 지구 행성 안에서 상상의 가치를 창조하며, 행복을 추구하며 살아가는 똑똑한 존재입니다. 여기서 개체로서의 어떤 사람보다 '더 큰 나'를 상상할 수 있는데 보통은 나를 있게 한 공동체를 뜻합니다. '더 큰 나'는 미래세대를 포함한 우리, 지구에서 사는 뭇 생명체이며 지구 자체입니다. 이걸 인식할 줄 아는 인간을 길러내는 교육은 매우 뜻깊고 위대한 활동이라고 믿습니다. 우리는 태어날 때 어떤 사명을 갖고 태어나지는 않았으나 때로는 '더 큰 나'를 위해 몸과 마음을 바치기도 합니다.

교장 중임 마지막 해에 천문동아리를 만들어 운영하였습니다. 세상을 이해하고 넓은 우주가 있음을 알게 하면서 겸손한 태도를 기르려고 하였지요. 일흔이 넘은 천문학자를 강사로 모시고 열 명 정도 되는 학생들을 모아 프로그램을 운영하였습니다. 이 넓은 지구의 한구석에서 아주 적은 어린이들이었지만, 성장하면서 '더 큰 나'를 발견해내기를 기대하면서 시작하였습니다.

《코스모스》의 저자 칼 세이건은 자신의 인생 후반기에 하나밖에 없는 우리들의 생명의 고향인 지구를 살리기 위한 충정을 담아 《창백한 푸른 점》을 썼습니다. '창백한 푸른 점'은 바로 지구입니다. 1990년 2월 14일, 태양계 외곽인 해왕성 궤도 밖에서 탐사선 보이저 1호가 찍어 보낸 사진을 보면 지구는 우주라는 망망대해에 무수히 뿌려져 있는 별 중 하나의 작고 푸른 점(티끌)에 지나지 않았습니다. 세이건은 그 책의 제1장에서 그 작은 점(dot)에 대해 다음과 같이 소감을 말했습니다.

"…다시 이 빛나는 점을 보라. 그것은 바로 여기, 우리 집, 우리 자신이다. 우리가 사랑하는 사람, 아는 사람, 소문으로 들었던 사람, 그 모든 사람은 그 위에 있거나, 또는 있었다. 우리의 기쁨과 슬픔, 숭상되는 수천의 종교, 이데올로기, 경제이론, 사냥꾼과 약탈자, 영웅과 겁쟁이, 문명의 창조자와 파괴자, 왕과 농민, 서로 사랑하는 남녀, 어머니와 아버지, 앞날이 촉망되는 아이들, 발명가와 개척자, 윤리 도덕의 교사들, 부패한 정치가들, 슈퍼스타, 초인적 지도자, 성자와 죄인 등 인류의 역사에서 그 모든 것의 총합이 여기에, 이 햇빛 속에 떠도는 먼지와 같은 작은 천체에 살았다."[24]

칼 세이건은 이어서 다음과 같이 인류에게 중요한 사실을 상기시켜주었습니다.

"지구는 광대한 우주의 무대 속에서 하나의 극히 작은 무대에 지나지 않는다. 이 조그만 점의 한구석의 일시적 지배자가 되려고 장군이나 황제들이 흐르게 했던 유혈의 강을 생각해 보라. 또 이 점의 어느 한 구석의 주민들이 거의 구별할 수 없는 다른 한 구석의 주민들에게 자행했던 무수한 잔인한 행위들, 그들은 얼마나 빈번하게 오해했고, 서로 죽이려고 얼마나 날뛰었고, 얼마나 지독하게 서로 미워했는지 생각해 보라. (중략) 인간이 가진 자부심의 어리석음을 알려주는 데 우리의 조그만 천체를 멀리서 찍은 이 사진 이상가는 것은 없다. 사진은 우리가 더 친절하게 대하고 우리가 아는 유일한 고향인 이 창백한 푸른 점을 보존하고 소중히 가꿀 우리의 책임을 강조하고 있다고 나는 생각한다."[25]

우리가 사는 지구를 살리는 일은 다른 무엇보다도 중요합니다. 생명이 없는 지구를 상상하는 것은 미칠 만큼 괴롭지 않은가요? 인류가 수천, 수만 년에 걸쳐 쌓아 올린 문화와 문명, 생명들, 아름다운 자연 생태계를 한순간에 모두 멸절시킬 수 있는 재앙이 도사리고 있습니다. 폭염, 가뭄, 한파 등의 기후 재앙과 핵전쟁 위협 등이 그것입니다. 지구의 평화와 존속을 위해 인류는 서로의 지혜와 협력이 절실히 필요한 시기에 들어섰습니다.

우리는 학교 교육을 통해 어떤 인간을 길러내려고 하는지 계속 질문하여야 합니다. 기후변화 위기, 핵전쟁 위협 등 인류의 미래 생존과 번영을 위해서 우리는 새로운 각오로 행동해야만 하는 마지막 지점에 도달한 것으로 보입니다. 산업혁명 후 불과 3세기가 지나지 않아서 인류는 멸망의 위험에 직면해 있습니다.

세상은 넓고 우주는 광대하며 인간은 유한하다는 것을 가르쳐야 합니다. 그래서 좀 더 겸손한 삶의 자세를 갖추고 인류의 공영과 지구 생태계의 안녕에 힘쓰도록 해야 합니다. 더는 지구촌에서 자기 부족(국가)의 행복을 위해 다른 부족의 존재 가치를 부정하거나 생명을 빼앗는 짓, 오랜 세월 쌓아 올린 문화를 파괴하는 어리석은 짓을 하지 않도록 해야 합니다. 더는 뜨거워진 지구환경을 방치하지 말아야 합니다. 코스모스(cosmos)의 지혜와 상대를 존중하는 다문화와 공존의 가치를 가르쳐야 합니다.

지구에서 함께 살아가는 인류를 생각해 봅시다. 세계화 시대에 투명성, 다양성, 시장성, 문화성을 글로벌 스탠더드 가치라고 한다면,[26] 이런 가치관을 지닌 사람이 바로 세계시민입니다. 자기 나라의 국민, 문화 등을 사랑하면서 그 생각을 다른 나라 국민, 문화에까지 확장한 시민 의식이지요. 이러한 가치관은 나아가 미래세대까지 염두에 둔 시민 의식입니다. 이런 시민 의식을 갖춘 인재를 육성해야 합니다. 한 지구에 살면서 이웃과 미래세대를 염두에 두지 않는 무책임하고 비겁한 정책, 실천하지 않는 무능은 이제 끝내야 하겠습니다.

이제 교육계와 학교는 깨어있는 리더들에 의해 올바른 방향으로 진화하여야 합니다. 더 늦기 전에 다음 세대에게 지구와 인류 공영을 위한 위대한 도전과 실천적 행동을 가르쳐야 합니다.

필자는 우주가 스스로는 실수하지 않을 것이라고 굳게 믿습니다. 우리 인류가 우주적 질서(cosmos)를 깨닫고 그에 부합하는 교육을 해나간다면 말입니다.

부장교사 육성

학교를 경영하기 위해서는 인적 자원과 물적 자원이 부족하지 않도록 다면적으로 신경을 써야 합니다. 공립학교의 경우 조직이 필요로 하는 인재는 교장이 직접 뽑을 기회가 거의 없으므로 소속 교원 중에서 성장 잠재력이 있는 자를 발굴하여 인재로 육성하는 데 힘써야 합니다. 바로 부장교사가 그들입니다.

인재 육성은 교육지원청이나 연수원 등에서 업무 관련 직무연수를 통해 교원의 자질과 능력 향상을 지원하기도 하지만, 업무 경험이라든지 학교 실정에 맞게 역량을 기르는 일은 결국 해당 학교의 교장이 신경 써서 실천해야 할 일입니다.

인재를 육성하는 방법에 있어서는 우선 부장교사 중에서 리더급 부장을 잘 육성하는 것이 중요합니다. 그는 장차 교감이나 교장이 될 매우 유능한 교사이기 때문입니다. 그를 중심으로 부장급 교사단을 꾸려야 합니다. 또한, 교감도 잘 코치하여야 합니다. 교감은 교장을 보좌하는 역할도 하지만 교장의 부재 시 직무대행을 할 수 있어야 하므로 여러 가지 면에서 그의 부족한 점을 다듬어서 좋은 리더로 성장하도록 도와주어야 합니다.

한편, 초빙 인사를 통해서 꼭 필요한 인력을 충원할 수 있습니다. 교감 시절부터 초빙을 시도해 봤는데, 최종적으로는 서로 이해관계가 맞아떨어져야 가능한 일입니다. 초빙 인사로 오려는 자나 필요로 하는 자나 각각 생각하는 바가 조금씩 다를 수 있기에 확실히 성사되기 전까지 조심스럽게 진행해야 합니다.

차선책으로 무난한 것은 내부의 인재를 발굴, 육성하는 일입니다. 어차피 저절로 큰 인재가 하루아침에 나타날 수는 없기에 로드맵을 그린 후 3년 정도의 기간을 두고서 서서히 업무역량을 키워나가도록 코치해야 합니다. 그러기 위해 해야 할 우선 작업은 앞길이 양양하고 의지가 있는 인재를 발굴해내는 일입니다.

교장 임기 첫 학교에서는 마지막 해에 연구부장 요건으로 이웃 학교의 경력 교사를 초빙했습니다. 그런데 신학년도에 사정상 교무부장을 할 만한 인재가 없어서 바로 교무부장으로 보직을 삼았는데 그동안 다년간 잘 축적한 경험이 있어서 학교를 안정적으로 운영하는 데 많은 도움을 주었습니다. 그 후 인사이동으로 헤어졌지만 몇 년이 지나지 않아 그는 교감으로 승진하였습니다. 초빙이 잘 이루어진 성공적인 사례였다고 말할 수 있겠습니다.

교장 임기 두 번째를 맞아 부임한 학교엔 교무와 연구부장이 비교적 열심히 하고 있어서 괜찮다고 보았는데, 문제는 이들이 조만간 모두 떠나야 한다는 것이었습니다. 교장 임기 후반부와 교체기의 조직 안정성이 불투명하였지요. 사정상 둘 다 유임시키기도 어려웠습니다. 고심 끝에 둘 다 내보내기로 하고 후임을 준비하기 위해 초빙을 결심하였습니다. 다행히 전임지에서 잠재 역량이 우수한 경력 교사가 전보시기라서 초빙에 응하여 이후 조직의 안정과 학교경영에 많은 도움이 되었습니다. 이렇듯 필요한 시기에 우수 인재를 초빙하거나 발굴하여 경험을 축적하게 하여 쓸만한 인재로 육성, 관리하는 일은 교장으로서 꼭 해야 할 과제라고 생각합니다.

좋은 인재란 일을 잘하고 해당 분야에 전문성이 있는 자만을 지칭하지는 않습니다. 기본적으로 인성이 바르고 때와 장소에 알맞게 처신할 줄 아는 사람입니다. 능력이 있더라도 인성이 사막처럼 마르거나 가시로 자기 몸뚱이를 감싼 자는 진정한 인재가 아닙니다. 인성이 좋음은 리더의 으뜸 기준입니다. 유교에서도 수기(修己)가 치인(治人)보다 먼저인 까닭입니다.

교장 중임 학교에서 3년째를 맞이한 시기에, 젊은 교사들 중심으로 부장교사 보직을 주고 팀을 꾸렸습니다. 90년대생 3명이 처음으로 부장교사가 되었습니다. 이제 막 1정 자격을 받은 자들이었습니다. 서른 살 정도의 상당히 젊은 교사들인데도 교무부장이 리더 역할을 잘해 내면서 후배들을 잘 이끌어준 덕에 서서히 팀이 자리를 찾으며 분위기가 살아났습니다.

필자는 한꺼번에 많은 것을 바라지 않았습니다. 그들도 스스로 배우고 발전하려는 의지가 있었고 교무, 교감으로부터 차근차근 일하는 요령을 배워나감으로써 경력을 키워가게 될 것입니다.

처음 부장을 맡는 자들은 많은 두려움을 갖고 있다는 것을 알게 되었습니다. 본인의 시간과 에너지를 많이 쓰는 것에 부담을 느끼는 것 같았고, 남들이 자신을 어떻게 평가할까에도 신경을 쓰는 것 같았습니다. 필자는 부장으로서의 업무와 역할, 그리고 자세에 대해 적절히 코치하면서 일 부담을 적게 주면서 스스로 자신감을 얻도록 돕고 기다려주었습니다.

그들은 놀랍게도 짧은 시간에 많이 성장하는 것 같았습니다. 그들에겐 신무기가 있었으니 4차 산업혁명기에 어울리게 IT에 강하다는 것이었습니다. 인간관계나 업무 절차 등은 아직 미숙하지만, 자세히 코치하면 일을 추진하는 것은 빠르게 배워나갔습니다. 부장들과 회의 때마다 일을 많이 하는 것보다 제대로 하는 게 중요하다고 강조하면서 일 처리 속도를 조절하였습니다.

젊은 부장들을 잘 코치해야 하는데 핵심은 개개인의 성향에 맞게 맞춤형으로 피드백을 해주는 것입니다. 보통 잘못을 지적하거나 훈계조로 하면 효과는 떨어집니다. 희망을 주면서도 무엇에 초점을 두어야 할지를 정확하게 사실 중심으로 알려주어야 합니다. 감정 섞인 비판이라든지 두루뭉술한 평가적인 말은 하지 말아야 합니다. 특히 성장기에 과분할 정도로 칭찬과 기대 속에서 자란 이들에겐 자칫 비판적으로 접근하면 인간관계가 어려워질 수도 있으므로 조심합니다. 평소 신뢰를 쌓고 어느 정도 편안하게 대화할 수 있는 관계로 발전한 후 진정성을 가지고 피드백을 해준다면 효과적일 수 있습니다.

부장교사 중에서 전도가 양양한 사람이 있을 수 있습니다. 일에 의욕이 있고 발전하려는 자세가 분명한 이가 있다면, 관심을 보이고 격려해주면 좋겠습니다. 잠재적 실력이 엿보이면 각종 연구대회라든지 연구교사제 등에 참여하도록 하여 한 단계 넓은 경험과 시야를 갖도록 도와주면 좋습니다.

그리고 본인이 의지가 있다면 대학원이나 전문직에도 도전해서 발전하도록 자극하는 것도 매우 보람 있는 일일 것입니다. 필자도 예전에 전문직에 있던 선배님이 교육전문직 시험에 도전하면 좋겠다고 하면서 그 방법과 준비과정을 도와주신 일이 잊히지 않습니다. 대개 누구든지 성장의 시기엔 주변에서 이끌어주는 분들이 있게 마련인데 그런 여건이 된다면 인재 육성이라는 차원에서 꼭 해보시길 권하고 싶습니다.

하지만, 부장교사의 육성은 교장의 의지와 노력만으로 제대로 이루어내기 어려운 과제입니다. 실제 학교 업무의 상당 부분을 교원 수의 몇분의 일 정도인 부장교사가 기획하고 처리하는 등 기여도가 높은데 상응하는 유인책이 별로 없다 보니 하려는 자도 없고, 계속해서 맡으려고도 하지 않습니다. 업무의 과중함과 책임이 주요 기피 요인인데, 예산 확보, 인력지원 등으로 부장교사의 수업시수를 경감하는 유인책을 만들어야 하겠습니다.

바라건대 정부에서 인재 육성의 중요성을 인식하여 부장교사에 대해 보상이나 처우를 높여서 좋은 인재들이 자긍심을 갖고 일할 수 있도록 뒷받침해줘야 할 것입니다. 이들의 노고로 학교교육이 중심을 잡고 안정적으로 운영될 수 있습니다. 다행히 2024년부터 담임교사 수당과 보직교사 수당이 대폭 인상되었습니다. 담임, 부장교사 기피현상이 완화되기를 기대합니다. 무엇보다도 교사들이 마음 편히 학생들을 가르치는 법적, 제도적 방법을 꾸준히 찾아야 하겠습니다.

코칭과 배려

교감은 부장교사와는 급이 다른 위상을 지니고 있습니다. 교감을 부교장으로 명칭을 바꾸어야 한다는 분들도 있는데 명칭이 어떠하든 관리자이자 교장을 보좌하는 위치입니다. 조만간 교장의 지위에 올라서서 학교에서 최고책임자가 될 것입니다.

교감은 업무 처리 면에서 더 축적할 경험이 필요하지 않을 정도로 숙달되었다고 볼 수 있습니다. 다만, 리더로서 요구되는 조직 장악력, 협력적 태도, 책임감 등 기타 자질에 대해 자신의 상태를 잘 인식하고 부족한 것을 채워나갈 수 있도록 피드백을 해주어야 합니다. 그가 모든 교사를 직접 지휘하는 위치에 있기에 자존심을 상하지 않도록 조심스럽게 코치하는 것이 좋습니다.

당사자의 의지에 더해 교장이 제대로 잘 코치해서 육성한다면 교감은 얼마든지 좋은 경영자로 성장할 수 있을 것입니다. 어떤 경영자로 성장하도록 해야 할지가 관건입니다. 업무를 잘하는 것으로만 경영자라고 말할 수 있을까요? 지도자로서의 면모를 갖추도록 하여야 합니다. 필자의 경험상 다음의 몇 가지만이라도 잘하면 매우 성공한 것입니다.

첫째, 인성적인 면에서 교감이 갖추기를 바라는 점은 겸손한 자세입니다. 자신감이 넘치면 일을 그르칠 수 있고, 조심하지 않아 실수도 반복하게 되어 신뢰를 잃어버릴 수 있으므로 매사 신중하여야 합니다. 그래서 겸손한 인재로 성장하도록 코치합니다. 자기가 한 일에 대해 자긍심을 갖는 것은 필요하지만 이를 자랑하거나 생색내는 것은 리더의 바람직한 면이 아닙니다.

반면에 리더가 부하직원 앞에서 힘들다고 자꾸 하소연하는 것은 듣는 이의 피로를 불러일으킵니다. 조직 내에서 자신이 이룬 업적이 크든지 작든지 간에 알아주지 않는다고 서운함을 표현하는 것도 마찬가지입니다. 이런 분은 훗날 교장이 되어도 많은 이의 신뢰와 존경을 받기에는 부족하지 않을까 싶습니다.

둘째, 교감은 부하직원을 헐뜯지 말고, 책임을 전가하거나 타인 또는 부하의 공을 가로채지 않아야 합니다. 맡은 일의 성패는 자신의 역량과 노력에 달린 것으로서 남 탓을 하지 말아야 합니다. 표창이나 인사에 반영하는 근무성적은 객관적인 관점에서 기준을 두고 공정하게 처리하도록 코치합니다. 하지만, 원칙에만 얽매어 인간다운 삶의 여유를 잃지 않도록 중용의 지혜를 발휘하는 감각도 일깨워줘야 하겠습니다.

셋째, 교감은 자신의 뒤를 이을 차세대 리더를 키우려면 일할 기회를 베풀며, 용기를 북돋워 주는 마음가짐을 가져야 합니다. 아랫사람이 성장할 기회를 주면서 함께 배우고 성장하도록 친절과 배려로써 코치하는 게 바람직합니다.

교감도 때로는 교사들에게 배울 수 있어야 합니다. 직위가 높다고 지혜도 높은 것은 아닙니다. 가르치기 전에 배우려고 해야 합니다. 배움 앞에서는 언제나 겸손해야 합니다. 아는 만큼 보인다고 했습니다. 여러 학교를 방문할 기회를 만들면 좋을 것입니다. 가서는 어떤 점을 배울 것인가를 생각해 보며 훗날 자신이 교장이 되었을 때 도입할 계획을 메모해두면 좋을 것입니다.

교감으로 3년 정도 지나면 자격연수 대상자 선정 및 승진을 위한 조바심에 학교장을 보좌하는 본연의 역할보다 교육청 등의 사업에 자주 참여하여 눈도장을 찍으려는 분들이 더러 있는 것 같습니다. 업무 처리상의 규정과 절차를 잘 지키면서 학교장을 보좌하는 본질적 위치를 망각하지 말아야 하겠습니다.

어떤 교감은 늦게 승진한 탓에 안타깝게도 교장을 하지 못하고 퇴임하는 수도 있습니다. 하지만 교장도 못 되는데 열심히 해봐야 뭣하겠냐는 생각을 떨쳐내고 끝까지 할 일을 다 하는 자세는 후배나 소속 교직원에게 주는 긍정의 울림이 큽니다.

그런데 학교의 사정은 앞에서 살펴본 대로 위로 올라갈수록 점점 업무가 과중하고 책임질 일도 많아집니다. 최근엔 교사들이 갈수록 이기주의적으로 바뀌어서 힘든 일을 하지 않으려고 합니다. 그래서 많은 일이 중간 관리자인 교감의 몫으로 돌아갔습니다. 교사에서 교감으로 승진할 때 호봉 승급, 또는 직책급 수당을 현실화하는 등 자긍심을 갖도록 정책적으로 배려하면 좋겠습니다.

이렇게 해서 유능한 교감이 학교장을 보좌하며 차기 경영자로서 자신의 역할을 훌륭히 해낸다면 학교 교육이 한층 안정적이고 선후배로부터 인정받아 본인도 자긍심과 보람을 느낄 것입니다. 사람은 기본적으로 힘들어도 인정받고 성취감을 느낄 때 소진(번아웃)이 일어나지 않는다고 합니다. 그러므로 인재 육성은 그가 누구든 현재 위치에서 최선을 다할 때 상응하는 보상을 받을 수 있다는 믿음을 심어주는 것이 매우 중요합니다.

자율적인 학교문화

자율적 조직의 힘

인간은 어떤 삶을 살 때 행복을 느낄까요? 우선은 배고프지 않아야 할 것이고, 자신이 하는 일에 대해 자부심과 선택할 자유가 있어야 하겠지요. 예컨대 자신이 해야 할 일을 찾아서 스스로 계획을 세우고 자율적으로 추진하고 그 성과에 대해 평가받는 환경에서 사는 것과 시작부터 끝까지 모든 것을 상사에게 물어서 처리한 후 결과에 대해서 책임지지 아니하는 삶 중에서 어떤 것을 선택하고 싶은가요? 대부분은 전자의 삶을 살고 싶어 할 것입니다. 인간의 본성과 부합하는 삶의 방식이기 때문입니다.

이렇듯 최근의 경영은 자율적 방식을 더 선호하고 그러한 방향으로 조직을 운영하고자 노력합니다. 그렇게 할 때 변화하는 환경과 각종 예측이 어려운 조건에도 민첩하게 능동적으로 대응할 수 있는 유연한 조직문화를 만들 수 있습니다.

자율적 조직의 특징은 전통적인 피라미드 조직 대신 필요에 따라 협업하는 자율적 소규모 팀을 기반으로 자원 배분을 조율하고, 상명하달식의 수직적 구조가 아닌 구성원 개개인의 주인의식과 자율을 중시하는 수평적인 조직입니다.

자율적 조직은 비전 공유를 통해 조직원의 업무 수행 및 의사 결정에 대한 명확한 기준을 제공하고 팀 중심의 네트워크 조직을 구축하여 권한 위임을 통해 빠르게 실행하고 학습할 수 있습니다. 또한 업무성과에 대해 스스로 책임을 지며 업무의 효율성을 추구합니다. 처음엔 구글, 페이스북 등 글로벌 IT 기업에서 널리 쓰였는데 최근에는 점점 공공기관, 기업 등으로 퍼지고 있습니다. 이제는 자율적인 조직문화가 새로운 일하는 방식으로 자리를 잡는 중입니다.

자율적 조직에서 자기가 정한 규율은 지켜야 합니다. 자율에는 일정한 기준이 있게 마련인데 스스로 주인의식을 갖고 정하되 기준과 원칙을 준수하여 상황이나 여건을 고려하여 정한다는 의미입니다. 자율에는 정해진 규칙 내에서 선택할 자유가 있습니다. 그게 있어서 구성원들은 자유롭게 상상하고 창의적으로 결과물을 만들어 낼 수 있는 것입니다.

자율적 조직은 조직원들의 동기유발을 끌어올릴 뿐만 아니라 사람 중심의 역동적인 문화를 만듭니다. 개개인의 책임감을 고취함으로써 다양한 아이디어를 개발하고 최고의 성과를 올릴 수 있게 합니다.

코로나19 시기에 자율적인 조직은 위기에 강함을 보여주었습니다. 필자도 이 시기에 학교 수업을 어떻게 운영할지에 대해 내부 협의를 거쳐 사전에 매뉴얼을 만들고 이 시스템에 따라 조직 내 팀 단위로 최선의 방안을 찾아 자율적으로 시행토록 했습니다.

자율적 조직이 활성화하면 상황 발생 시 교육청의 별도 안내를 기다리지 않고도 팀별로 빠른 검토와 실행 처리가 이루어졌습니다. 즉, 교직원 복무, 방역계획, 원격수업 도우미 운영, 방역 인력관리, 수업시간표 운영, 급식 방법, 급식 후 오후 수업방식, 그리고 과제물 제공과 수합 방법, 돌봄교실 운영 방법, 학생평가 방법, 이러한 내용의 학부모 대상 메시지 전파 등 전체적인 면에서 담당자가 자율적으로 결정하고 전파한 후 보고토록 하였습니다.

자율과 책임성

학교 교직원인 교원과 행정실 공무원, 그리고 교육공무직원은 법령과 해당 학년도의 학교 교육계획을 중심으로 목표를 공유하며 학년군, 업무팀 단위로 스스로 자율적인 교육활동과 업무 수행이 가능한 조직이라고 봅니다.

예컨대, 학교 교육 계획서에 학급 내 부진아 지도를 위해 담임 책임하에 자율적으로 계획을 세워 추진한다는 내용이 있다고 합시다. 여기서 자율이라고 해서 담임교사가 부진아를 지도해도 되고 안 해도 된다는 의미는 아닙니다. 어떻게 부진아를 판별하고, 어떤 방법으로 지도할 것인가의 결정 권한이 각 학급 담임교사에게 주어졌다고 보는 게 바른 해석입니다.

담임이 심사숙고하여 지도계획을 수립하고 승인을 얻어 실천하였다면 자율적으로 추진하는 것이 됩니다. 물론 그 과정에서 교감이나 교장의 지도나 피드백이 있을 수 있지만, 지배적인 의사결정은 담임교사가 하는 것이지요. 이것이 자율적인 업무추진의 본래 모습입니다.

추후 그 성과에 대해서는 담임교사가 칭찬받을 수도 있고 부정적 평가를 포함한 피드백을 받을 수도 있습니다. 이 또한 자율권을 행사한 본인이 감수할 책임입니다. 자기가 선택하여 결정한 것에 대해선 책임을 지는 게 마땅합니다. 기본적으로 자기 인생과 자기가 한 일에 대하여 책임은 스스로가 지는 것입니다.

오해가 없기를 바라는데, 책임을 진다고 해서 그 자리에서 물러나거나 징계를 받으라는 것이 아닙니다. 그 일의 결과에 대해 칭찬과 비판을 모두 자신이 짊어진다는 뜻입니다. 책임지지 않으려는 태도는 우리를 나약하게 만들고 타인에게 의존하는 사람으로 만듭니다.[27]

학교가 자율적으로 과제를 처리해 나가기 위해서는 경영계획에 나타난 비전과 실행과제와 주요 방법에 대해 교직원 간 공유하는 것이 필요하고, 빠른 의사결정을 위해 권한 위임이 적절하게 이루어져야 합니다.

또 하나는 단위 업무별로 매뉴얼을 만들어 이 일은 누구와 협업해야 하고 누구의 도움을 받아야 하는지, 필요한 자원은 어떻게 조달받을 수 있는지 구성원 모두가 알도록 해야 합니다. 그렇지 않으면 업무 수행의 지체 요인이 됩니다.

필자가 평소에 업무 수행 시 자율을 강조해도 일부 교직원은 자신이 맡은 업무를 추진할 때, 여전히 사전에 교장의 의사를 확인받으러 왔습니다.

"이런 일이 있는데 이걸 어떻게 처리하면 좋겠습니까?"

라는 식입니다. 하지만 그걸 교장이 어떻게 바로 대답할 수 있겠습니까?

그래서 그때마다 '어떻게 할까요?'라고 묻지 말고 대신에 다음과 같이 질문하라고 하였습니다.

"이런 일이 있어서, 제 생각엔 이러이러한 이유로 이렇게 처리하면 좋을 것 같은데, 교장 선생님 생각은 어떠하신지요?"

이런 식으로 준비해오라고 하였습니다. 해당 업무에 대해 실무자가 적어도 먼저 고민하여 아이디어 한두 가지 정도는 생각해와서 의논하기를 바랐던 것입니다. 이렇게 반복적으로 지도하니 그 후는 조금씩 발전적으로 잘 지켜졌던 기억이 있습니다.

필자가 경영의 핵심가치로 삼은 것이 '자율과 신뢰'입니다. 어떤 사업을 실행하는 데 있어서 일시 또는 기간, 참여대상자, 프로그램, 예산 사용의 선정과 세부계획 수립 권한 등은 업무 담당자 또는 부장에게 부여했습니다. 예산 사용은 이미 공개된 예산 편성 내역을 참조하여 담당자가 정해진 예산 범위 내에서 지출 품의 권한을 자율적으로 할 수 있는 여건을 마련해 주었습니다.

학급운영비 사용은 담임교사가 자율적으로 시기라든지 품목을 목적에 맞게 품의할 수 있었고, 사업별로는 업무 담당 부장교사가 예산 집행 품의 권한을 사용하였습니다.

교원학습공동체의 구성과 운영 주제 및 예산 사용도 마찬가지입니다. 팀의 현장 연수 계획도 일시, 장소, 예산 사용에서 자율을 주었습니다. 복무라든지, 예산 품의, 기안문 결재 등도 권한 위임을 통해 간소화하였습니다. 방학 중 특별프로그램, 방과후학교 프로그램 개설 등도 담당자에게 권한을 주었습니다.

코로나19 시국 전면등교 수업 시에도 급식 후 오후 수업방식은 학년에서 원격 또는 대면으로 자율적으로 정하여 시행하되 교장의 경영 방침을 고려하여 조정하였습니다.

이러한 권한 위임과 이에 따른 자율적인 프로그램 구성 권한은 교직원의 업무 수행력을 한층 끌어올렸고 자발적 동의로 참여자들을 모았습니다. 그리고 결과에 대해 만족도 조사를 함으로써 스스로 평가받을 수 있도록 하였습니다.

학교 같은 조직 운영 시에는 높은 성취동기를 유발하고 조직원의 성장을 견인하는 '자율적 운영 모델'을 채택하길 권합니다. 자율이라는 나무는 신뢰라는 뿌리와 줄기를 가지고 있습니다. 그 결과 책임과 성과라는 꽃과 열매를 맺게 됩니다.

학교의 진화 전망

누구든지 자신과 자손의 삶에 대해 치열하게 고민하고, 행복하게 살기 위해 인생관을 정립하면서 살아가기 마련입니다.

그런데 우리는 자신이 믿고 있는 사상과 가치관만이 최고라고 우기지 말아야 하겠습니다. 상대의 다른 가치관도 존중하면서 그 속에서 중용의 지혜를 찾아내도록 하면 좋겠습니다. 우리는 어떤 이가 지식과 기술이 넘치고 지위가 높더라도 인간에 대한 예의가 없고 그 언행이 도를 넘는 자라면 모두 싫어합니다. 남을 가르치는 위치에 있는 교육자, 교육행정을 하는 자라면 더욱 중용의 도를 갖출 것이 요구됩니다.

앞에서 50대 이상의 교장들과 30~40대 초반 교사들에 대해 살펴보았습니다. 지금의 젊은 교사들은 이전 세대와 다른 공동체 의식을 지니고 있다고 봅니다. 그들은 교직 경험이 부족하다는 것 빼고는 이전의 어느 세대보다 수업도 잘하고, 협력적으로 업무를 할 줄 압니다. 그들이 디지털미디어 활용과 소통에 있어 진심이고 뛰어나기 때문일 것입니다. 이제 기성세대와 다른 그들을 그들의 관점에서 이해하고 별다른 보상 없이 사명감 하나로 공동체를 위한 봉사와 희생을 요구해서는 안 되겠습니다. 특히 담임교사 한 명이 복합 위기(다문화, 학습부진, 소외 등)에 빠진 학생들을 구하는 미션은 불가능에 가깝습니다. 학교, 교육지원청, 복지센터, 지역사회가 협력하여 자율적으로 지원팀을 구성하고 도움의 손길을 내밀 때 위기에서 구출이 가능하다는 점을 강조하고 싶습니다.

학교 리더는 사회가 변하면 학교 사회를 움직였던 제도를 변화의 양상에 알맞게 정비하는 후속 조치를 자체 역량에 의해 실시하여야 합니다.

그런데 그동안 사회적 이슈가 될 만한 사업이나 신규 업무는 교육부나 교육청이 정해준 예시안이나 매뉴얼대로 움직이는 게 습관이 되었습니다. 그래서 '학교에서 자율적으로 알아서 하시오'

라는 것에는 반응이 느립니다. 이제부터라도 리더는 자율적으로 해법을 모색하고 시행착오를 거치면서 학교 상황에 맞는 방법으로 문제를 해결해나가는 전략을 찾아야 하겠습니다.

산업화 시대에 우후죽순 격으로 세워진 초중등학교의 교육은 시대변화의 요구에 느리게 움직이고 있습니다. 최근에는 늘봄학교 같이 사회적 요구를 학교에 다 담아내려고 하면서 구성원들의 갈등이 커져서 학교는 심한 몸살을 앓고 있습니다.

교육청도 학생 수 감소에 따라 고비용 저효율의 학교 운영으로 어려움이 예상됩니다. 필요하면 교육지원청을 통폐합하거나 사용 목적 변경을 하여야 할 것입니다. 직원 수를 축소하고 사업수도 줄여나가야 할 것입니다. 그래야 점차 소규모화되어가는 학교의 업무량도 줍니다.

단위 학교에 운영상 자율성을 충분히 주지 않으니 교육부나 교육청도 자꾸 규제하거나 관리하려고 하면서 스스로 피로해지고 있습니다. 이대로 공교육이 더 나은 혁신적 발전 없이 국가나 지자체에 의해 독점적으로 계속 갈 수 있을까요?

우리 학교의 미래가 어찌 될지 모르겠으나 과연 정부나 지자체가 인가한 공·사립학교만이 미래세대를 길러내는 유일한 방편이 될 수 있을까요? 그런 학교의 졸업장은 과연 개개인의 미래를 보장해줄 수 있을까요?

정부가 인정한 지금의 학교에서만 우리가 필요로 하는 교육이 이루어지는 것이 아님을 분명히 인식하여야 하겠습니다. 이미 4

차 산업혁명 등으로 공교육이 아니더라도 우리는 얼마든지 지적으로, 신체적으로 정서적으로 성장하고 성공할 수 있는 다양한 경로와 도구, 확실한 시스템을 가지고 있습니다.

학교가 진화하지 않는다면 학교에 남아 있는 학생은 개인적으로 불행할 수도 있습니다. 오히려 가정에서 혹은 학교 바깥에서 자신의 미래를 위해 더 좋은 과정을 개발하여 갈고 닦을 기회가 있을 수도 있기 때문입니다. 그러므로 안이하게 기존의 시스템에만 안주한다면 학교는 자칫 문을 닫아야 할지도 모릅니다.

학교의 진화는 스스로 추구해야 합니다. 교육청 등에서 공문으로 오기 전이라도 불편한 것, 불합리한 것은 단위 학교 수준에서 해결해나가려는 자세를 가져야 하겠습니다.

인류 문화의 진화에 있어서 그 방향은 인간의 행복을 추구하는 쪽으로 진행하였습니다. 우리의 학교 교육도 그러한 방향으로 진화할 것으로 예상합니다. 즉 학령인구가 더 많이 급격히 줄어들어 작은 학교로 소규모화할 것이며, 다문화 학생의 증가로 다양화의 요구가 커질 겁니다. 또한, 시도교육청 중심의 운영체제보다는 학교 단위 또는 소규모 지역사회 중심의 교육이 이루어지는 분권화, 자율화에 대한 요구가 커질 것입니다.

지금의 교육법령과 제도 등은 모두 학령인구가 안정적이거나 규모가 큰 시기에 만들어진 것으로서 학생수의 급감이 가져올 파장과 충격은 예상외로 커질 수 있습니다. 이것이 단순히 교육 문제뿐만 아니라 주거, 경제, 국방 문제 등 국가의 지속성과 경쟁력에 미치는 영향까지 고려해서 재설계해나가야 할 것입니다. 교육당국과 학교 리더들이 지혜를 모아야 하겠습니다.

자꾸 나중으로 미루지 말고, 꺼내놓고 시기와 방법을 고민해야 할 것들이 몇 가지 있습니다. 현재의 초중고 633제를 변경할 것인가 하는 문제, 학급당 학생수 축소와 학교의 통합과 폐교 문제, 폐교된 기존 학교 건물이나 용지의 재활용 문제, 주택과 학교의 복합건물 생성과 운영 문제, 교육감 선출 방식을 비롯한 교육자치를 어떻게 개선할 것인가 하는 문제, 교원의 보수체계, 정년을 어떻게 할 것인가 하는 문제 등입니다. 한꺼번에 할 것인지 하나씩 처리할 것인지도 논의해야 합니다.

학교의 위기를 초래한 것 중 하나가 아동기가 스마트폰에 과잉 의존함으로써 건강한 정서발달과 놀이활동의 부족을 초래하고 사회화에 부정적 영향을 끼쳤다고 하였는데 이를 어떻게 해결해 나갈 것인가도 협의해서 시행해야 할 것입니다.

대학 입시에서 어느 정도 자유로워야 초중등교육이 정상화될 수 있음은 다 알고 있습니다. 고교학점제도 성공적으로 정착되어야 하겠지만, 대학 입시는 이제 대학 자율에 맡기는 것도 생각해봐야 할 것 같습니다. 대학 미졸업자도 살아가는데 불리하지 않도록 고교 특성화 교육도 실속있게 운영되어야 하겠지요. 그런 점에서 시도교육청과 국가교육위원회, 교원단체 등이 이러한 문제에 대해 논의를 시작하고 의견을 모아가야 하겠습니다.

유비무환의 습관화

점증하는 미래 위협

우리 삶을 어렵게 하는 것들은 다양한데 기후변화, 환경, AI의 급성장, 외로움, 그리고 저출산 고령화 등입니다. 우리나라는 이제 초저출산으로 국가소멸이라는 위기에 처해 있습니다. 바로 2023년 이후 합계출산율이 역대 최저인 0.7명 이하가 되었기 때문입니다. 경제협력개발기구(OECD) 38개 회원국 중 합계출산율이 1명 미만인 유일한 나라가 되었습니다.

초저출산은 여러 가지 복합이유가 있지만, 가장 큰 것은 핵개인의 시대와 경제적 비용 문제라고 봅니다. 혼자 사는 게 대세인 시대입니다. 경제 문제로는 육아와 대학 입시가 그 정점에 있고, 그때까지 아이를 키울 때 드는 생애 교육 비용이 많기 때문입니다. 유치원 때부터 대학교 졸업할 때까지 드는 교육비가 엄청나며 그나마 대학을 졸업해도 양질의 마땅한 일자리가 없고, 취업이 안 되니 연애도 집 마련도 요원합니다.

결혼을 왜 안 하냐고요? 왜 아이를 낳지 않냐고요? 경제적으로 부담이기 때문입니다. 게다가 20대의 성별 갈등도 큽니다. 이게 오늘날 청년들에게 닥친 고난입니다. 지방의 소규모 공동체가 소멸하는 원인도 교육과 일자리를 위해 대도시, 수도권으로 젊은 이가 이동하기 때문입니다.

출산을 장려하기 위해서 이제는 더 과감한 조치를 해야 합니다. 일본의 경우 아이를 셋 낳으면 모두 대학 학비를 무료로 해주는 제도가 있다고 합니다. 우리는 이 보다 더해야 하지 않을까 싶습니다. 모든 국가 정책을 출생 친화적으로 운영하고 부담이 큰 양육비는 나라의 세금으로 충족시킬 수 있어야만 하겠습니다.

정부에서 저출생 해결 방안의 하나로 부모의 육아부담을 덜어주기 위해 야심차게 추진하는 것이 초등학교의 늘봄학교의 운영입니다. 저출생의 해결에 도움이 되기를 기대합니다. 나라의 생존 문제가 걸린 과제로 인식하고 문제를 다루어야 하겠습니다.

고령화로 혼자 사는 노인 1인가구 비율이 전체 가구의 10% 정도입니다. 가족, 친구, 이웃 등과의 사회적 교류가 단절되면서 외로움과 고립감을 겪을 수 있습니다. 이 문제는 일본처럼 곧 우리나라의 커다란 사회문제로 떠오를 것입니다.

기후변화로 인한 기후 재앙은 전 지구적 문제라서 한 나라만의 노력으로 해결하기가 어렵습니다. 또 해양 쓰레기 문제와 지구 바깥의 수많은 인공위성 쓰레기는 또 다른 생존 문제를 잉태하고 있습니다.

이처럼 점증하는 미래 위협은 전 지구적 현상이어서 국가간 연대하고 국제기구의 노력과 협력이 필수적입니다.

유비무환의 생활화

유비무환의 습관은 어떤 일이 일어나기 전에 그 일이 일어날 것을 예견하여 방지하는 대책을 세워서 실행에 옮기는 것입니다. 유비무환은 반드시 실천적 행동이 수반되어야 합니다.

일기예보에 오늘 저녁 돌풍을 동반한 강한 소나기가 학교가 포함된 지역에 내린다는 예보를 접했습니다. 어떻게 조치해야 할까요? 돌풍 피해를 예상하여 문제가 없는지 살펴보고 단단히 고정하거나, 날아갈 게 있다면 미리 걷어서 안전한 곳에 두어야 할 것입니다. 그리고 강우량이 갑자기 늘어났을 때 운동장의 배수 상태에 문제가 없는지 시설 안전 담당자와 함께 순찰해서 조치해야 합니다. 창문 잘 닫고 퇴근하라고 교직원에게 안내하는 것도 빼놓지 않아야 합니다. 이런 것은 기본인지라 실무자들이 잘하고 있습니다. 그래도 최고책임자는 담당자를 통해 다시 한번 확인하는 자세를 가져야 합니다. 알아서 잘하겠지 하는 안이한 태도를 버리고 직접 챙긴다면 담당자들이 확실하게 대비할 것입니다.

역사상 이순신 장군만큼 유비무환을 잘 실천한 이가 또 있었을까요? 전라좌수사로 부임하여 왜적의 침공이 임박함을 알고 이에 대비하여 조정의 지원 없이도 자체적으로 거북선을 건조한 것은 지도자로서의 유비무환의 정수를 보여주었습니다. 전투에 임하는 장군의 전기를 읽다 보면 이런 구절이 나옵니다.

"장군은 작은 전투에 나설 때도 탐망선을 보내어 수시로 정보를 수집하는 한편, 부하 장수들과 모여서 작전에 대해 자세히 알려 주었다. 신호 방법, 공격과 퇴각, 담당, 진의 펼침과 거둠 등에 대해 여러 번 알기 쉽게 설명하고 단단히 약속하였다."

이런 장면을 보면 장군이 얼마나 철저하게 유비무환의 정신으로 전투에 임했는지 알 수 있습니다.

2024년 1월 2일 도쿄 하네다 공항 활주로에서 충돌 사고로 화재가 발생한 일본항공 516편 여객기의 탑승자 379명은 전원 탈출에 성공해 인명 피해가 발생하지 않았습니다. 평소 화재 등 긴급 상황 발생 시 90초 안에 승객들을 대피시켜야 한다는 '90초 룰'을 준수하였기 때문입니다. 이렇게 하려면 일본항공이 평소에 얼마나 철저히 대피 훈련을 했겠습니까? 승객들도 대피 중에 선반의 자기 짐을 꺼내려는 유혹을 참고 승무원의 안내에 따라 질서 있게 신속히 대피하여 목숨을 건진 걸로 조사되었습니다.[28]

유비무환은 일상에서도 매우 중요합니다. 아파트나 회사건물에서 화재가 발생했을 시 대처법, 폭우로 주택이 침수됐을 시 대피법, 이에 필요한 비상용품 사전 구입과 대비도 매우 중요합니다. 또 하나, 북한의 기습적인 대남도발에 대비하는 준비가 있습니다. 얼마 전 러-우 전쟁이나, 이-팔 전쟁은 모두 갑자기 일어났고 전투원뿐만 아니라 민간인의 희생과 혼란, 불편함은 몹시 컸습니다. 우리는 대도시 밀집 상황이라 대규모 포격이나 소형 핵 공격에 매우 취약합니다. 전기나 통신이 끊기는 재난이 닥치면 스마트폰 등 디지털기기는 무용지물이 되기도 합니다. 가스, 수돗물, 식량 유통 등 모든 면에서 이에 대비하는 게 중요합니다.

그 외 어떤 큰 행사를 맡아서 준비한다면 필요한 작업 항목을 목록화하여 점검표에 담으면 하나하나 확인하므로 빠뜨리는 일이 없게 됩니다. 예컨대, 준비과정별로 무엇무엇 하는 걸 해결하였는가? 하는 질문 형식의 점검표를 만들면 당일 긴장되고 바쁜 일정 속에서도 문제없이 잘 진행할 수 있습니다. 병원 수술실 팀에서도 점검표를 사용하는 예가 있는데 환자의 안전과 만족도를 높일 수 있습니다. 점검표를 운용하면 사소한 실수로 큰 재앙을 막는 것을 피할 수 있다고 하니 꼭 실천하기를 바랍니다.

자, 이러니 유비무환(有備無患)이 아니겠습니까? 꼭 그런 습관을 들이시기를 권합니다. 생각 외로 힘들거나 머리 아프지 않습니다. 그냥 '나는 이렇게 미리 대비함으로써 내 할 일을 다 하는 것이다.'라고 생각하고 준비하면 됩니다.

교감, 교장이 되면 자신을 위험에 빠뜨리게 하는 악재가 주변에 도사리고 있음을 늘 인식하여 공명정대하게 일을 보고 직무 내외에서 위법하거나 품위를 잃지 않도록 매사 주의를 기울여 자기관리를 해야 합니다. 이것도 중요한 유비무환의 자세입니다.

퇴직 후의 삶 준비

교장 중임을 마칠 즈음 정년이 몇 년 남아서 명예퇴직할 건가 아니면 원로교사를 할 건가를 수없이 자문하였습니다. 아내와는 물론 가까운 지인하고도 의견을 나누었는데 솔직히 결정하기가 어려웠습니다. 교장 중임 이후엔 이렇게 딱 두 갈래 길이 있는데 무엇을 할 건지, 또 결정한 것과 관련하여 무엇을 준비해야 하는지 깊이 생각하지 못했습니다. 이 책은 몇 년 전부터 출간 준비하기로 정하고 조금씩 써왔지만, 그 외의 일에 대해선 거의 준비하지 못했습니다.

퇴직 후 일 년 정도 지났을 때 후회한 것은 사전에 퇴직 준비를 제대로 하지 못했다는 것입니다. 우선은 계속 일할 준비가 되어있지 못했습니다. 원하는 일이 무엇인지 그걸 하려면 무엇이 필요한지 깊이 고민하지 않아서 생긴 문제였습니다. 그저 퇴직 후 몇 달 쉰 후, 시골에 여생을 보낼 작은 집을 짓는 걸 추진하기로 했는데 여러 사정상 바로 진행되지 않았습니다. 가장 힘들었던 것은 별다른 계획 없는 일상의 무료함이었습니다.

당시 퇴직을 바로 하지 말고 원로교사를 일 년 정도 하면서 퇴직이든지 다른 삶을 대비하든지 해야 했는데 그냥 다 내려놓고 나오니 막막하였습니다. 몸도 마음도 아직 쉴 준비가 안 돼 있었습니다. 여름이 지난 후에 시간강사 자리를 얻어서 조금씩 학교에 나가면서 일상의 무료함을 달래기도 하였고, 교장 때 느꼈던 것과 다른 교실 현장의 분위기를 접할 수 있었습니다.

현재 대부분 직장은 60세 정도가 정년입니다. 그러면 기대수명 등을 고려하면 여생이 20년 이상이 됩니다. 남는 기간을 일 안 하고 보낼 수만 없습니다. 우선 몸이 답답해서 견디기 힘듭니다. 사람은 사회적으로 교류도 해야 합니다. 아무 하는 일 없이 집에만 있으면 우울하고 외로움이란 병이 생깁니다. 그러므로 퇴직 후에도 본인이 일 또는 봉사할 계획을 세우고 자격증이든 다른 일자리든 준비를 해두어야 합니다.

퇴직하게 되면 우선 여행하거나 푹 쉬자는 생각을 많이 합니다. 쉬는 것은 한 두어 달이면 충분합니다. 문제는 그 이후입니다. 긴 여생을 어떻게 살아갈 것인지 계획을 세워야 합니다. 제2의 인생을 산다는 생각으로 잘 준비하여야 하겠습니다.

누구에게나 퇴직은 정해진 미래입니다. 마치 거대한 블랙홀이 우리 옆을 지나면서 빨아들이는 것 같습니다. 아무리 피하려 해도 피할 수 없습니다. 시간과 공간도 어찌해볼 수 없는 사이에 꼼짝없이 휘말려 들어갑니다. 그제야 내 삶의 시간이 많이 흘렀고 그 경험과 기억들은 지나간 날이 되었다는 것을 알게 됩니다. 학교라는 직장에서 학생, 동료 교직원 등이 함께해서 즐겁기도 힘들기도 하였지만, 가끔은 그때가 불쑥 그리워질 것입니다.

퇴직 무렵, 지방에 한 필지 땅을 샀는데 최근에 전원주택을 짓기 위한 설계를 마치고 시공사와 건축 계약을 맺었습니다. 얼마 후 때가 되면 집을 짓고 제가 좋아하는 형태로 마당에 정원을 가꾸며 소일할 계획입니다. 아내와 함께 자연과 더불어 소요하며 독서 등으로 인생의 의미를 찾으며 즐겁게 지낼 계획입니다. 새봄은 새집에서 맞이하면 참 좋을 것 같습니다.

에필로그

[개정판] 《진화하는 학교 리더들》 글쓰기를 마치며 드는 첫 소회는 점점 교권은 약해지는데 책임은 무거워지는 교육계 현실이 몹시 안타깝다는 것입니다. 실제로 교실에서 아이들을 가르쳐 보니 정말 힘들었습니다. 아이들은 5분도 집중하지 못했고 글씨도 엉망이고 문해력도 매우 낮았습니다. 젊은 교사들은 정말 탈출하고 싶은 생각일 것입니다.

교대 입학부터 시작해서 첫 발령 난 순간이 떠오릅니다. 교정의 나무가 계절을 지나며 수십 년 크는 동안 영혼이 맑은 어린이들, 자긍심과 보람으로 교단을 지킨 동료 선생님과 함께 오랜 세월을 걸어왔기에 후회는 없습니다. 교직 성숙기에 학교 리더가 되어 제법 긴 시간 동안 학교경영이라는 과제에 몰두하였습니다. 학교 리더로서 성과를 내고 유산을 남기는 일은 쉬운 일이 아니었습니다. 직장에 몸담고 있을 때는 보지 못했거나 느끼지 못했던 것을 퇴직 후 나와서 깨달은 것도 있습니다. 이제 제가 걸어온 길은 서서히 페이드 아웃되며 사라지고 있습니다. 이를 아쉬워하며 후임들에게 도움이 되고자 정리한 것이 이 책입니다.

2023년 7월 이후, 전국의 선생님들이 많이 힘들어하면서도 끓어오르는 분노를 절제하며 이 나라의 교육을 위하여 질서 있게 교권 회복과 애도 집회에 참여하는 걸 보고 큰 감동을 받았습니다. 아울러 학교 현장의 붕괴 원인은 무엇 때문인지 알아보고자 하였고 나름대로 해법도 찾아보고자 노력하였습니다. 학생들과 학교의 현재 모습을 직접 느껴보고자 시간강사를 신청해서 몇몇 학교에 나가 학생들과 선생님들을 만나보았습니다.

현장의 교실이 붕괴하고 선생님의 사기도 떨어지는 등 교육이 위기에 처했습니다. 이를 극복하기 위해서는 교육 법령 중 교사의 교육활동을 위축시키는 손톱 밑 가시 규정(정서적 학대행위)을 속히 제거해야 합니다. 그리고 가정과 연계한 인성교육이 절대로 필요합니다. 학교에서 학생들의 스마트폰 사용을 제한하고, 효(孝)와 예(禮)를 학교 인성교육의 줄기로 가르치면 좋겠습니다. 공동체 일원으로서 상호작용하기 위해서는 몸으로 어울리고 함께하는 놀이활동을 적극적으로 추천합니다.

가정과 학교에서의 교육 원칙은 아이들을 사랑하되 엄격하게 가르치는 것입니다. 저는 이것이 성공해야 우주적 질서인 '코스모스'와 연결된다고 봅니다.

학교경영은 본인의 철학이 인간의 본성과 잘 조화를 이루어야 했고, 설계와 실행은 합리적이되 사람들의 심리와 잘 부합하여야 했습니다. 그런데 돌아보면 막상 남는 것은 거의 없고 언제 그렇게 시간이 지나갔는지 세월이 무상합니다. 다른 분들도 그렇겠지만 직장 생활할 땐 하루하루가 어떻게 갔는지 모르게 흘러간 느낌입니다. 시간은 모두 어디로 간 걸까요? 이제는 시간의 흐름을 느끼며 살고 싶습니다.

이 책의 원고를 퇴고하던 어느 날, 문득 인생은 덧없거나 고단함 그 자체이고, 이를 알면서도 묵묵히 견디며 끝까지 걸어가는 것 또한 인생임을 깨달았습니다. 책을 펴낸다는 것은 저자의 지난 경험과 생각을 다른 사람들과 나누는 생산적 행위입니다.

제 마음속의 스승, 퇴계 선생이 도산서당에 기거하며 산을 오르며 산책했듯이, 퇴직 후 저와 아내의 꿈인 지방의 한적한 전원마을에 작은 집을 지은 후, 집 마당에 꽃나무와 화초류를 가꾸고 독서를 하며 자연과 인문 철학을 완성하는 시간을 보낼 준비를 하고 있습니다.

여름밤 캄캄한 곳에서 우리은하의 중심부를 맨눈으로 보거나 천체망원경을 하나 장만해서 계절마다 볼 수 있는 행성이나 성단 등의 아름다움을 만나보고 싶습니다. 그리고 사계절 모습을 달리하면서도 한 곳에서 수백 년을 견디며 지내는 나무의 의연함도 닮고 싶습니다. 이웃한 나무들과 경쟁을 하지만 서로의 가지를 침범하지 않고 사적 영역을 존중하는 듯한 공존의 지혜를 배우며 세상에 작은 보탬이라도 되는 존재가 되고 싶습니다.

나이가 들어가면서 인생을 어떻게 사는 것이 의미 있는 삶인가 하는 것에 많은 관심이 생겼습니다. 시간이 흐를수록 인간 본성의 욕구를 이겨내고 심리적으로 평온한 삶을 추구하였던 그리스·로마 시대의 스토아 철학을 생각하며 인생을 관조할지 모르겠습니다. 최근엔 일상에서 건강을 챙기며 철학을 공부하는 게 생활의 작은 즐거움으로 다가오고 있음을 느끼고 있습니다.

직접 뵐 수는 없었지만, 이 책을 쓸 수 있게 동서고금의 지혜를 나눠주신 세계의 여러 사상가와 저명 저자들, 스토아 철학, 동양 철학을 알게 해준 고대와 근대의 현자들, 우주적 질서의 혜안을 갖게 해준 뉴턴, 케플러 등의 천문학자, 《코스모스》의 저자 칼 세이건을 비롯한 우주 과학자들에게 감사드립니다.

제가 교직에 들어와서 우주과학 청소년단체와 인연을 맺은 후부터 오랜 세월 함께 학생들을 만나고 가르쳐 주신 변상식 선생님, 그리고 교직 마지막 학교에서 설니홍조 같은 필자의 원고를 꼼꼼히 검토한 후 솔직하고도 적절한 비평, 토론에 참여해 힘을 보태 준 문중호, 백명옥, 신옥경 선생님께 깊이 감사드립니다. 앞날에 큰 발전과 영광이 있기를 바랍니다.

가정에서 필자와 아이들을 잘 뒷바라지해주며 오랜 세월 풍파를 견디며 알뜰히 살아온 아내에게 진심 어린 고마움과 감사한 마음을 전합니다. 아버지를 위해 바쁜 공부 중에도 표지 디자인과 책의 각 장(章)에 어울리는 삽화를 그려 준 큰딸에게도 고마운 마음입니다.

직장 일 핑계로 아이들이 성장하며 한창 아버지를 필요로 할 때 함께 지내지 못한 것이 매우 미안하고 아쉽습니다. 오래전에 돌아가신 부모님께서는 항상 자식들 걱정을 많이 하셨고 참고 기다려주셨는데 언제나 부모님이 매우 그립고, 베풀어주셨던 큰 사랑과 은혜를 다시금 느낍니다.

위대한 업적을 남긴 자연철학자 아이작 뉴턴은 자신의 생애를 회고하며, 자신은 모든 미지의 것을 볼 수 있는 진리의 대양 한 해변 모래사장에서 매끈한 조약돌이나 예쁜 조개껍데기를 발견하고는 이따금 즐겁게 정신없이 놀고 있는 한 소년이었다고 회고하였습니다. 진리 앞에서 겸손했던 그의 모습이 참 그립습니다.

당신이 머물렀던 장소와 시간 속에서 구성원이 이전보다 더 나은 발전을 이루었다면 리더로서 보람 있는 일입니다. 퇴직은 조명을 받던 무대에서 내려오는 것입니다. 직위는 퇴직하면서 사라지나니 직위와 관계없는 멋진 삶을 사시길 기원합니다. 더하여, 당신이 축적한 다양한 경험의 지혜는 후임들에게 귀중한 진화의 재료가 되기에 교육 유산을 나누는 일에 동참하시길 바라마지 않습니다. 진정한 부자는 나눠줄 것이 많은 사람이라고 합니다.

학교 교육 리더 여러분의 건승을 기원합니다.

* 이 책은 부크크(bookk)에서 무료로 출판하였으며, 필요시 원고를 수정할 수 있고 주문 시 인쇄하므로 작은 수준의 최신 내용 교체가 가능해서 이 방식을 선택했음을 밝혀둡니다.

주(註)

제1장 책임 있는 학교 리더

01. 목영만, 《신뢰의 발견》, 알에이치코리아, 2016. p.22-26.
    저자는 퇴직 공무원으로서 공직자의 책임과 신뢰를 강조하였다.
02. https://namu.wiki>조지 C. 마셜
    마셜 자신도 당시 유럽 주둔군 최고사령관이 되려는 야망이 있었으나 국가의 이익이 되는 쪽으로 대통령의 결정을 따르기로 하였다.

제2장 지혜로운 학교 리더

03. 제프리 페퍼 지음, 안세민 옮김, 《파워》, 시크릿하우스, 2020. p.22.
    혁신이 이루어지는 과정엔 기존의 저항하는 기득권 세력이 있기에 이를 돌파하기 위해서는 정당한 권한을 적극적으로 사용하는 것이 필요하다고 하였다.

제3장 용기 있는 학교 리더

04. 조코 윌링크·레이크 바빈 지음, 최규민 옮김, 《네이비씰 승리의 기술》, 메이븐, 2019. p.50.

제4장 배려하는 학교 리더

05. 조너선 하이트, 그레그 루키아노프 지음, 왕수민 옮김, 《나쁜 교육》, 프시케의숲, 2019. p.331.
    안전 제일주의는 소년의 도전정신과 모험에 대한 제거를 가져와 결과적으로 나약한 인성을 갖게 된다고 하였다.
06. 조윤제, 《우아한 승부사》, 21세기북스, 2019. p.133.

제5장 학교 리더의 인성과 역량

07. 칼 세이건 지음, 홍승수 옮김, 《코스모스》, 사이언스북스, 2006. p.22.
08. 비욘 나티코 린데블라드 지음, 박미경 옮김, 《내가 틀릴 수도 있습니다》, 다산북스, 2022. p.275.
09. http://www.donga.com/news/opinion/article/all/20220818/115024793/1
10. 앞의 책 《나쁜 교육》, p.213.

11. 말콤 글래드웰 지음, 유강은 옮김, 《타인의 해석》, 김영사, 2020. p.63-67.
12. 같은 책, p.68-69.

第6장 학교 진화를 위한 통찰력

13. 베른하르트 부엡 지음, 유영미 옮김, 《왜 엄하게 가르치지 않는가》, 뜨인돌, 2023. p.10. 추천의 글 중에서-안양 백영고 교사 김태현
14. 박상수, 《학교는 망했습니다》, 맑은샘, 2024, p.44.
15. 로저 스크러튼 지음, 박수철 옮김, 《합리적 보수를 찾습니다》, 더퀘스트, 2016. p.54.
16. 같은 책 p.88.
17. 브렌다 코헨 지음, 김정래 옮김, 《교육과 개인》, 교육과학사, 2014. p.90-91
 교육의 결과를 개인에 초점을 두지 아니하고 집단에 두게 되면 알게 모르게 평등을 지향하는 정책을 쓸 수 있다고 경계하였다.
18. 같은 책 p.69.
19. 베른하르트 부엡 지음, 유영미 옮김, 《왜 엄하게 가르치지 않는가》, 뜨인돌, 2023. p.116.
20. 같은 책 p.11. 추천의 글 중에서
21. 정경화, 《아직 시간이 있습니다》, 부크크, 2023. p.172-178.
22. 권오봉, 《퇴계선생 일대기》, 교육과학사, 2013. p.160-162.

第7장 유산을 남기다

23. 이돈희, 《교육과 정치》, 에듀팩토리, 2016. p.16.
24. 칼 세이건 지음, 현정준 옮김, 《창백한 푸른점》, 사이언스북스, 2019. P.26-27.
25. 같은 책 p.27.
26. [전성철의 글로벌 인사이트] 당신은 대한민국의 '세계화'된 시민입니까? - 조선일보 (chosun.com). 2022.10.7.
27. 엘리슨 레이놀즈 외 지음, 김미란 옮김, 《성공하는 리더들의 철학공부》, 토네이도, 2020. p.347.
28. 조선일보 [만물상] '90초'룰, 2024.1.3.